火の粉

雫井脩介

幻冬舎文庫

火の粉

火の粉　目次

〈1〉　判決

「紀藤《きとう》さん。昨日は結構遅かったんじゃないですか？」

　刑事一部の裁判官室を出たところで、梶間勲《かじまいさお》は判決草稿に何気なく目を落としながら、隣に立つ右陪席《みぎばいせき》裁判官の紀藤に小さく声をかけた。

「ええ、十時くらいですか」紀藤はかすかな緊張感を言葉尻ににじませて答えた。「どうしても昨日のうちに読んでおきたい記録があったものですから」

「その時間からよく散髪屋が開いてましたね」

　勲が言うと、紀藤の口から弛緩《しかん》した息が洩《も》れた。頭の後ろを照れたように撫でる。

「家内に切ってもらったんですよ。襟足が左右でバラバラなんです。鏡で見ると苛々《いらいら》しますよ」

「襟足は映らないからいいでしょう。前だけですよ。そうですか。奥さんに……そりゃよかった。昨日と今日じゃ五歳は違って見えますよ」

紀藤は照れ隠しのつもりか、軽くすくめてみせた。

「流れますかね？」

裁判官室のドアを施錠し終えた判事補の中西《なかにし》が口を挿《はさ》む。そう言う彼の髪もパーマがきっちりと当てられていて、硬い光沢を放っている。

「流れるでしょう」勲は答えた。「トップニュースでもおかしくない」

「流れますすね」紀藤も頷《うなず》く。「まず、ないことですから」

「そうですね」中西もつられるように首を動かした。

「さあ、行きましょう」

給湯室脇の鉄扉を開け、法廷までの専用通路を歩く。法衣が擦れる音と、革靴のソールが床を叩く乾いた音だけが鳴り続ける。威厳づけるわけではないが、足取りはゆったりと心がけている。ほかの者も勲に合わせてくる。昔はもう少し早足で移動していたが、息を切らせて開廷するのもおかしく、五十代半ばを過ぎてからは自然にそうなった。

通路から法廷の裏にある小さな合議室へと入り、立ち止まらぬままに法廷の扉を開ける。

東京地裁八王子支部第205号法廷の傍聴席は、勲の予想通り満席となっていた。四席一ブロックが三つ並んで一列。それが三列あって三十六席。大手の新聞やテレビの報道記者には最前列に記者席が設けられているが、マスコミ陣はもちろんそれだけではない。週刊誌やフリーの記者などもこぞってやってきているようだ。

勲ら裁判官が入廷した瞬間から、傍聴席の後方中央に設置されたNHKのテレビカメラが回り始めている。報道各社を代表しての撮影だ。カメラクルーの隣には訟廷管理官《しょうていかんりかん》がストップウォッチを片手にして立ち、撮影時間として取り決められている二分間を計っている。

勲は廷内に漂う小さな息遣いや洟《はな》をすする音などを聞きながら、裁判官席の中央の椅子に腰を下ろした。

顔を上げて視線を前に向ける。傍聴席右前列、記者席を示す白いカバーのかかっていない一ブロックに座る喪服姿の一団がまず目に入った。

四十代の男が被害者の遺影を膝の上に置いている。彼、池本亨《いけもととおる》は被害者家族の妻、的場《まとば》久《く》美《み》子《こ》の実兄だ。鬼瓦のような顔をした骨太の男ながら、その佇《たたず》まいは影が差しているように見える。髪は乱れ切っていて、勲ら裁判官とは好対照なほど、手ぐし一つ当てられてはいない。眼には異様なぎらつきがある。

勲は、検察側の証人としても、またテレビのインタビューでも、彼の悲痛な姿を何度も目にしている。もちろんそれ自体は同情するにやぶさかではないが、今日に関しては……判決を迎えて喪服を着てくるあたり、そして痛々しいほどの髪の乱れ具合も含めて、閉廷後に予定されているであろう記者会見をどことなく意識しているような……悪く言えば一種のパフォーマンス的な匂いが勲には嗅《か》ぎ取れてしまった。

黒いリボンがかけられた額の中には三人の笑顔が入っている。的場夫妻と六歳の息子、健《けん》太《た》の笑顔である。初公判では三人それぞれ一枚ずつの大きな遺影を持ってきていたが、職員の誰かが自粛を申し入れたようで、第二回からは三人一緒に写っているスナップ写真の引き伸ばしが額に納まって、池本亨の手に支えられている。一年以上にわたる裁判の間、その姿が変わることはなかった。

ただ、何度見ても、池本の眼、怨念《おんねん》のこもった眼は、この粛々とした法廷には馴染《なじ》まない……それが勲の率直な気持ちだった。池本だけでなく、勲は四十年近い裁判官生活の中で様々な事件が引き寄せた怨念を目の当たりにしてきたが、そのたびに違和感を覚え続けてきた。被害者とその遺族に降りかかった悲劇は記録を数枚繰るだけで容易に想像することができる。しかし、そこから怒りや憎しみをことさら抽出するのは法曹家のやるべきことではない。勲の経験上の実感である。

気をつけなければならないのは、メディアが作り出すヒステリックな正義だ。被害者にも加害者にも会ったことがない何千万という日本国民がメディアを介して、世論という凶器を被告人の喉元に突きつける。いや、正しく言えば、裁判官の喉元に突きつけているのかもしれない。そうやっておいて、「お前が引導を渡せ」と言っているわけだ。

確かにこの事件は凶悪である。検察が指摘するところ、被告人の武内真伍《たけうちしんご》は卑劣でさえある。幼い子供を含む一家三人を被害者宅で殺し、あまつさえ自分自身も暴漢による暴行を受けた被害者のように偽装していた男である。逃走犯の足取りが摑《つか》めず、捜査当局が唯一生き残った被害者である彼に疑いの矛先を向けると、あっけなく犯行を自供した。それでいながら、公判が始まったとたん、一転して全面否認に態度を変えた男。

そんな男が相手なら、誰もが当然のように憎悪を抱えて極刑を望むべきだということかもしれない。今の社会に生きている限り、メディアの影響から逃れられる者はいない。世論の趨勢《すうせい》を知っていることからして、裁判官も例外ではない。

しかし、その世論がいくら正義の側に立っていようと、司法の手がそれに呑み込まれてはならない。大事な真実を見誤る危険があるからだ。

淡々、そして粛々。悲劇性の強い事件のときほど、勲はそれを意識して裁判を作ってきた。

右陪席で二度、勲は死刑判決を経験している。忘れられないのは、大阪地裁の刑事部時代に当たった女子中学生誘拐殺害事件だ。犯人は四十歳の借金まみれの男。身代金目的で女子中学生を誘拐したが、実家に脅迫電話をかける前に、女子中学生に抵抗されたためにかっとなって殺害した。聞き出してあった実家の電話番号を書き記したメモをなくしてしまい、うろ覚えの番号にかけても駄目だったので、そのまま彼は遺体を山林に遺棄した。この女子中学生の謎の失踪に対しては、被害者宅への脅迫電話と思われる間違い電話を取った市民の通報によって誘拐説がにわかに浮上し、少女の安否を心配する声がマスコミを中心に高まった。車の目撃情報などから捜査当局が犯人にたどり着き、その男の自供を引き出したのはおよそ三カ月後のことだった。それを受けて少女の白骨化した遺体も発見された。そんな事件の裁判だった。

部の合議は死刑か無期懲役かで揺れた。一般に子供の営利誘拐で、結末に殺害と死体遺棄が付けば極刑を免れない重罪だ。しかしこのケースでは、計画的犯行とも断定し切れない行き当たりばったりの行動が処々に散見できた。成り行き上とはいえ、身代金の要求も早々と断念している。そして、公判中の被告人は謝罪と悔恨を口にしていた。

ただ、それらを踏まえながらも、勲は死刑やむなしという判断だった。女子中学生の無念を伝えるマスコミの指弾も強かった。思えばその当時の自分には世論に流されていたうらみもあったと勲は思う。そして死刑判決を下すことの重みも骨身に染みては分かっていなかった。左陪席の判事補も同様。唯一、裁判長だけが結審を迎えるまで態度を明らかにしていなかった。その裁判長は温厚な人物で勲も尊敬していたが、そのときだけははっきりしない言動に物足りなさを感じたものだった。

しかし、判決を視野に入れての合議を重ねるにつれ、死刑判決を下すことが裁判官にとって、とりわけ裁判長にとっていかに深刻な問題であるかということが、彼を通して勲にも分かるようになってきた。食事も喉を通らないような葛藤を彼は続けていた。合議の時間はしばしば沈黙だけで過ぎていってしまった。

誰がどう見ても死刑というケースなら裁判長もあれほど悩まなかっただろう。無期懲役という判断もある。そのことが彼の葛藤をより深くした。世論があり、裁判所長も口出しした。しかし、最後は彼本人が死刑を決断した。何が決め手だったのかは分からない。どんな過程を経てたどり着いた決断だったのかも。ただ残念なことに、完全に揺れが止まってからの結論ではなかったような気がする。

判決公判当日。その裁判長は裁判官室で自分の席に座り、ひそめた声で判決文を予行朗読していた。

「主文。被告人を死刑に処す……」

そこの部分は何度も練習していた。頬がひくひくと痙攣《けいれん》し、口がうまく動かないようだった。

その裁判の時間が訪れた。被告人の顔も青かったが、裁判長の顔も負けず劣らず青かった。

「まず判決理由から読んでいきます」

裁判長は言った。主文を後回しにするということは、十分に死刑判決があり得ることをほのめかすものである。被告人は初めこそ金縛りに遭ったように固まっていたが、途中から判決理由の読み上げそっちのけで嗚咽《おえつ》を洩らし始めた。嗚咽というよりは慟哭《どうこく》に近かった。法廷内にその声が響いた。

それを聞いて、裁判長の朗読もおかしくなった。声が震えて進んでいかない。真っ青になり、喘《あえ》ぐように息をしている。

主文。被告人を死刑に処す……。

そこのところはもうほとんど言葉になっていなかった。こんなにひどい判決言い渡しは勲も経験がなかった。恐怖を感じ、気がつくと勲も震えていた。

その裁判長はほどなくして退官した。殺人者だろうと誰だろうと、もう人を裁くことなどできない。彼はぽつりと言った。自分も人を殺したのだ。そう言った。

無期懲役という判断もあったのに……勲はそう思うようになっていた。むしろそのほうが妥当だった。事実、高裁では無期懲役に差し替えられた。あの裁判長は世論に呑み込まれてしまっていた。そのまま死刑という怪物とがっぷり組み合い、そして押し潰されたのだ。

犯罪者を厳しく罰せよと言うのは簡単だ。

しかし、人を裁くのは、言うほど簡単なことではない。裁判官は量刑を一年プラスマイナスするのにも煩悶《はんもん》を繰り返しているのが実情なのだ。

以降も勲は一件、死刑判決に関わった。そのときは判決書に署名、捺印《なついん》したことで自分の手が汚れてしまったような気がした。動かせない判決だったとはいえ、心に苦いものが残った。

因果な仕事だと思う。

それでも法廷は基本的に裁判長のものである。同じ判決を下すにしても、左陪席や右陪席にいるときとは重圧感が違う。裁判長になってからは死刑裁判に関わることなくやってこられた。それは何よりだったと勲は感じる。

「あと三十秒です」

ストップウオッチを見ている訟廷管理官が無機質な声を出した。

その声で集中が途切れた形となった勲は、無意識に傍聴席全体へ視線を回した。

一瞬捉えた傍聴席の奥に、知った顔があったのに気づいた。ほう、懐かしい顔だ……勲は場違いにそんなことを思った。

彼、野《の》見山《みやま》司《つかさ》は二年ほど前まで東京地検八王子支部の公判部に所属していた検事だ。今は同じく八王子支部の刑事部に移り、捜査を担当している。

公判部の検事は裁判所の各部に対応して担当が決まっているので、裁判官と検事たちは同じ顔を何度も見ることになる。野見山は勲が率いる刑事一部の担当だったので、当時は見飽きるくらい頻繁に顔を合わせたものだった。

しばらく見ないうちに青くささがすっかり消えて、なかなかの貫禄を身につけている。三十代の半ばを過ぎたあたりの男だ。司法試験を優秀な成績で突破した正検だが、我の強い仕事ぶりが目立つ検事だった。挑発的なゼスチャーや攻撃的な尋問、言葉の端々に皮肉を込めた物言い……法廷にわざと波風を立たせるような戦術を好んで使った。

裁判を作る側から見れば眉をひそめることも多かったが、逆に言えば、あれが遣《や》り手検事の一つの典型像なのかもしれない。実際、今回の公判を担当している三原《みはら》という女性検事も若い正検なのだが、若さがあだとなって野見山と比べると迫力不足は否めない。

検察側の公判担当は通常、若い正検か年配の副検事が配属される。若手の正検はそこでキャリアを重ねると、ほかの部署……例えば捜査を担当する刑事部などへ異動していく。野見山も順調にそのコースを進んでいるようだ。

そう言えば、彼は今回の事件の起訴を担当していたのだった。起訴状に名前が載っていた。判決の行方が気になってやってきたのだろう。検面調書を始めとして、今回の事件の捜査側にはどこか強引、性急な印象がついて回っているが、改めて野見山の顔をそこに当てはめて考えてみると腑《ふ》に落ちる気がする。

「はい、終了です」

訟廷管理官が告げた。カメラクルーが撮影を終え、そそくさと撤収していく。

いつもであれば、被告人は裁判官が現れる前に入廷を済ませているものだが、開廷前にテレビ撮影があるときは裁判所内にある仮拘置監で待機している。撮影が終わると廷吏が呼びに行く。

勲はその間、改めて傍聴席の野見山を見た。また視線が合い、野見山は頷くより小さく首を動かしてみせた。

胸を反らせるようにして椅子の背に身体を預け、腕を尊大に組んでいる。三つぞろいの濃紺色のスーツは彼のトレードマークだ。柿色のネクタイの結び目は不自然なほど大きい。顔は顎の尖った逆三角形で、自信家らしい眼つきは相変わらず。今にも皮肉が出てきそうな片側に歪《ゆが》んだ薄い唇も相変わらずだ。

今日の判決で、あの食えない表情がどう変わるのだろうか。ちょっと見てみたい気もするが……それは趣味が悪いか。

勲の後方脇にある扉が開いた。二人の刑務官に付き添われて、手錠に腰縄姿の被告人、武内真伍が入廷してきた。

法廷に入るなり一礼した五十一歳の被告人は、グレーのスーツ姿だった。ボタンダウンの白いシャツを中に着ていて、ネクタイはない。

身体つきは中肉中背。腰縄をつけられると卑屈になるものらしいが、この男もうつむき加減で猫背気味になっている。その丸くなった背中一面には、事件で負った打撲痕《だぼくこん》が……検察が指摘するところの自分自身で金属バットを背中に打ちつけた傷あとが……一生消えぬケロイドのように肌を変形させているはずだった。

スーツの腰回りが気持ちだぶついているあたり、この一年の拘置所生活が彼の身を確実にやつれさせていることを窺《うかが》わせている。それでも肩から背中にかけて、スーツの生地に安っぽいよれは見当たらない。当人を相応の紳士に装わせている。高級ブランドのスーツか、一流テーラーのオーダーメイドなのだろう。丸顔で双眸《そうぼう》の大きな男。武内真伍は見かけだけでなく、その物腰も公判を通じ、一貫して紳士然としていた。

先祖代々相続していた山林を処分した彼の資産は四億余りあるという。独身で近親者もいない。この先何年、どう生きようが、人生設計も何もいらない身分の男だ。

そんな男が友人として交際していた夫婦宅で、その友人夫婦を撲殺、子供を絞殺したというのが、今回の裁判で検察側が主張している事件概要だった。

衝動殺人。検察側はそう主張する。金の貸し借りなどのトラブルもなかった友人夫婦を惨殺したというのだから、動機としてはそういうところに落ち着かざるを得ないのだろう。しかし、そうであるなら、衝動を生むほどのマグマが武内に隠されていたという事実を、検察側は全力を挙げて明らかにしてみせなければならなかった。

「裏切られたから」

武内は自白段階でそう答えている。何を裏切られたのか？　その問いには、「私が的場さんにプレゼントしたネクタイを、彼がまったく使っていなかったから」と答えている。

こんな動機が成立するのだろうか。そういう取るに足らないきっかけで惹《ひ》き起こされる犯罪を否定するつもりはない。せっかくネクタイをプレゼントしたのに、相手に使う気がないと分かったら気分を害するかもしれない。相手は相手でネクタイなど好みの問題だから、たとえ好意でプレゼントされたものだとしても、気に入らなければ使わないだろう。そういう贈り手と貰い手の気持ちのずれが何らかのトラブルの火種にならないとは言わない。

しかし、この武内という男が終始法廷で見せ続けている穏やかな立ち振る舞いを前にしていると、たかがネクタイで……と、首を傾げてしまうのだ。当てはまらないし、相応《ふさわ》しくない。ましてや公判に入って武内がその供述を全面否認するに至っては、メッキのように薄っぺらい作り物に堕してしまった印象がある。

そのネクタイは、夫婦惨殺の物音を聞いて二階から下りてきたと思われる息子を絞殺したときの凶器となっている。この事件の鍵の一つである。捜査当局はその鍵を都合よく持ち出した上、かなり強引に動機の辻褄《つじつま》合わせをし、連日の過酷な取り調べで疲労困憊《こんぱい》した被告人から誘導を重ねて供述を取った。それが弁護側の主張であり、勲にもさもありなんと思わせる一理だった。

　それだけならまだしも、この事件には、被告人の背中に広がる打撲痕という不可解な謎が残っているのだ。金属バットでの殴打によるものという凶器の認定では検察側、弁護側、双方の鑑定人が一致。被告人のシャツの背中に夫婦の血が付着していたことから、その金属バットは夫婦を殴打したあとに被告人の背中を殴打したものと見られる。現場に残された金属バットは夫、的場洋輔《ようすけ》所有のものであり、それが凶器として使われたのは間違いない。

　問題は誰が被告人、武内の背中を打ったかということだ。

　記録によれば、武内は肩から腰にかけて背中のほぼ全体に強い殴打を加えられており、肩甲骨二カ所の亀裂骨折、左手甲の亀裂骨折のほか、むち打ち、嘔吐、発熱などの症状が見られたという。

　検察側はこの武内の負傷を本人の偽装工作によるものと見なした。大きな理由として、的場夫婦の被害は比較的頭部に集中しているのに対し、武内についてだけは後頭部などに目立った外傷は見られず、被害は背中に集中していることを挙げた。

　対して弁護側は、武内は頭部を両手で覆っていたために被害を免れただけであって、その証拠に両手の甲には打撲痕があり、左手の甲は亀裂骨折しているとして反証した。さらに弁護側の鑑定人は、背中に広がる打撲痕は具体的に言うと、普通の大人が金属バットを持って振りかぶり、かなりの強さで振り下ろすような殴打を最低二十回以上繰り返した結果としてできる程度のものであると意見を述べた。つまり、自作自演でこのようなひどい打撲痕は作れないということだ。

検察側の鑑定人は、健康体の男性であればバットを後ろ手に持って肘の返しで背中に打ちつけるだけでも相当の威力が得られ、回数を重ねることによって被告人のような打撲痕を作ることは可能であるとの立場だった。元より検察側の鑑定人が実行不可能を主張するはずもなく、これに関しては見解の相違ということになる。だが、実際、勲自身が金属バットを持って背中に打ちつける真似をしてみた感覚では、証拠写真で提出されたようなひどい打撲痕にはならないのではないかというのが率直な思いであった。

犯行現場の的場邸は東京の調布市にある二階建て住宅。犯行は八月二十七日の夕方五時半。家の中に物取りの犯行を思わせる荒らされた形跡はなく、犯行時刻前後、近隣での不審人物の目撃情報もこれというものはなかった。玄関のドアは施錠されていなかったから、その点で何者かの侵入は可能な状況だった。ただ、家に誰かが土足で上がった足跡はなく、有力な指紋等の手がかりも残されていない。金属バットのグリップは指紋が拭われていた。

弁護側の主張では……武内は自供前、一貫してそう供述していたそうだが……的場夫婦と武内が一階のリビングで歓談していたところ、突然ストッキングをかぶった一人の男が現れたという。中肉中背で服装は黒系統のシャツにジーンズ。手には的場邸の玄関に置かれていた金属バットを持ち、無言のまま、まず一番近くにいた武内の肩にバットを打ち下ろした。そして武内がうずくまったところで、男は部屋の中央に進み入り、的場夫妻を交互に殴打した。

このとき隣家の池本邸では、池本亨の妻、杏子《きょうこ》が庭で鉢植えの花に水をやっていた。そこでざわざわとした悲鳴のような声や物音を聞いている。ただ、その声や音はびっくりするほど大きなものではなく、また長く続いたわけでもなかったので、そのまま聞き過ごされた。

武内が反撃に転じて暴漢に組みつこうとしたときには、暴漢の的場夫婦への攻撃はあらかた終わっていた。暴漢は武内を突き飛ばし、背中を中心に執拗な殴打を加えた。

当初から暴行を目的として犯人が侵入してきたのであれば、何らかの凶器を持参していたはずではないか、なぜその家にあるバットが凶器になったのかと検察側は疑問を投げかけたが、それについて武内に答えを出せというのは無理な話だ。真犯人にしか分からない。凶器を隠し持っていたものの、目についたバットのほうが効果的だと思ってそれを使ったとしても、何ら不自然ではない。

警察への第一通報者は武内。五時五十八分に一一〇番通報の記録が残っている。犯行から三十分ほどの時間が経っているが、これは負傷のダメージとショックから立ち直る時間だったと武内本人が述べている。まだ犯人が家の中にいるかもしれない。下手に動けば犯人は再び攻撃を加えてくるかもしれない。そんな恐怖と背中の痛みで、しばらくの間、身体を動かすことができなかったということだ。

犯人はその間にリビングのテーブルに置いてあった例のネクタイを手にして、階段で息子の的場健太を絞殺、そして首尾よく逃走している。検察の道筋をここに当てはめれば、武内はこの空白の三十分で偽装工作を行っていたとの見方になる。

決め手のない手がかり。空白の時間。幻の犯人。一人生き残った男……捜査が行き詰まったところで、当局がその突破口を第一通報者に求めたのは無理もない。しかし彼らが苦心して捻《ひね》り出した武内真犯人説のストーリーは、何とも不自然でいびつな出来だったとは言えまいか。衝動殺人を犯した者が、そのまま冷静に偽装工作を行うなど、あまり筋のいい話とは思えない。

それでも検察は力業で起訴まで持ち込んだ。司法のベルトコンベアに載せてしまえば、あとは九十九・九パーセントの精度で有罪にしてくれる。不良品は千個に一個しか出ない。彼らがその神話を頼りにしていたかどうかは知らないが、少なくとも、何とかなるだろうという甘えたところはあったはずだ。

「起立！」

廷吏が号令をかけ、この法廷に集った者たちが一斉に立ち上がる。一礼がそろった。

「それでは開廷します」

勲は椅子に腰を落ち着けてから、努めて柔らかい口調で声を発した。

「ええと、じゃあ今日は判決を言い渡しますからね。被告人は前に出てきて下さい」

手錠と腰縄を解かれた武内は、硬い動きで正面の被告人席に進み出て、勲と相対した。うつむき加減の顔は無表情だ。無理もないが唇が青い。

「はい。では判決ですね」勲は心持ち早口になり、淡々と口を動かした。「被告人に対する殺人事件について。主文から読み上げますから聞いて下さい」

主文から読むということは死刑ではない……この場にいる者がそう理解する暇も与えない早さで勲は主文を読み上げた。

「えー、主文。被告人を無罪とする」

誰も勲の声が聞こえていなかったかのように、法廷内は静まり返ったままだった。

「あと、認定事実や判決理由を読んでいきますけど、ちょっと長くなりますからね、被告人はそこに座って聞いて下さい」

武内は強張《こわば》った唇から「はい」とかすれた声を出して頭を下げた。

武内が操り人形のようなぎこちない動きで被告人席に腰かけたところで、やっと傍聴席の後ろが反応した。

「無罪、無罪」

ひそめながらも興奮したような声がその一帯を駆け巡り、何人かが法廷を飛び出していった。

遺族の顔も、野見山検事の顔も、勲は見なかった。

ただ、淡々、粛々と判決草稿を読み始めた。

「三原さん、真っ青な顔してましたねえ。ぶっ倒れるかと思いましたよ」

裁判官室に戻る専用通路の中、中西判事補が口を開いた。声のトーンこそ落としているが、興奮口調である。右陪席も左陪席も判決文の朗読中はやることがないので、法廷の様子をくまなく観察できる。

「倒れたら介抱してあげたかったなあ」

紀藤判事が冗談混じりに言い、司法修習生たちが軽く笑った。

「野見山さんもいたね。珍しく」

勲の言葉に、中西は「え？」と呆《ほう》けた顔を見せた。どうやら目に入らなかったらしい。

「いました。いましたよ」紀藤がニヤついた。「彼は反対に真っ赤になってましたよ。あの様子だと、あとで一言言いに来るんじゃないかなあ。あれは来るなあ、たぶん」

「こっちに文句言われたって困るんだけどね」

自業自得とまでは言わなかったが、勲の言いたい意味はそういうことだった。

「まあでも、正直なところ気を揉みましたけど、つつがなく終わって……」

紀藤が言い、勲は笑みとともに頷いた。衝撃に違いない判決を受けて、あの場にいた関係者はそれぞれの立場ごとに何らかの思いを抱えたはずだが、法廷が荒れることはなかった。

「淡々、粛々と進めればこうなるんですよ」勲は言いながら、司法修習生らの若い顔に視線を回した。「今日は貴重な経験ですよ。こういうのも裁判官の独立が守られているからこそ可能なんです。自分を信じ、勇気を持って決断することです。裁判官をやってたら一生に一件くらいはこんなケースに出会ってもおかしくない。それを嗅ぎ分ける鼻を身につけておくことなんですね」

勲が笑顔を見せると、四人の修習生の頭が気持ちよく下がった。

会心とは言い過ぎかもしれないが、自賛できる裁判だった。いったん自白まで追い込まれた被告への無罪判決などは、法曹界の常識で言えば奇跡に近い。勲自身、これほど思い切った判決は経験になかった。そんな裁判を粛然と終えることができた。長い裁判官生活の総決算とも言える裁判になった。

専用通路を出て、刑事一部のある北棟に入る。裁判官室は普通、書記官室の奥に位置しているところが多いが、ここの刑事一部は中央通路を挿んで書記官室と裁判官室が分かれている。

「どうですか。懸案の裁判を乗り切ったことですし、今日あたり立川かどこかで」

紀藤は早くも法衣のボタンを外しながら、勲や中西に顔を向けた。

「昨日の残業はそのためだったんですか？」

中西が紀藤をからかう。周囲に笑いが洩れる。

そんなやり取りをしていると、突然、通路を誰かが走ってくるような激しい靴音が聞こえてきた。

「おいっ！　裁判長！　おいっ！」

その声に、勲は足を止めて振り返った。黒いスーツの男が額縁を小脇に抱えて猛然と近づいてくる。池本亨だ。一見して表情に険があるのが分かった。

「あんた、何考えてんだ！　おい！」

池本は荒い息遣いで怒声に似た声を出し、飛びかかってくるような勢いで勲の法衣をぎゅっと摑んだ。石のように硬いこぶしが勲の二の腕に押しつけられた。

「ちょっと、ちょっと」勲と一緒にいた部の者たちがにわかに騒然とし、池本を押さえにかかった。

「この野郎、放せっ！　畜生！　でたらめな裁判やりやがって！」

周りの反応に興奮が増したらしく、池本は憤怒の表情で悪態をついた。

「危ないですよ」勲は冷静を装いながら、自分の法衣を相手の手から引き抜いた。

「おい、待て！　逃げんな、こら！」

「ちょっと、ちょっと」

再び勲に摑みかかろうとした池本を、部の若い男たちが慌てて引っ張る。それでも前に行こうとする池本は足を滑らせ、床に勢いよく尻もちをついた。

ガラスの割れる音がして、その場にいる者たちの動きが止まった。

遺影を納めた額縁のガラスが派手に割れていた。写真ははらりと床に落ち、池本の手には血がにじんでいた。

池本は床に落ちた写真と自分の手を交互に見て、それから顔を上げて勲を見た。

勲は池本の尋常でない眼つきに妙な寒さを感じたが、口ではただ同じ台詞《せりふ》を淡白に繰り返しておいた。

「危ないですよ」

池本はすぐに立ち上がろうとはしなかった。写真を拾い、ガラスのなくなった額に重ねた。

眼を激しくしばたたかせながら勲を見る。荒い息を吐きながら、ただ勲を見ている。

「ちょっとガラスを拾って差し上げて」

勲は書記官と修習生たちに指示した。彼らがガラスを拾い始めるのを見つつ、その場を離れることにした。中西が裁判官室のドアを解錠する。

「危ないですからね」

勲は最後にもう一度、池本に言い置いて、紀藤たちに守られるように裁判官室へ入った。

「おお、こわ」

中西は重い空気を一掃するようにわざとらしく身震いしてみせ、ドアを閉めた。

裁判官室まで乗り込んでこようとする裁判の当事者は決して少なくないが、あれほどの剣幕で来られるとさすがに背筋の冷える思いがする。勲の長い裁判官生活でも摑みかかってこられたのは初めてだ。最低限のセキュリティとして裁判官室は札をかけていないし、案内板にも載せていない。しかし、通路で遭ってしまえばどうしようもない。

「こちらに文句を言われてもねえ」

勲は先ほどと同じような言葉を呟きながら、ゆっくりと深い息をついた。法衣を脱ぎ、ロッカーに入れる。コーヒーメーカーからカップ＆ソーサーに一杯注いで、書類が山と積まれた自分の席に着いた。

ネクタイを気持ち緩め、机の引き出しからクッキーを出して一つつまんだところで、ドアに軽いノックの音がした。事務官が顔を覗かせる。

「部長、野見山さんが……」

言い終わらぬうちに、事務官の背後から伸びた手がドアを大きく開け放った。仏頂面の野見山の姿が見えた。腹に一物《いちもつ》抱えているような目が勲を捉えている。

勲が立ち上がろうとするところを野見山は手で制した。

「ここで結構です」

千分の一の貧乏くじを引いた検事は、暗い色をしたスラックスのポケットに手を突っ込み、勲の机の前、狭いところを右へ左へ意味もなく歩いていた。

「私に何か恨みでも？」

頬を引きつらせて訊《き》いてくる。

「まさか」勲は一笑に付した。

「あなたの独断ですか？」

「もちろん合議の上です」

実際にはかなり勲が引っ張ってたどり着いた判決だったが、勲自身それなりの自信があってのことである。部長が信念を持って進める合議に対して、右陪席や左陪席が刃向かい続けることはあり得ない。紀藤も中西もその点では平均的な裁判官だ。

「高裁で引っくり返りますよ。あなたの経歴に傷がつく」

「高裁……？　というと、控訴をするつもり？」

　野見山は答えるのも馬鹿らしいという顔をした。

　控訴するのは検察側、弁護側の自由だが、控訴審でも第一審の判決はかなり重視されるのが現状だ。第一審こそ事件が風化しないうちに行われた生々しい裁判だからだ。多少量刑が動くくらいはあり得るが、まずは控訴棄却の決定がほとんどである。一審の判決がどんなに理不尽に見えようと、二審で有罪が無罪になったり、あるいは無罪が有罪になったりする極端な判決の揺れは望めないと言ったほうが正しい。コロコロ判決が変われば、裁判機能全体の信頼性が損なわれるという考え方もある。冤罪《えんざい》に泣く死刑囚たちも、このために苦しい闘いが続く。冤罪の芽があるなら、第一審で摘み取らねばならないのだ。

「老婆心を承知で言うけど、控訴はしないほうがいいんじゃないかな。あなたからも高検の人に言ったほうがいい。あれじゃあちょっと厳しいね。刑事部がもっと丁寧な仕事をしないと。三原さんあたりが孤立無援で可哀想ですよ」

　野見山は勲の机に手をついて、身を乗り出してきた。

「武内はやっています。自白は任意です」

「検察側がそういう主張であることは承知してますが」

「あなたは殺人犯に何の制裁も与えず、社会に解き放ったんだ」

「野見山さん」勲は立ち上がって、自分のロッカーから金属バットを取り出した。「これで自分の背中を打ってみたらどうだね。とてもあんな打撲痕はできない。あなたのやるべきことは私に八つ当たりすることじゃなく、警察にハッパをかけて逃走した幻の真犯人を捜し出すことだ。そうしないと的場親子だって、いつまで経っても浮かばれない」

野見山は鋭い視線をバットと勲の顔に往復させた。言葉は何も出てこなかった。

「まあ、しかし」勲はバットをロッカーに仕舞い、勝手に緊張を解いた。「こうやって野見山さんと顔を合わせるのも、もうないかもしれないね」

「そろそろ異動ですか」野見山も暗い眼つきながら、冷静な声を出した。「でも梶間部長は確か三鷹の連続保険金殺人も担当されている。あれが終わらないと異動はないでしょう」

三鷹市で起きた連続保険金殺人事件は被害者が四人にも上った大きな事件で、三カ月前から公判が始まっていた。

「あの事件が回ってくるとは思ってなかったんでね……ちょっと迷ったけど、そうやってるときりがないし、気持ち的には決まってましたから」

「とおっしゃると？」野見山が眉を動かす。

「退官するんです」

「へえ」野見山は無感情な声で感嘆した。

「家庭の問題をあなたに理解してもらえるかどうか分からないが、老いた母がとうとう動けなくなってしまってね。この先どこかに異動しろと言われても難しくなった。介護の手も足りないし、この際思い切って決断することにしたんです」

実際には、ある大学から教員の誘いを受けているのも理由の一つだった。しかし、あえてこの場で言うことでもないと思い、そこまでで止めておいた。

「それはそれは、お大切に」野見山は神妙な表情を見せたが、その口元は歪んだままだった。

「梶間部長がそんなにお母さん思いだとは知りませんでした。間違っても死刑判決確実の三鷹事件から逃げるというわけではないんですね」

そう言って、彼は背中を向ける。勲はまともに返答する気も起きず、嫌味な男が不快な空気を作るだけ作って去っていこうとするのをただ眺めていた。

「送別会は失礼しなきゃいけないかもしれません。私もいろいろ追われている身でして」

野見山はドアに手をかけたところで、余計としか言いようのない言葉を駄目押しした。

「ご心配なく。呼びませんから」

勲は彼の背中に言い返した。

〈2〉　再会

勲の退官から二年後。

東京の日野市にある多摩文化大学では、ゴールデンウィークを利用して社会人や受験生を対象にした無料講義や学校紹介などを行う、恒例の「オープンキャンパス」が開かれていた。

多摩文化大学は文科系学部だけの小さな大学だが、毎年ОＢを含めて十名以上の司法試験合格者を出す法学部を中心に、教育の質では定評がある。丘陵地の奥まったところにあるキャンパスは緑に囲まれていて、都会の喧騒からはきっちり一線を画した清々《すがすが》しさを持っている。

勲はこの日、法学部の教授となって初めての「オープンキャンパス」の講座を受け持った。テーマは「日本の裁判制度が抱える問題」。もっとも、こういう場では堅苦しい学問的なアプローチよりも、体験談の披露が講義の中心となる。例えば裁判官の日常とはどんなものかという話だ。

「裁判は朝の十時から始まるんですね。だから出勤はだいたい九時半ぐらいです。別に決められた勤務時間があるわけじゃなくて、それぞれの裁量で動いてます。

何で通勤しているかとよく訊かれるんですけど、それはもういろいろ、その土地の交通事情によっても違う。技官と言われる職員が黒塗りの車やマイクロバスを動かしてくれるところもあります。一方で毎朝自転車で通ってくる裁判官がいたりもします。

どこに住んでるかっていう質問も多いですね。裁判官は三、四年ごとに全国各地へ転勤しますから家が持てない。例外なく官舎住まいになります。団地のような公務員宿舎に裁判官の家庭が集まった棟があるわけですね。官舎っていうのはたいてい古びた建物ですけど、内装一ついじるにも許可を取らなきゃいけなくて、なかなか融通の利かないことも多いです。草むしりの当番なんかも決まってましてね、判事たちが休みの日に麦わら帽子をかぶって、せっせと草を抜いたりしてるもんです」

二百名は収容できる大きな階段教室は、ほどよい間隔を置いて満遍なく聴講生で埋まっている。京王線の中吊り広告の効果は確かにあったようだ。

聴講に訪れているのは、休日を持て余している年配の男性がほとんどである。教壇からざっと眺め渡すだけで、いつもの学生たちとは違う、どこか枯れた落ち着きを感じ取ることができる。ピンマイクが拾う勲の声だけが教室内に響いている。

「夫婦で裁判官という家庭も結構あります。特に女性裁判官は結婚相手も裁判官というケースが多いんですね。司法修習生時代に仲良くなるんでしょう。こういう家庭は夫婦そろって同じところに転勤していく。人事もそれくらいの気は遣ってくれるわけです」

裁判官も普通の家庭人であり、人の子であり、判決一つに悩みながら仕事をしているという話を一通り終えたところで、勲は残りの時間を聴講生からの質問にあてることにした。

まばらに遠慮がちな手が挙がり、教務課の職員がマイクを持っていく。

重役風情の痩せた老人がマイクをもらって頭を下げた。

「大変興味深い話を拝聴させて頂きました」低い声で慇懃《いんぎん》に話し始める。「判事さんというのは、いくつもの裁判をかけ持ちで進めておられるというお話でしたが、それぞれの事件が混乱したり、資料の収拾がつかなくなることはないんでしょうか？　スーパーマンのように仕事をこなされるコツを、ぜひお聞かせ願いたいと思います」

勲は余裕の笑みとともに頷いた。

「おっしゃられるように、裁判官は刑事部なら一人でおよそ百件、民事部なら二、三百件の裁判を常時抱えてまして、一つ一つの事件を把握するだけでも相当頭を使わなきゃいけません。裁判官も残念ながらスーパーマンではありませんから、ほっておくとすぐに頭が混乱してきます。で、どうしてるかというと、そんなに特別なことじゃなく、要点をまとめたメモを作るようにしてます。何が裁判の争点になってるのか、原告の主張、被告の主張、そういったものがすぐ分かるようにしておく。合議と言われる裁判官同士の話し合いでも誰かがメモを作って、それを見ながら進めていきます。そして、必要なときだけ記録に戻って確認する。地道なやり方ですけど、こういう習慣を身につけておくと、皆さんの仕事の上でも割と有効なんじゃないかと思います。一度試してみたらどうでしょうか」

次にマイクを取ったのは、二十歳前後の眼鏡をかけた男だった。本学の学生か、あるいは近くにある中央大学あたりの学生かもしれない。

彼は上ずったような高い声でまくし立てた。

「私は日本の司法が犯罪者に科す刑罰は軽過ぎるのではないかと思っています。明らかに故意の殺人事件でも、被害者が一人や二人では死刑にならず、強盗やレイプが重なってようやく無期にするか死刑にするかというレベル。無期懲役なら十年で仮出所です。はっきり言ってこの国は犯罪者に一番優しい。本気で犯罪を減らしていこうと思うのなら、思い切って一年で百人くらいの殺人犯に死刑判決を下していくべきだと思うのですが、この点どうお考えになりますか？」

「なかなか過激な意見ですね」

勲が苦笑すると、聴講席からも笑いが洩れた。言った若者本人も笑っている。

「死刑が犯罪の抑止力になるかどうかという問題は、専門家の間でも議論の分かれてるところです。犯罪はそれを起こす者の視野が非常に狭くなってるときに生じるのが常でしてね。にっちもさっちもいかなくなったり、あるいはかっとなって我を忘れたりして凶行に及んでしまう。そんな瞬間に、この国の死刑実施数がどれだけの歯止めになるのかは分かりません。ある程度は抑止力になるかもしれない。あるケースではと言ったほうがいいかもしれません。しかし、まったく抑止力にならないケースもあることは容易に想像できるわけです。

私は死刑廃止論者ではありませんが、もっと増やせとも思わない。死刑判決は裁判官にとっても重い決断です。それから冤罪の問題もあります。今質問されたあなたが明日、何も身に覚えがないにもかかわらず、警察に逮捕され、裁判にかけられて死刑を求刑される可能性がなくはない。そういう人が実際に存在してるんです。司法は残念ながら完全ではありません。

　ちなみに無期懲役は十年で出られるということですけど、確かに十年過ぎれば仮出所を検討される対象となり得るわけですが、実情としては無期刑の平均受刑期間は二十年前後だと言われてます。懲役二十年よりは重い刑ですからね。十年で出てくるということはまずないです。

　現実問題、被害者が救われない社会になってるという指摘には頷く部分も多いわけですが、それは司法だけじゃなく社会全体の問題なんですね。それと刑罰の問題は別に考えるべきだと思いますよ。

社会全体を一つの大きな生き物として考えますとね、悪いところを切り捨てていっても強く健康な生き物にはならないですよ。生命力が一番大事なんですね。生命力とは自浄能力であり再生能力であると。犯罪者の更生もそういうことなんです。切り捨てればいい社会になるかというと、そうじゃない。それはある意味、不健全なんです」

それなりに納得してくれたのではないだろうか。勲は自分の答えに満足して、机に置かれたコップを取り、一口喉を潤した。

次の質問者を探して、職員が聴講席の真ん中の列を上がっていく。

手を挙げている一人に勲の目が留まった。

どこかで見た顔だと思った。距離が離れているのと、まさかという思いから、一人の名前に行き当たるのには時間がかかった。

職員はその男の横を通り過ぎて、ワイシャツ姿の中年の男にマイクを渡した。その中年男性は真面目な顔つきから少し砕けた声を出した。

「大した質問じゃなくて申し訳ないんですが、興味で訊きます。裁判の当事者に街中で出くわしたり、逆恨みで危ない目に遭ったりしたことはありますでしょうか？」

勲は思わず質問者の前に座っている男に視線を落とした。目が合った男は、一聴講生として勲の答えを待っているように何気ない顔をしていた。

「えー」言葉を探して一瞬言い淀んだが、ほどなく頭の中に落ち着きを取り戻した。「逆恨みというほどのものは滅多にないんですが、抗議に来たり手紙を送りつけてきたりする人たちはたまにいます。実を言うと、一度だけ関係者に摑みかかってこられたことがありまして、そのときはちょっと怖い思いをしましたね。当事者と街中で出くわすことは、地方の裁判所に勤めてるとたびたびあるんですよね。居酒屋とかでね、なぜか向こうのほうが堂々としてたりして、こっちが気まずい思いをしてしまうとかね。あるんですよ」

答え終わると、また数人の手が挙がった。

「えー、では最後の質問ということで……」

勲が言い、職員がマイクを渡したのは、後ろのほうに座る若い女性だった。

「あの、裁判官に必要な資質というのは何でしょうか？」

裁判官志望なのだろうか、殊勝な顔つきで訊く。

「人が好きであるということでしょうね。人間を相手にする仕事ですから」

勲は簡潔に答えて締めくくった。職員が一言二言で結び、勲の講義は無事終了した。聴講生たちが一斉に立ち上がり、四カ所ある扉からぞろぞろと出ていく。

しかし、真ん中の席に座っていた男だけは違った。教壇のほうへゆっくりと近づいてくる。

やはり。

勲が確信したのを感じ取ったのか、彼は穏やかな笑みを浮かべた。

武内真伍。

公判でも報道でも彼の顔は何度も見ているが、笑顔を見るのは初めてだ。こんな柔和な表情を持っていたとは思わなかった。

今日も仕立てのいい明るい色のスーツを着ている。中はポロシャツか。白髪混じりの乾いた髪は七三に分けられ、洒脱《しゃだつ》ささえ感じられた。

「裁判長……いや先生」彼は勲に呼びかけてきた。「その節は大変お世話になりました。ご無沙汰しております。武内でございます」

武内は丸っこい頬を緩め、ゆっくりと頭を下げた。

「ああ……これは、これは」

勲は何と挨拶を返していいか分からず、曖昧《あいまい》に受けた。

「おかげ様でようやく何とか落ち着いた頃合いでございまして」

半年ほど前に的場一家殺害事件の控訴審が決している。控訴棄却。検察側から新たな有力証拠は提示されず、勲の出した第一審での判決は高裁でも支持された。背中の打撲痕など、武内を犯人とするには無視できない合理的な疑いが残っていた。検察側はその疑いを超える立証をしなければならなかったが、できなかった。

二度にわたって恥をかいた形の検察側は歯嚙みする思いだったろう。しかし、最高裁への上告は断念した。武内の無罪は確定し、感無量の涙を流した記者会見がテレビニュースでも流されていた。

「私を救って下さった恩人ですから、一言お礼を申し上げたいと思っておりました。そこに偶然、電車の広告でこういう催しがあることを知りました。裁判長を辞められていたことも初めて知りまして」

「そうなんですか」

公判当時よりも顔がふっくらとしているように思える。黒い瞳は潤んでいて、細めた眼全体がきらきらと光っていた。突如平凡でささやかな生活を奪われ、そしてそれを取り戻すために孤独な闘いを強いられた男が、今ここに立って笑っているのだ。

勲はそれを実感し、感慨を覚えた。

結果的に自分は武内の孤独な闘いに力を貸した形になっている。こうして一人の紳士を生還させた。恩人とは持ち上げられ過ぎだが、悪い気はしなかった。

「よく頑張りましたね、武内さん。よく闘いました」

勲がそう言って手を差し出すと、武内は絶句し、眼をさらに潤ませ、ついには大粒の涙をこぼした。笑顔と泣き顔はわずかな変化だった。勲の手を両手で包み、何度も頭を下げてくる。

勲はもう一方の手で彼の肩を叩いてやった。

聴講生がいなくなり、職員も後片づけを済ませて出ていく素振りを見せたので、勲も教室をあとにすることにした。

武内がハンカチを手にしてついてくる。

「今も当時の家で？」勲が歩きながら訊く。

武内の住まいは確か的場邸や池本邸から歩いて五、六分のところにあるはずだ。池本亭らとばったり出くわす可能性もなくはないだろう。互いにしこりが残ってしまっただろうし、何かと暮らしづらいのではないか。

「そのままずっと住み続けてます」武内はうつむき加減に答えた。「ただ、マスコミを始めいろんな方々が昼夜関係なく訪ねてこられましてね。家の前に張っていたり、庭のほうまで入ってきたりもするんで、雨戸は閉めっぱなしになってます。近所付き合いもできなくなって、自然と閉じこもりがちになってしまいます」

「それは大変ですね。じゃあ、お仕事のほうも？」

「やってません。やる気も起こりませんしね」

武内は事件まで輸入雑貨を扱う仕事を自営でやっていた。もっとも、手は広げていなかったようで、趣味的な色合いが強かったらしい。資産は潤沢にあるのだから、仕事の有無は切実な問題ではないだろうが、生き甲斐という面では寂しいに違いない。

「お身体のほうは？　二年前より顔色はよくなったように見えますが」

「そちらのほうは徐々に。何せ毎日養生してるような生活ですから」

「ふむ。そうですか。まあ私が無責任に言うことではありませんが、思い切って生活の環境を変えてみるのも一つの手だと思いますね。閉じこもりがちっていうのは、やっぱりよくないですからね」

「はい……」武内は浮かない顔をこくりと動かす。「いっそ引っ越そうかとも思うんですが、そうすると何か逃げたんじゃないかって思われる気もしましてね……」

「そんな」勲は武内が吐露した苦悩を軽い笑いで切った。「そんなことまで他人《ひと》の目を気にする必要はありませんよ。自分が暮らしやすい生活を選ぶべきです。違いますか？」

「そうですね。その通りですね」武内の声が少し明るくなった。「先生のように私の味方になって下さる方がいらっしゃると、本当に勇気が湧いてきます。会いに来てよかった」

「大げさですよ。私は何もしていない」勲は苦笑混じりに首を振った。

「先生は退官されて、お住まいはどうされたんですか？」武内が反対に訊いてくる。

「私ですか。しばらく賃貸マンションにいましたけどね、ようやくこの春に一戸建てを買いまして、落ち着いたところですよ。多摩野のほうにある高台でしてね。判事時代は転勤生活でしたから、まあ、この歳にしてやっとマイホームを手にしました」

「そうですか。それは羨ましい」

「いやいや、小さな建売ですよ。古い団地を壊したところに何軒か建ちましてね」

そう謙遜はしたが、勲の買った家はその新しい住宅地の中で一番大きな５ＬＤＫの物件だった。息子夫婦も呼び、母親もいるので広過ぎることはない。

今年三十歳になる息子の俊郎《としろう》は、大学を卒業してからずっとフリーターを続けている。何を考えているのかと思っていたが、三、四年前からようやく司法試験に挑戦する意欲を見せ始めた。弁護士を目指すという。ただ、それを口実にしてこれといったアルバイトもしなくなり、金の無心ばかりしてくるので、思い余って新居に誘った。年々手がかかるようになった母の介護に嫁の雪見《ゆきみ》も加わるようになったので、悪い面ばかりでもない。

「それより」と勲は自分に向けられた話を打ち切った。「ちょうど私が指導してるゼミで冤罪を勉強してる学生が何人かいるんですよ。私自身も研究テーマの一つとして興味を持ってます。武内さんさえよければ、一度彼らの前で体験談を話してもらえたらと思うんですがね。

いや、決して無理強いはしませんけど……」

彼の不幸を利用する形にならないでもないが、それよりは、気のふさぐ生活から彼を引っ張り出して、積もったものを吐き出させてやろうという気持ちから言った話だった。決して悪くない提案だと思った。

武内は眼をしばたたくと、「私ごときが何を喋《しゃべ》れるか分かりませんが、先生のお役に立つことでしたら」控えめな口調ながら、むしろどこか嬉しそうに応えた。

勲はゴールデンウィーク明けの最初のゼミに武内を呼んだ。

二十数名の学生を前にして、武内はしんみりと自分の体験を語った。学生たちは真剣に語る彼を同情の眼差しで見ていた。

「事件で受けた背中の傷から、私は高熱を出してしまいましてね。病院のベッドで三、四日うなされ続けました。首も痛めたものですから、身体がまったく動かない。そんな中で刑事さんが連日事情を訊きに来るわけですが、熱の引いた五日目あたりから彼らの様子が変わり始めたんですね。それまでは『早くよくなって下さい』とか『頑張って犯人を捜してますから』とか言ってたんですが、そういう言葉がぱったり消えてしまった。眼つきがきつくなって、何となく不機嫌な感じなんです。それで、『武内さん、本当のことを話してくれませんか？』って言うわけです。私はそれまで熱にうなされながら事情聴取に応じてましたので、何かおかしなことを言ったのかなと思いました。ですから『はい』と答えました。すると刑事さんは『あなた、犯人に襲われた時間を五時四十五分と答えてるけど、それはおかしいでしょう』と言うんです。『隣の奥さんが五時半に悲鳴を聞いてるんだ』と。私は自分の一一〇番通報が六時頃だったと聞かされてましたんで、それじゃあそれよりは前だから、十分か二十分か分からないけど、それくらいは前だからという意味で五時四十五分と答えてたわけです。あいにく時計は見てなかったんで、そんな感じにしか答えられなかった。だから、五時半だったと言われれば、ああそうか、そう言われるんならそうだろうと。三十分くらいは経ってたかもしれないと。『そうかもしれません』と答えました。この訂正があってから、刑事さんたちの口調はにわかに厳しくなりました。『嘘つき』という言い方をするんです。『あなたは嘘を言う癖があるから』『嘘を言っちゃ駄目だよ』と……。

事件から二週間経ったところで、私はようやく退院しました。で、家に戻ってみると、マスコミの人たちが家の前で大勢張っている。テレビカメラを回してるし、写真も勝手に撮ってる。彼らは事件当時のことや私の怪我の具合を訊くだけではっきりとは言わないんですが、どうやらなぜか私が疑われてるようだということをこの頃から感じました。警察がマスコミにそう匂わせたんじゃないかと思います。そういう圧力を使って神経をまいらせる作戦なんです。

退院してからすぐ、私は毎日調布署に呼ばれるようになりました。任意同行というやつですか。本当は断ってもいいらしいんですが、当時の私はそんな知恵もなくて、刑事さんが毎朝車で迎えに来るもんですから、素直に乗って調布署に通いました。変に断ればますます疑いの目が深められる気がしましたし、嫌な顔をするのにも気が引けるような雰囲気がありました。何も身に覚えがないわけですから、じきに潔白が証明されるだろうという軽い気持ちも最初はありました。

でも、警察に連れていかれると、完全な取り調べ状態に置かれてしまうんです。狭い部屋で一日中、刑事さんと向かい合って、同じことを繰り返し訊かれるわけです。かなり高圧的な感じで、叱りつけるように訊いてきます。こちらも一生懸命話すんですが、それが相手にまったく通じない。頭から犯人と決めつけていて、まったく分かってくれない。コミュニケーションが成立しないんです。そんな時間が延々と続く。これが本当に苦しいんです。食事の時間を除いて、朝から晩まで続くわけです。

くたくたになって家に帰るんですが、よく眠れない。私も被害者の一人なんです。凄惨《せいさん》な事件に巻き込まれて、精神的な傷もそのままに、なおかつこんな目に遭わされている。安眠できるわけがない。弁護士さんを頼む時期としては遅いくらいなんですが、朝から晩まで警察に拘束されて、どこにこういうことを専門に扱ってる先生がいるのか調べる時間も手段もない。家族がいないから支えてくれる人もいません。

そうこうしてるうちに、いよいよ精神的にまいってきたところで、私と一番長く接していた刑事さんが急に優しくなったんですね。私の理解者になろうという態度を見せ始めた。これも向こうの戦術の一つだったんです。で、彼は私がどれだけ不利な立場にあるかということを教えてくれる。『隣の奥さんがあなたの怒鳴り声を聞いたと言ってる』とか『的場夫婦はあなたが遊びに来るのを鬱陶《うっとう》しがってた。隣のお兄さんがそう言ってる』とか情報をくれるんです。

怒鳴り声を聞いたというのはまったくの嘘でした。隣の奥さんは物音や悲鳴らしき声は聞いたと言ってますけど、私の怒鳴り声などは聞いていない。そんな嘘を向こうこそ平気でつくわけです。的場さんが私を鬱陶しがってたというのは、裁判でも隣のお兄さんがそう証言しましたが、的場さんが本当にそう言ってたのかどうかは分かりません。それに隣のお兄さんも事件当初は私が犯人だとは思ってもなかったらしいんです。変な話なんです。ただ、刑事さんからそれを聞かされたときは、私は的場さんととても仲よくお付き合いしてましたので、正直傷つきました。何だか本当に一人ぼっちにされたような気がしました。

優しくなった刑事さんは、裁判ですべて明らかにすればいいじゃないかと言うわけです。警察も引くに引けなくなっている。ここは一度折れて裁判で闘えばいいんだと。そんなことを第三者的に言う。警察は強引にでも起訴に持ち込むし、あなたが突っ張り続けると多少の意見さえ聞く者がいなくなる。そうなるととんでもない結果さえ覚悟しなきゃならなくなると、死刑判決をちらつかせてくる。言う通りにすればそうはならないと取れる言い方なんですが、現実問題とはまったく関係ない。ただ、脅して揺さぶってるだけです。

でも、そんな話を聞いてると、私としても、もうそれしか道は残ってないのかと思うようになってきました。改めて弁護士さんと対策を練れば、少なくとも今のような八方ふさがりの状況からは抜け出せるはずだと考えるようになりました。これが任意同行に応じてから五日目でした。人によっては、そんなにあっけなく、おかしいじゃないかと言うんですが、冗談じゃない。五十時間以上にわたって拷問にも似た苦痛を与えられ続けたんです。しかもこちらが折れなければ、いつ終わるともなく続くわけです。刑事さんは柔道で鍛え上げた無尽蔵な体力で、意地になって挑んでくる。ときには元気な助っ人が加勢に来たりもする。私は一人でそれを受けなければならない。もう限界でした。ちょっとでも楽な道ならば、迷うことなくそちらを選んでしまう状態でした。

刑事さんは『やったと言ってくれよ』と頼み込むような言い方をしてくる。それに対して、私はとうとう『はい』と頷いてしまいました。たとえ納得したつもりでも、こんな嘘をつくのは悔しいものです。私は思わず涙を流してました。それをどういう涙と取ったのか、刑事さんは『そうか』と言って私の肩を抱きました。

それで逮捕ということになりまして……でも、闘いがそこで終わったわけではなくて、そこからが本番だったんです。つまり、犯行を認めた以上、やってもいないそれをやったように自供しなきゃいけない。現場にはいましたけど、知らないことも多い。それを警察の検証結果と合うように、辻褄を合わせて創作しなきゃいけないんです。

例えば、私は的場健太君が階段の上で絞め殺されていたと聞いてました。でも、何を使って絞め殺されたかは聞いてない。それは犯人こそが知り得る答えです。警察は私の口から言わせたいわけですが、私には分からない。健太君に犯行を見られてしまったので、追いかけて背後から手で首を絞めましたと適当に話を作ります。そうすると、刑事さんは『嘘を言うんじゃない』と怒るわけです。で、『よく思い出してみろ』と言いながら、自分のネクタイを意味ありげに触ってみせる。それ以前に、私はネクタイの写真を見せられて、『これに見憶えはないか』と訊かれたことが何回もありました。訳も分からず、『これは私が的場さんにプレゼントしたものです』とだけ答えてました。刑事さんは『趣味の悪いネクタイだな。こんなのもらっても相手は困ってただろ』なんてひどいことを言ってました。そんなやり取りがあったものですから、私はああ、あのネクタイが……と答えに行き当たる。ヒントを出されて答えるクイズみたいなものです。間違えると罵倒《ばとう》される。正解を出すとそれがないので、正直ほっとするんです。

犯行のきっかけもそんな成り行きで、ネクタイが気に入らないと的場さんが言ったことに私が腹を立てたからということになってしまいました。いかにも変な動機になったのは、そんな流れがあったからです。警察は精神鑑定から私に衝動的な一面があるという見解を拾ってきて、その動機の根拠にしようとしてましたが、あまりにも強引だなと思いました。

この供述調書を作る期間、私はずっと調布署の留置場に入れられてました。取り調べは留置場の前にある狭い接見室で行われます。食事は二口か三口程度のもので、ひどい空腹感に苛《さいな》まれて力が湧いてきません。本来なら私は拘置所に移されるべきで、そこでは最低限の待遇が保障されてるらしいんですが、警察の取り調べに都合がいいという理由だけで留置場に留め置かれている。自由も何もない拘禁生活です。ただ、悪いことばかりではなくて、同じ留置場に入ってる方から、その道で有名な弁護士さんの名前を何人か教えてもらいました。

警察の調書がようやく完成すると、書類送検となって、私も拘置所に移されました。検事さんからも供述を取られて、起訴ということになる。刑事さんはいかにも強面《こわもて》で強引な人たちばかりでしたので、検察官ならもしかしたら私の無実を信じてくれるかもしれないと思ってましたが、検事さんも同じでした。虚構もある程度作り上げてしまうと、壊すのは惜しいほどの見映えになってしまう。検事さんは壊すなど考えも及ばず、弱い部分をより強固に塗り固めようとしてくるだけです。

　信じられないことに、私が言ってないことまで検面調書には書かれてしまってました。『どうして十数回も殴打したのか』と訊かれて『よく分かりません』と答えたら、調書には『何度もバットを振り下ろしているうちに、すべてがどうでもよくなった』というふうになってしまっている。それから、『的場さんの一家をどう思っていたか』と訊かれて『幸せそうないい家庭だと思ってました』と答えたら、調書には『的場さんの家庭が幸せそうに見え、不公平だと思うようになり、その幸せを壊したくなった』というふうにねじ曲げられて書かれてしまっている。この検面調書を検事さんは最後に私の前で読み聞かせてくれるんですが、いかにも事務的に、早口でざっと読んでしまうんです。何を言ってるのか、さっぱり頭に入ってこない。そんなことはお構いなしに、検事さんは『間違いないね』と言って勢いでサインをさせる。裁判に入ってから間違いだらけだと気づくんです。悪徳商法と変わらないやり方ですよ。

　弁護士の関《せき》先生が言うには、私はもう最初の一手から間違ってたということです。このような場合は、任意同行に応じては駄目だし、もし間違って逮捕されても一切何も喋らず、黙秘を貫き通さなければならないんだそうです。皆さんももしこんな悲劇に遭ってしまったら、何も喋らないことです。反論しても聞いてもらえず、逆に付け入られるだけですから、反論もしないほうがいいということです。

厳しい裁判になるだろうと関先生には言われました。ただ、担当された裁判長……梶間先生は決して検察べったりの人ではないから、逆転の可能性がゼロではないとも言われ、事実その通りになりました。並みの弁護士さんだと面会に来ても事務的な打ち合わせをするだけで、経験則に従ってさっさと裁判の進行に対応していくだけだそうです。私のケースのように不利だと判断すると、情状面だけ争って、無駄な抵抗はしないのが現実の弁護活動というものらしいです。私の場合は全財産をなげうってでもとにかく勝たねばと思ってましたので、関先生にもそれだけの力を入れてくれるように頼みました。関先生も私の意を汲《く》んで、鑑定人も検察側以上に著名な権威を選んで下さいました。

裁判にかかった費用は、百万や二百万では利きません。自分が何もやってない被害者の一人なんだということを証明するために、それだけの精神的、経済的出血を強いられるわけです。闘わずに済ます道はない。なのに、勝ったからといって誰かが補償してくれるものでもありません。それを求めるなら、またこちらから不毛な裁判を起こさなきゃならない。まったくひどい話です。

　地裁、高裁と無罪判決が出て、私の潔白がはっきりしたにもかかわらず、警察からは一言の謝罪もありません。裁判ではそうだけど本当はどうかなという態度です。マスコミも同じです。いったい私はいつまでそんな目で見られ続けなければならないんでしょうか。自分たちが私をどれだけ追い詰めたのか、まったく気づいてない。警察が洩らす不確定な情報に踊った反省はなく、何もなかったように今度は私の悲劇ぶりを売り物にしようとしてる。いい加減にしてほしいと思います。

　家に戻ってから、私は睡眠薬がないと眠れない身体になってしまいました。自分の人生が無茶苦茶にされてしまった悔しさが毎夜込み上げてきます。許せないのは、警察が私を犯人だと決めつけたばかりに、いまだに真犯人が捕まってないことです。どこかで誰かが笑っている。いつか真犯人が私のところにやってきて、口封じに私を殺そうとするのではないかと怖くなることもしばしばです。

　亡くなられた的場さん一家には……言うべき言葉が見つかりません。彼らとは、私が仕事でヨーロッパに渡航する途中、飛行機の中で知り合いまして、以来、私が輸入する雑貨を買って下さるようになった趣味のいいお客さんでもありました。ご主人は洋書などの翻訳をやっておられた明るく健康的な方で、奥さんも美人でお洒落な方でした。お二人とも若くても思いやりがあり、屈託のない人たちで、私を家族のようにもてなしてくれました。健太君も顔を合わせれば元気に挨拶してくれる子で……あんな親子が理不尽に殺されてしまうなんて……その無念を思うたびに涙が止まらなくなります。私だけ生き残ってしまって申し訳ないです。生き残っても彼らに対して何の役にも立てない。どうして一人だけ助かってしまったんだろうと思うこともあります。答えは出ないんでしょうけど、そう考えずにはいられないです。こんな私も、あの事件の前までは人と変わらない普通の生活を送ってたんですけどね……」

最後は声を詰まらせ、何かを抑えるように話し終えた武内に、学生たちからは拍手も質問の挙手もなかった。身じろぎ一つしない神妙な姿が輪になっていた。女子学生の間からは洟をすすり上げる音が洩れた。

ゼミが終わって、勲は武内に礼を述べた。

「胸の内を余さず聞かせて頂いて、学生ともども感銘を受けました。司法の現実にはこういうこともあるんだという生の声が聞けて、彼らにはいい勉強になったと思います」

「いや、こんな話でよかったのかどうか……」

武内は頭を低くして謙遜した。

「いいえ、本当に貴重なお話でしたよ。どうですか、これから駅前で軽く食事でも。お礼と言っては何ですが、ご馳走しますよ」

軽い気持ちだったが、武内は強くかぶりを振った。

「とんでもない。そんな気は遣わないで下さい。私は梶間先生のお役に立てただけで十分満足ですから。もう、ここで結構です。これからも先生のご活躍を陰で応援させて頂きます。じゃあ、ここでもう、失礼しますので。はい」

武内は何度も頭を下げ、去り際には笑顔も見せてゼミ室を出ていった。勲のほうも強い意思で誘ったわけではなかったので引き止めはしなかった。

人の手を煩わせるのが嫌なのか、必要以上に相手に気を遣う男だなと思った。犯罪性のかけらなど、どこを探しても見当たらない。あんな男でも突如として悲劇に巻き込まれるのだ。勲は彼の話を思い出して、身につまされるような感慨を新たにした。

ゼミが終わると、勲は二、三の書類を整理して大学を出た。教員駐車場に停めた愛車のセドリックに乗って、夕方前の早い帰宅となった。

勲が新居を構えた新興住宅地には、十五軒ほどの新築住宅が建っている。明るい色の外壁をした洋風住宅ばかりだが、どこもガレージが二台分あり、庭もそれなりの広さが確保されている。ちょっとした高級感が漂っていて、オーナーたちは勲に近い年代が多い。若くても四十代の後半あたりだ。高台の落ち着いた雰囲気が心地よく、勲も新しい街が気に入っていた。

この新興住宅地には、まだ二、三軒の空き物件が残っていた。時節柄、契約後にキャンセルとなった物件もあったようだ。

勲の家の左隣も売れ残っている。

〈3〉　隣人

「……さあん……えさあん……」

一瞬、幻聴かと思ったのは、夫の勲がダイニングテーブルで新聞を広げたまま、何の反応も見せずにそれを読みふけっていたからだった。

いよいよこんな幻聴が起こり始めたのかと思って、梶間尋恵《ひろえ》は暗い気持ちに陥った。そのままリビングで掃除機を動かし続けていると、かすかな声がまた耳に届いた。

「尋恵さあん……尋恵さあん……」

掃除機を切ってみると、はっきり声が聞こえた。しかし、それはそれで、ため息をつきたくなる気分だった。

「呼んでるぞ」

今さらのように勲が言った。顔は新聞から上げようとしない。尋恵は分かっているというふうに、その言葉には応えなかった。

「尋恵さあん……尋恵さあん……」

雑音さえなければ、よくあの小さな身体から出せるなと思うほど大きく通る声だ。尋恵が顔を出すまで呼び続けるので、いい加減耳にこびりついてしまっている。いつ幻聴となってもおかしくない。

「尋恵さあん……」

尋恵は姑《しゆうとめ》の寝室のドアを開けた。

「はいはい、何？」

「ああ。これ」

今の今まで切実な声で尋恵を呼び続けていた姑の曜子《ようこ》は、ベッドの中から尋恵を認めると、人を食ったような顔をして皺《しわ》だらけの指を天井に向けた。

何かと思って顔を上げる。と、明かりが不意に暗くなった。すぐに元に戻る。

蛍光灯の大きなほうが切れかかっているのだ。

「縁起が悪いから早く替えてちょうだい」

まだらボケが入る人だが、今はかなり頭がはっきりしている。そんな口調だ。

「あとで替えるから。しばらくこれで我慢して」

尋恵は蛍光灯の紐を一回引き、小さいほう一つだけの明かりにした。夜でもないのだし、問題はない。

「テレビを点けていってちょうだい」

尋恵はリモコンでたんすの上にある小さなテレビを点け、その部屋を出た。

縁起が悪い……か。姑の口からそんな言葉を聞くのは意外な気分だった。そんなことを考えているのかと発見めいた思いでもあった。蛍光灯の点滅と自分の余命を思わず重ね合わせたのだろう。人の死には予兆めいた出来事があるというが、そんなことを思ったのかもしれない。

廊下からリビングへと掃除機をかけ終わり、尋恵はそれを片づけた。少し屈《かが》んで掃除をこなすだけで、背中が不快な張り方をする。

背筋を伸ばして一つ息をつき、階段脇の収納庫から買い置きしてあった32形の蛍光灯を出した。それを持って、再び姑の部屋に入る。

姑は眠ったのか、口を少し開けて眼を閉じていた。尋恵はテレビを消した。ふと〝予兆〟のことが頭に浮かんだので、まさかと思いながら姑を観察した。胸が呼吸とともにかすかに動いている。

医者からは、心臓の動きが以前より悪くなっているようだと言われている。風邪をこじらせればアウトだということで、部屋の温度には気を遣っている。彼女が脳卒中で倒れてからこの三年ほどは、毎年冬を乗り切れるかどうかが一番の不安となっているが、今年も何とか乗り切った。四月に近づき、暖かくなったところでこの新居への引っ越しを敢行した。あれから二カ月。新しい環境に体調が狂うのではとの心配もあったが、取り越し苦労だった。むしろ何かと体調が優れないのは尋恵自身のほうだった。

紐を引っ張り、蛍光灯を全部消した。小さいほうは触らないが、点けたままというのは何となく怖かった。まだ陽は落ち切っていないから、薄暗いなりに外から光は入っている。

背伸びをして手を伸ばし、まず点灯管を替えた。これは問題なくスムーズにできた。

次に古い蛍光灯を外しにかかる。これは前のマンションの和室からそのまま持ってきたやつだ。けちけちせずに、取りつけたときに替えておくべきだった。

点灯管からのコードを抜き、三つあるフックを一つずつ外していく。硬くてなかなか外れない。フックが折れそうになるくらいまで強引に引っ張って、ようやく外れる感じだ。小さいほうの蛍光灯に手のひらが触れ、不意の熱さにびっくりして手を引いた。

フックがまた、元通りに嵌《は》まってしまった。

肩で息をして気を取り直す。一つずつフックを引っ張って外す。パチンと、蛍光灯が砕けるのではないかと思わせる衝撃とともにフックが外れる。蛍光灯の笠がぐらぐらと揺れる。二つ目……。何でこんなに硬いんだ。三つ目……。気がつくと顔から汗が噴き出していた。

袖でそれを拭う。上ばかり見ていたので、急に目線を下げて立ちくらみがした。

汗だくになって外した古い蛍光灯を床の上に置き、新しい蛍光灯を手に取る。小さい蛍光灯の外にそれを通し、点灯管からのコードを差し込む。それからフックを力一杯引っ張り、白い輪っかをそこに嵌める。

二つ目のフックがようやく嵌まったところで、明かりを点けるスイッチの紐が新しい蛍光灯の輪の中を通っていないことに気づいた。

「もう……！」尋恵は思わず、この蛍光灯を床に叩き落としたい衝動に駆られた。もちろんそんなことができるはずもなく、結局かけたフックをいったん外し、紐を通して最初からやり直した。わざわざやり直さなくても紐などあとから引っ張り出せばいいのだと途中で気づいたが、余計に苛立ちが増しただけだった。

嵌め終わったと同時に、床にへたり込んだ。うなじが嫌な汗でびっしょりと濡れている。頭は暑気にあたったようにぼうっとしているのに、手足は冷たい痺《しび》れを感じる。

しばらく喘《あえ》ぐように呼吸していた。どうしてこんなことでと思った。思うように身体が動かない。ここ数年、頻繁にこんなことがある。パニックにも似た焦燥感と、湯あたりにも似た倦怠感。それが同時に襲いかかってきて、尋恵の身体を制御不能に陥らせるのだ。

そんな変調は、姑の介護に当たるようになってから起こり始めた。それまでも姑とは同居していたものの、尋恵の身体にこれという問題はなく、日に五時間ほどのパートの仕事を見つけてきては、せっせと働くことができていた。経済的に困っているわけじゃないのにと勲はいい顔をしなかったが、姑と丸一日一緒に過ごすのはさすがに気詰まりだった。姑も倒れる前まではかくしゃくとしており、いつまでも自分が世帯主であるような気負いを見せていたので余計だった。

姑が脳卒中で倒れ、介護のためにパートを辞めざるを得なくなったときも、その時点では今ほどの閉塞感やしんどさは感じなかった。当初、姑の障害は手足の軽い麻痺《まひ》だけで、介助すれば自分で用も足せたし、身体を起こして自分で食事を口に運ぶこともできた。床ずれができないように身体をずらすのも彼女自身の仕事だった。むしろ、口の悪い姑がとげつきの言葉を尋恵に放たなくなり、見るからに弱気な人間となって尋恵の助けがなければ何も思うに任せなくなったことで、尋恵はこの家庭の主導権が自分に移ったことを自覚し、何となく心が安定する思いだった。

しかし、そんなささやかなことで気持ちが落ち着いていたのも束の間のことだった。介護はいつ終わるか分からない、まったく先の見えない闘いだ。しかも年々過酷になる。大きな転機は介護を始めてから一年後だった。どうやら新たな脳梗塞《のうこうそく》が加わって、姑の身体の麻痺も重くなっていたようだった。そんな中で彼女は銀行の通帳を取ろうとしたらしい……無理に歩いて転倒し、腕と太腿《ふともも》の骨を折った。

　川越に住む義姉の相田満喜子《あいだまきこ》は連絡を受けてすっ飛んできた。

「尋恵さんがいながらどうしてこんなことに？」彼女は困惑した顔を勲に見せつけ、「もう……お母さんが本当に可哀想」と姑の手をいつまでもさすり続けた。

　それからというもの、金曜と土曜の夜には満喜子が泊まり込むようになった。姑のベッドの脇に布団を敷いて添い寝をするのだ。梶間家の介護戦争は一気に緊迫し、尋恵は満喜子が示す以上の熱意で介護に当たらねばならなかった。介護サービスなどという選択肢はないも同然だ。入浴サービスだけは利用しているが、あとはすべてこの家の女の手でやる。意地の張り合いと言ってもよく、尋恵は姑や義姉に駄目な嫁と思われることだけは許せなかった。嫁に来てこの方、彼女らには何の恩も受けてこなかったと思っているからだ。

　元気なとき、姑は嫁の尋恵に冷たかった。尋恵は実家の母の介護もさせてもらえなかった。看取ることも許されず、通夜に間に合うかどうかという列車の中でボロボロと涙をこぼした夜は忘れることができない。それでいて、こちらが何かをしても、お礼の言葉は絶対吐かない人だ。介護の経験がないお嬢様育ちの人だから、それがどれだけ大変なことなのか分からないのだ。

　そんな人と承知の上で、尋恵は実母の分とばかりに一生懸命介護をしている。完璧に、何の文句も出ないくらいに介護と家事をこなし、何の借りも負い目もない形で彼女を送るのだ。最後は嫌々でも「ありがとう」と言わざるを得ないくらいに。つまらない意地かもしれないが、尋恵は本気でそう思っている。

当初意気込んでいた満喜子も金土の連泊はさすがにきつかったらしく、すぐに土曜日だけになり、やがて月に二、三回となった。それでも彼女が来るたびに姑は顔をくしゃくしゃにし、「ありがとうねえ。満喜ちゃんは本当に親孝行だね」そう言って喜び、六十二歳の娘に、車代にしてと五千円札を渡す。姑の口座からお金が引き出されることはないから、そのお金も結局、尋恵の財布から出るのだ。尋恵も謝礼だと割り切ればそれくらいの出費は苦にならないし、満喜子に借りを作るのも嫌なので、黙って自分の財布から姑に渡している。そのときも当然、彼女の口から「ありがとう」の言葉はない。毎日のように自分の銀行通帳を眺めていて、そこから一銭たりとも引き出されていないのを知っているはずなのに。

「尋恵さあん」

いつの間にか姑は目を覚ましたらしく、遠くの人間を呼ぶように声を上げた。

尋恵はまだ呼吸が落ち着かないまま無理に立ち上がって、彼女の顔を覗き込んだ。横から急に尋恵の顔が出てきても彼女は驚く様子もなく、相変わらず人を食ったようなとぼけた表情で口をくちゃくちゃと動かした。

「オムツ替えてちょうだい」

尋恵は出そうになったため息を呑み込み、「ちょっと待ってて」と古い蛍光灯を持って部屋を出た。勝手口にそれを置き、手を洗って姑の部屋に戻る。

掛け布団を剝《は》いで姑の寝巻きの裾をはだけた。膝を曲げさせ、紙オムツを外す。つんとした臭いが立ち、尋恵は口だけで呼吸した。さらに息遣いが荒くなる。

便は出ていない。汚れた尿取りパッドを取り、床に敷いた新聞紙に載せた。赤ちゃん用のウェットティッシュで股の周りを拭き、それを汚れた尿取りパッドに重ねた。はあはあという自分の荒い息を意識しながら、これが済んだら身体の向きを変えてやらなくては、などと思った。新しい尿取りパッドを……と部屋の隅を見たところで、尿取りパッドが切れていたことを思い出し、何とか押しとどめていた苛つきがぶり返してきた。

もう……思わず舌打ちをした。

仕方ない。とりあえずオムツだけ当てておくしかないか。

どうでもいいことが、どうしようもなく腹立たしく思えてくる。たかがオムツ一枚無駄になるだけのことに、主婦業を完璧にこなせていないという自分への苛立ちが込み上げてくるのだ。

ふとドアが開き、誰かが部屋に入ってきた。妙にぎょっとして尋恵は振り返った。

「これ買ってきたけど……」

嫁の雪見だった。尿取りパッドのパックを抱えている。

「ああ……ちょうどよかった」

「どうしたの、お義母《かあ》さん。怖い顔して。汗もびっしょり」

怖い顔と言われて、尋恵は内心戸惑った。

「ちょっと手伝って」

話を逸らすように言い、新しい尿取りパッドを当てると、雪見の手を借りて姑の体位を変えた。

「あのねえ……」左の背中にクッションを当てられ、身体の向きが変わった姑が呼ぶ。「明日、通帳つけてきてちょうだい」

「おばあさん」尋恵は声を少しだけ尖らせた。「まだ明日は年金入らないのよ。銀行に行ったって何にもつかないの」

姑はそうなの？　とでも言うように、またとぼけた顔を見せた。

何て邪気のない顔をするんだ。

尋恵は自分の胸に燻《くすぶ》るものを持て余し、外の空気を吸いたくなった。

「ちょっと庭仕事してくるから」

雪見に言い置き、新聞紙に包んだ汚れ物をゴミ袋に入れると、手を洗い直して玄関に向かった。

玄関は開けっぱなしになっていた。雪見がそうしたらしい。まどかが眠っているのだろう。サンダルを突っかけて外に出る。やはり、ガレージに入ったカローラの後部座席では、まどかがチャイルドシートに身を埋めてすやすやと眠っていた。無理に起こすとヒステリックなほど機嫌が悪いので、雪見はよくこうしている。風が通るよう、車の窓は開けてある。

ふと、左隣の家のガレージに車が停まっているのに気づいた。白いベンツだ。そう言えば午前中は車の往来で外が何だか騒がしかったが、どうやら引っ越しがあったらしい。

夕暮れの爽やかな風に当たり、呼吸が落ち着いてきたところで、尋恵は水道栓につなげたゴムホースを引っ張って庭に回った。

庭に立ってみて、妙な開放感があることに気づいた。隣の家とは、胸の高さほどのウッドフェンスで仕切られている。それ以外に、フェンスに沿って向こうの庭に二メートルくらいの高さの細い常緑樹が何本か植えられていたはずだが、それが全部切られてしまっているのだ。おかげで隣の庭の中まで見渡せる。

庭の中央には切られた木が束になって横たえられていた。その周りをドーベルマンだろうか、一匹の精悍《せいかん》な大型犬が闊歩している。その犬は尋恵を一睨《ひとにら》みすると、猛烈な勢いでフェンスまで突進してきて激しく吠え立てた。恐ろしいほどの迫力だ。

尋恵が思わず後ずさりしたところに、隣の家のテラスのサッシが軽やかな音を立てた。男が顔を覗かせる。一瞬、冷たい眼をして陰気そうに見えたその顔は、溶けるように柔和な笑顔へと変化した。

「レオ！　こら！」

笑いながら庭に下りてきて、犬を諌《いさ》める。

「どうもすいません。新しい環境で興奮してるみたいで」

目尻を下げて謝られ、尋恵は何の文句も浮かんでこなかった。

「強そうな犬ですねえ」

尋恵が言うと、男は褒められて照れるような仕草で頭をかいた。

「以前いた家で変な男が庭をうろうろしてたことがありましてね。それ以来、用心の意味で飼ってるんです。ちゃんとプロの訓練を受けてるんで普段は行儀がいいんですが、ちょっと神経質なとこもありまして」

尋恵と歳はそれほど変わらないかもしれない。五十がらみの、人のよさそうな男だった。丸顔で若々しさがある。サマーセーターの袖をまくり上げ、下はジーンズを穿《は》いていた。

「ずいぶんすっきりしちゃいましたね」尋恵は切り倒された木に目をやった。

「ああ」男はいたずらが見つかった子供のような顔をした。「ちょっと私が作りたい庭のイメージと合わないものですから、思い切ってばっさりやっちゃいました。ここに植木鉢の棚を作りましてね、夏までに簡単な日除けの屋根を付けようと思ってるんです。今はちょっとお互い見えてしまいますけど、すぐ隠れますから」

男なのに庭造りに熱心な人だなと思った。勲が庭に出るのは夕涼みのときくらいで、水撒《みずま》きも含めて庭仕事は一切しない。

尋恵は自嘲気味に自分の家の庭を見た。

「うちも徐々に花を増やしていこうと思ってるんですけど……なかなか手が空かないもので」

今は片隅に南天や小さな松、つつじなどが植わり、もう一方の隅には安く買ったパンジーなどの小鉢が二段の棚に十個ほど並べてある。広い庭ではないが、ちょっと寂しい感じがする。

「よかったら、シンビジュームをお分けしましょうか」男は自分の庭の片隅に並んだたくさんの鉢を顎で指した。「株分けしてるうちにどんどん増えちゃいましてね。ひいふうみい……十一個もある。三個ほどもらって下さいよ」

長細い緑葉をふさふさと繁らせた鉢に目を奪われた尋恵は、「まあ、そんな大事に育ててるものを」と形だけ遠慮してみた。

「いや、実際多過ぎましてね、ちょうど助かりますよ。花を咲かせるのはなかなか難しいんですが、よっぽどひどい扱いをしない限り枯れるもんでもない。夏は日陰で冬は室内。水はほどほどに。咲いてくれたら儲《もう》けもんっていう花ですよ」

「いいんですか？　じゃあ、お言葉に甘えて育てさせてもらおうかしら」

隣の男は笑って頷き、長い葉を伸ばした元気そうな鉢をフェンス越しに渡してくれた。プラスティックの鉢なので重くはない。パンジーの横に三つ並べて置くと、何となく庭らしさが増した気がした。

「ここはいい環境ですね。すっかり気に入りました」

男がフェンスに肘を載せて言う。

「そうですね。このへんだと東京でもごみごみした感じがなくて。どちらから？」

「調布です。知ってる方がやっぱりこのあたりに引っ越したらしくて、いいところですよって言うもんですから、一度車で回ってみたらなるほどと思いまして。そしたらちょうどここに空きの物件を見つけたんで、思わず飛びついたわけなんです」

そんなに軽々と住まいを移ることができるなんて、いい身分だなと思った。何をやっている人なのだろうか。

「いいんですか、ここで油を売ってらっしゃって。ご家族はまだ荷解《にほど》きにてんてこ舞いなんじゃないですか？」

尋恵が暗に家庭事情の探りを入れると、男は小さく首を振った。

「一人なんですよ。独り者です」

「まあ、そうなんですか。それなら気楽でいらっしゃって」

無難に受けてはみたが、尋恵の予想にはない答えだった。隣は確か４ＬＤＫで六千万近くしたはずだ。ファミリータイプの物件である。五十前後の年格好といい、まさか独身男性とは思わなかった。

「じゃあ、また落ち着いたところで改めてご挨拶に伺いますので」

「はあ……」

尋恵にはまだまだ彼の身の上を訊きたい思いがあったが、無遠慮に引き止めることもできず、家の中へ引っ込んでいく男に会釈を返すだけにしておいた。

＊

新聞を読み終えた勲は、リビングのソファに移って、見るとはなしにテレビを点けてみた。退官してからというもの、日曜の夕方は何となく手持ち無沙汰な、気だるい退屈さに包まれる。

「コアラ、コアラ食べるう」

駄々をこねながら、孫のまどかが雪見と一緒に入ってきた。まどかは勲の顔を見て一気に警戒した顔になった。

「お帰り」勲は一応優しく呼びかけてみたが、まどかはあからさまに勲を避け、雪見のスカートを掴んだ。

「ほら。ただいまでしょう」

雪見が促しても、まどかは口をつぐんだままだ。決して懐こうとしない孫に、勲は一緒に遊ぶことはおろか、コミュニケーションを取ることもほとんどあきらめている。

「コアラ、コアラ」勲を無視して、まどかは雪見に甘える。

「もうすぐご飯でしょ！　コアラ食べたらご飯食べられないでしょ！」

ちょっと度が過ぎるくらいにきつい口調でたしなめられ、まどかは弾けた泣き声を上げた。

「食べるのおっ！」ヒステリックな金切り声で叫ぶ。

「少しだけやればいいじゃないか」

勲が口を挿むと、雪見は言いかけた何かを呑み込んだ。

「もう……チョコレートは駄目だって言ってるのに」

代わって、そんな愚痴が出てきた。尋恵が買ってきた菓子らしい。

「少しだけよ。持ってくるからそこに座ってて」

雪見は仕方なさそうに言い、ポニーテールをひらつかせてキッチンへ向かう。

「そっちで食べる」

ついていこうとするまどかを雪見はきっと睨んだ。

「そこに座ってなさいって言ってるでしょ！」

どこで食べようと関係ないものを……些細なことで子供相手に感情的になっている雪見を見て、勲は眉をひそめた。

菓子を小皿に入れてきた雪見は、機嫌がいいのか悪いのか、勲にもお茶を淹《い》れてきてくれた。

「ああ、ありがとう」

いかにも気の強そうな女でありながら、こういう気遣いができるところなど、単純な性格ではない。思いのほか気が回り、なかなか勘の鋭い一面がある。甘く育ってしまった俊郎の相手としては合っているのかもしれない。物怖じはしないし、現代っ子だからか、この家庭が嫁ぎ先であるという遠慮も感じさせない。

「お義母さん、どこか具合が悪いんじゃないかな」

雪見はまどかの隣に座ると独り言のように呟いた。「そうかな？」

「ん……？」勲は首を動かし、窓越しに見える妻の姿に目を留めた。

庭に水を撒いているその様子は、特に普段と変わりないように思えた。

勲の反応が鈍かったせいか、雪見は横目で勲を一瞥《いちべつ》しただけで、それ以上言葉を重ねようとはしなかった。

「俊郎はまだ予備校か？」勲は話を変えた。

「晩ご飯には戻ってくるでしょ」今度は雪見のほうが素っ気ない。

俊郎は司法試験に向けて勉強中の身だが、自宅は介護や育児の戦場と化していて集中ができないらしく、大学や町の図書館に出かける日が多い。日曜日も予備校の模試などをせっせと受けている。もっとも、それで勉強がはかどっているのかどうかは、勲の経験からいっても疑わしいところだ。

「そのうち俺は一億稼ぐ男になるんだからよ」というのが俊郎の口癖だとか。勲は聞いたことがないが、雪見にはそう見得を切っているそうだ。それを話すとき、雪見は失笑していた。

過当競争の弁護士業界で本当にそれだけの稼ぎを得られると三十にもなる男が本気で信じているとは思えないが、司法試験を通るまではと勲も静観している。軌道に乗るまで自分が手を貸してやれば、あんな浮ついた男でも弁護士として何とかやっていけるのではとも思っている。いい意味で好青年っぽさがあるので、信頼性はともかく営業的には案外うまくやるのではないか。

お茶を飲み干したところに、尋恵が外から戻ってきた。

「お隣。男の人の一人住まいですって」

彼女の顔色は別段悪いものではなかった。

「ああ、ベンツが停まってたねえ」雪見がまどかの三つ編みを解きながら応えた。「独身なんだ」

「隣って、そっちか？　引っ越してきたのか？」

特に興味をそそられたわけではないが、話の流れで勲は訊いた。今日は一日読書にふけっていたので、外の様子は分からない。

「そう。奥の家」と尋恵。「五十過ぎのなかなか愛想のいい人でね。シンビジュームの鉢をもらっちゃった」

「へえ。おばあちゃん、お花もらったんだって。いいねえ」

雪見がまどかに話しかける。まどかが大人しく菓子を食べているので、彼女もさっきのとげとげしさは消えている。

「大きな犬も飼ってるのよ」

「ワンちゃんだって。うちも飼いたいねえ」

「何やってる人かまでは訊かなかったけど」

「ベンツに乗ってるくらいだから、どっかのオーナー社長じゃないの」

尋恵も雪見もこういう話には興味を隠さない。

「やくざじゃないだろうな」勲はあり得なくもないと思って口に出した。

「全然そんな感じじゃないわよ。真面目そうな人」

「ベンツっていっても白だしね」

そこへ話の腰を折るように、奥から母の呼ぶ声が聞こえた。

「尋恵さあん……」

尋恵は腰を重そうにしていたが、勲が顎で促すと、無表情になってリビングを出ていった。

しばらくして、尋恵は雪見に応援を求めてきた。

「そこにいなさいね」と言って雪見が立ち上がる。

「まどかも行く」

「ひいばあちゃんのとこよ。そこにいなさい」

あの部屋がよほど怖いところと思っているのか、まどかは一瞬のうちに押し黙ってしまった。それでも次第に不安そうな顔をして落ち着きをなくし、「ママ！」と大声で呼ぶ。

勲は居心地が悪くなり、ソファを立った。

読書の続きでもしようと、書斎兼寝室の自室に入りかけたところで玄関のチャイムが鳴った。さすがに手がふさがっている者を呼ぶわけにもいかず、勲はそのままスリッパで玄関口まで出てドアを開けた。

日曜の夕方にいったい誰だろう。

門扉の前に一人の男が立っていた。

勲の見知った顔だった。

「あ……」

その男……武内真伍も勲と同じように呆けた顔をしていた。

なぜ武内がこの家を訪ねてきたのだ？　勲は戸惑いのあまり、言葉が見つからなかった。武内が呆然《ぼうぜん》としているわけも、勲には分からなかった。

「ここは梶間先生のご自宅でしたか。いや、今見たら『梶間』と表札が出てるんで、まさかとは思ったんですが……いや、これはびっくりしました」

そう言いながら武内は門扉を開け、ドアの前まで歩み寄ってきた。立ち止まったときには笑顔に変わっていた。

「しかし、ここは閑静なところですね。住むには本当、持ってこいですよ」

「ええと……」勲が問い質《ただ》そうとしたところに、後ろから声がかかった。

「あら、先ほどは」

母の部屋から一歩出たところで、尋恵が顔を覗かせる。二人は愛想を交わし合った。

「奥さんには庭で一足先にご挨拶しまして」

ということは……。

隣に越してきた男とは武内だったのか。勲は虚を衝《つ》かれ過ぎて、その事実を受け止めるのにしばらく時間がかかった。

「いやあ、でも知ってる方がお隣で心強い限りです」

武内はいくぶん興奮した口振りで言った。

「まあ、お父さんとお知り合い？」

尋恵がタオルで手を拭きながら玄関まで出てきた。

「ええ、その節は大変お世話になりました。素晴らしいご主人で奥さんもお幸せですね」

「そんな、外ではどうか知りませんけど、家ではとてもとても」

武内は、大学を訪れたときに見せていた、おどおどしたような遠慮がちな物腰などどこにもなく、勲が呑まれるほど堂々としていて、快活ささえ感じさせた。

「ちょっと、ごめんなさいね」外から明朗な声がして、デイパックを肩に提げた俊郎が入ってきた。「ただいまあ」

「息子です」

尋恵が困ったような笑みを浮かべて紹介する。武内は梶間家の素浪人にうやうやしく一礼した。

俊郎は靴を脱ぎながら武内を見やり、「どうもー」と軽い調子の言葉を返して、部屋に上がっていった。

俊郎を見送った武内は思い出したように、小さな箱詰めを尋恵に差し出した。

「これ、つまらないものですが。以前旅行に行ったときに食べた信州戸隠《とがくし》のおそば屋さんから取り寄せたものなんです」

中身は手打ちそばらしい。尋恵はそれを嬉しそうに受け取った。

「もう、もらうものばっかりで。今度落ち着かれたら、うちに遊びに来て下さい。お食事でもご一緒に」

「いやあ、もったいない。顔見知りといってもこれだけ近過ぎちゃうと、あまり甘えないほうがいいでしょうし」

「そんなことおっしゃらずに、何でも助け合っていきましょうよ。都会流もいいですけど、私なんか根が田舎育ちなものですから、淡白なご近所付き合いも味気なくて」

いつになく饒舌《じょうぜつ》な尋恵の話に、武内は二度三度と頷いた。

「私も山梨の山のほうに育ちましたんで、よく分かりますよ。さあ、長居も失礼なんで、今日はこのへんで」

彼はスマートに話を切り上げ、もっぱら聞き役に甘んじていた勲に軽く頭を下げて帰っていった。

しかし……。

これは本当に偶然なのか？

武内の素振りを見る限り、そういうことらしい。確かに勲は、多摩野の高台にある新興住宅地に越してきて、新しい環境が気に入っている……そんな話を彼にした憶えがある。武内は調布の家に住みづらくなっていて、どこかへ移りたいと思っていた。そこへ勲の話を聞いて刺激され、このあたりを見ているうちにたまたま隣の空き物件を見つけた。そういうことなのか。

だが、よりによって隣とは。空き物件は隣だけじゃない。多摩野だって広い。

別に苦手なタイプだというのではない。どちらかといえば親しみやすい男だ。

そうではあるけれど……。

勲は心の何かがうろたえるのを感じていた。

〈4〉 視線

「ママ、はやくー」

義理の祖母の入浴サービスに付き合って、まどかの公園遊びがずれ込んでしまった。いつもは午前中か午後一番が日課となっている。それ以外の時間では公園にいる顔触れが変わるので、雪見の気も乗らない。

まどかはオレンジのワンピースにつばの広い帽子をかぶり、お砂場セットを持って、すでに靴まで履いている。いつもなら上がりかまちに座ったまま、履かせてと駄々をこねるのに。

よく見ると、やはりまともには履けていない。

「もう。かかと踏んだら駄目でしょ」

靴を履かせ直した雪見は、まどかの手を引いて家を出た。まだ陽射しが強い。陽灼けはさせたくないので、三十分も遊ばせたら帰ろうか。

家から歩いて三、四分のところに公園がある。公園が見えたところで、まどかは勝手に走り始めた。

「気をつけてよ。ちゃんと前見て」

この時間になれば、学校から帰ってきた小学生たちがドッジボールやバットベースをやっているので、小さな子を持つ親としては危なっかしくて気が休まらない。

それに……。

「お、まどかちゃんじゃない。久し振りねえ」

やはりいた。二人とも砂場のかたわらにあるベンチに腰かけて、煙草をふかしている。

一人は金髪にコギャルのような流行服を着ていて、病的に細い手足の爪には全部違う色のマニキュアが塗られている。まどかと同じ三歳になる彼女の息子、元弥《もとや》君は後ろ髪をミュージシャンのように伸ばしている。

もう一人も下品なほど髪を茶色に染めていて、色黒でいかにもがさつそうな顔をしている。同じく三歳の息子、源太《げんた》君は彼女そっくりで、髪の毛も真っ茶っ茶だ。

一見して元ヤンキーと分かるその二人は、まだ何度も会っていない仲にもかかわらず、雪見を見て「よっ」と手を振った。

砂場は彼女らの息子たちが占領していた。雪見としてはブランコや滑り台で遊ばせたいところだが、前に住んでいたところの公園とは遊具の形が微妙に違っているようで、まどかはまだここの滑り台に上るのを怖がっている。

「入れてあげてねー」

雪見は男の子たちに声をかけ、まどかを砂場に送り出した。

しかし、そのとたんだった。源太君がまどかのお砂場セットに目を留め、「スコップ、ゲット！」と大きな声を上げて、勝手にスコップを取り上げてしまった。

源太君のママは何も言わない。スコップを取られて、どうやって遊べというのか。この親子の無神経さにはほとほと呆れる。

まどかは取られたスコップをしばらくじっと見ていたが、あきらめてしまったらしい。それでも砂場は楽しいのか、健気《けなげ》に素手で小山を作り始めた。

「ばあさん、相変わらず寝たきり？」

子供の様子など目に入っていないかのように、元弥君のママが話しかけてくる。

前に会ったとき、彼女らが雪見の家に遊びに来たそうなことを言ったため、祖母が寝たきりであることをバリケード代わりに使っていたのだった。

「親と同居でその上、ばあさんの介護なんて本当悲惨だよね。よくやるよ」源太君のママが紫煙と一緒に吐き捨てた。「あたしだったらとっとと逃げるね」

「それなりに何とかなるものよ」雪見は適当に受け流した。

「まどかちゃんのママ、結構根性ありそうだもんね」元弥君のママが片頬で笑った。「でも、まあ、旦那がフリーターじゃしょうがないよね。うちのもコロコロ仕事替えるからさあ、大変なのよく分かるよ。親のすねかじってるだけいいかもしんないよ」

すねかじりと言われると、雪見はいつも無性に不愉快になる。雪見自身は普通に主婦業をこなしているのだ。家事も育児も介護も、明らかにこの二人以上にはやっている。その生活費がどこから出ているかということは雪見には関係ない。肩身の狭い思いをする必要はない。それは俊郎の甲斐性の問題ではないか。

気がつくと、元弥君のママは携帯電話をいじっていた。

「またやってるよ」源太君のママが冷やかすように言う。

「へへへ、約束しちゃったよ」

元弥君のママは照れ隠しにおどけた。

「マジ？　会うの？　いつ？」

「明日。ちょっとうちのガキ頼んでいい？　二、三時間、いや夕方まで」

「嫌だよ。ほら、駅の北にある時間保育に入れなよ。あたしも上の子のとき結構使ってたよ」

「そうすっかな。たまにはいいよね。旦那には内緒。まどかちゃんのママもメル友作ったら。

そういうのやったことない？　まあ、無理に勧めはしないけど、気晴らしになるよ」
呆れて、愛想笑いも途中でやめた。こういう人、案外多いんだろうなとも思った。
子供の非行などはつまるところ、こういう親子に元凶があるのだと雪見は断言できる。いい加減な夫婦が無頓着に子供を育て、手のつけられない問題児が出来上がる。その問題児が周りの子供たちに悪影響を与えていくのだ。ちゃんと育てた子供であっても、幼稚園に入ると汚い言葉を覚えてくるという。以前彼女らに、どこの幼稚園に入れるつもりかと訊かれたが、まだ越してきたばかりだからと曖昧に答えた。本音を言うなら、元弥君や源太君とは違う幼稚園に入れるつもりだ。

まどかの子育てに関しては妥協したくないと思っている。友達付き合いなどずいぶん不義理をして、何人かとは音信も途絶えてしまったが、自分の都合は後回しだと割り切った。今は二十四時間つきっきりになってでも愛情を注いでしつけをしてやる時期なのだ。優秀でなくても構わないから、素直な子に育てたい。

ママたちが下らない話に花を咲かせている間、男の子二人は競って砂の山を作っていた。スコップを使っている茶髪の源太君のほうが高い山を作っている。

そのうち、ロン毛の元弥君が座る場所を移動した拍子に、回した手で源太君の山の上を崩してしてしまった。

「バカ！」

源太君がいきなりグーで元弥君の腕を打った。

「何すんだ、馬鹿やろう！」源太君のママがニヤつきながら、汚く叱った。

「おい、やられっぱなしか？　情けねえぞ」本気なのか、腕を押さえて泣きそうになっている息子を親がそそのかす。

「スコップは使うなよ。凶器はなしだぞ」源太君のママも受けて立っている。

始まった。

雪見は男の子二人が砂をかけ合うのを見て、げんなりとした。

救い出す間もなく、砂場の隅で大人しく小さな山を作っていたまどかの身体にも盛大に砂がかかった。

「おいおい、まどかちゃんの顔にかかったぞ。謝れ、馬鹿！」

ママたちに言われても、彼らは知らん顔だ。

「まどかちゃんも怒っていいんだよ。馬鹿って言ってやりな」

何を言い出すのだ……喧嘩《けんか》を傍観するのはともかく、まどかに汚い言葉を教えようとするに至っては、雪見も心底呆れ返った。

まどかは言われるままに立ち上がって、男の子たちのほうを向いた。「バカ……」と頼りない声で言う。

「馬鹿じゃなくて、馬鹿馬鹿馬鹿って言ってやれ！」

そう言って、源太君のママは品のない笑い声を上げた。

「ちょっと。女の子にそんな言葉使わせないで」雪見はたまらず、口を出した。

「馬鹿を？　馬鹿って悪い言葉？」

二人は顔を見合わせている。

「言葉っていうより、相手を罵《ののし》ることを教えないでってこと」

「そんなの、そのうちどうやったって覚えちゃうわよ」

「そうよ、あたしなんか幼稚園のときにはうちの母親をババアって呼んでたんだから。馬鹿なんて可愛いもんよ」

二人にはまったく通じなかった。

家に帰ったときには、まどかは不機嫌になっていた。たいていこの時間帯に機嫌が悪いのは眠たいからだ。手を洗わせるのも一苦労で、結局雪見が無理やり抱き上げて洗ってやった。

リビングを覗くと、テーブルにぶどうが置いてあった。まだ買い物には行っていないはずなのに。

「これ、どうしたの？」

カーペットに座って洗濯物を畳んでいた義母に訊いてみた。

「武内さんって本当に可哀想な方ね」

答えにはなっていないが、どうやら隣にもらったらしい。また庭で話でもしていたのだろう。

「お父さんを中学生の頃に病気で亡くされたらしくてね。そのうちお母さんも事故で命を落として。山林を相続することになったら親戚がうようよ湧いて出てきたそうよ」

「へえ」雪見はその境遇よりも親戚が湧いて出てくる絵を想像して身震いした。

「それからイギリス人の女の人と結婚したんだけど、お金を持って逃げられちゃったんですって」

「へえ」

元は輸入雑貨を扱っていたというし、なかなか垢抜《あかぬ》けた紳士らしい。雪見はまだ顔を合わせていないが、義母から聞く話ではそういうことだ。

「おぶどう食べるぅ！」まどかが騒ぎ始めた。

義母の話は同情と共感が混ざって続く。

「それでこの前は無実の罪を着せられたってんでしょ。世の中って真面目な人ほど不幸の皺寄せが来るようになってるのかしらね」

「おぶどう食べるぅ！」

「いいわよ。食べなさい」

「まどか。お昼寝しないと」

「したくないっ！」まどかの声のトーンが上がり始めた。

「お買い物、行けなくなるよ」

「行きたくないもんっ！」

反抗のスイッチが入ってしまった。買い物にも行きたくないというなら、もう何を言っても聞かない状態だ。

「お義母さん、今日買い物行く？」

気分転換になるだろうという意味も込めて、雪見は訊いてみた。

「そうね。そうしようか。まどかもゆっくり昼寝できるし……でも、一階にいてね」

「うん……分かってる」

車の鍵を義母に渡して、雪見はまどかの手を取った。

「おぶどう食べる前に、お二階で服着替えるよ」

「いやっ。行きたくないのーっ」

こちらの言うことは全否定だ。

「お洋服、砂だらけでしょ。着替えないと」

「いやーっ。ここで着るっ」

「お洋服はお二階でしょっ」

どうせ適当な服を持ってきても、気に入らないと嫌がるのだ。雪見は仕方なく、暴れるまどかを抱き抱えて二階に上がることにした。

しかし、それが重かった。当たり前のことだが、だんだん重くなってきている。むやみに暴れられると危ない重さだ。階段を上がり切ったところで、たまらず下ろした。

「女の子はいいねえ、手がかからなくて」公園で会うママたちは口々にそう言う。本当にそうなのだろうか。雪見は男の子を育てたことがないので分からないが、素直に肯定することはできない。まどかは内弁慶のところがあるから、特にそう思われるのかもしれない。男の子でも、元弥君や源太君のように安易な放任で育てているところのほうが、明らかに楽をしているのではないだろうか。

まどかは部屋に入ると、ままごとセットのかごに飛びついた。どういう思考がこの子の中で展開されているのか。そして、それを畳にぶちまけてしまった。そのおもちゃの散乱ぶりは、雪見の神経を妙に逆撫でした。

「もうっ。遊ばないのよっ。着替えるのっ」

雪見はまどかのワンピースをたんすから引き出して、いくつか畳に並べた。

「はい。どれ着るの？　選んでよっ」

「おぶどう。おぶどう」おもちゃのぶどうを雪見に差し出してくる。

「ぶどうじゃなくて、着替えるのっ。早く着替えて、下でお留守番しなきゃいけないでしょ。まどかが選ばないんだったら、ママ選ぶよ？」

「いやーっ！」

こういうときのまどかは実に気に障る声を出す。苛々が募ってきて、雪見自身も大声を上げそうになるのを何とか抑えている。

「じゃあ行ってくるから」階下で義母の声がする。

「おばあちゃん、行っちゃうって。早く下りないと」

「ピンポーン、たっきゅうびんでーす」

そう言ってまたおもちゃのぶどうを差し出してくる。こちらもままごと遊びの相手になってやれる気分のときと、そうでないときがある。

「宅急便じゃないの。はい、もうこれ着て」

適当に一着選んで広げた。

「いやーっ！」金切り声が雪見の耳元に響く。

「そんなんだったら下にあるぶどうはあげない！　もう食べちゃ駄目！」

まどかは眉を八の字にして悲しそうな顔をした。唇を開けたり閉じたりして、言う言葉を探している。

そしてついに言った。

「バーカッ！」

「……？」

「バーカッ！」

雪見は思わず、まどかの太腿をぴしゃんと叩いていた。いや、実際には頬を狙った手を足に向け直すくらいの冷静さはあり、あとに残らないよう手加減もしていた。しかし、叩くという衝動だけは抑えることができなかった。

「バカは言っちゃ駄目って言ってるでしょ！」

もう一回叩いてやった。

まどかが今口にした言い方は、公園で遠慮がちに言ったときより、罵り方として上達していた。ここで厳しく咎《とが》めなければという危機感を覚えた。

「いいぃいぃ……」

まどかは叩かれた足を手で押さえていた。眼の周りを涙で濡らし、口を歪めて泣いていた。ヒステリックな状態から、何かを我慢するような、あるいは怯えているような泣き方に転じていた。

「ママが駄目って言うこと、どうして言うのよ？」

叩く真似をすると、よけようとして飛び跳ね、低い泣き声がさらに低くなった。

「駄目って言ったら駄目なの。分かった？」

唸《うな》るような泣き声を上げながら、まどかが頷いた。

「ごめんね、は？」

「ごべんでぇ……」

完全降伏させて、雪見は肩に張りついていた力を解いた。重い息を一つ吐いた。

機嫌が悪いのは眠いからというより、砂場で遊んだのが逆にまどかのストレスになっていたのかもしれない。落ち着いたら、あとで思い切り甘えさせてやろうかなと思った。

まどかに手を上げたのは初めてだ。もちろん、いい気分ではない。今すぐ抱き寄せて、「ママもごめんね」と謝りたいくらいだ。でもそれをしても、まどかの頭を混乱させてしまうことにしかならないだろう。心の中だけで謝っておくことにする。

ただその一方で、軽く叩いただけなのに効果てきめんだったなとも思った。あの場面、言葉だけでは限界があった。こちらの神経がどうにかなりそうだった。これまでは叩くなんて逆効果だと信じ込んでいたので、あっさり収拾がついて意外な感があった。

ティッシュでまどかの涙と鼻水を拭いてやり、服を着替えさせた。まどかはすっかり大人しくなってしまった。

何とか大波が去った。

静けさが戻って、雪見はベランダに通じる窓が閉め切られていることに気づいた。洗濯物を入れたときに義母が閉めたのだろう。

雪見は、寝るとき以外はなるべく窓を網戸にして、部屋の風通しをよくするようにしている。新築の家の中はまだ建材の匂いがプンプンしていて、揮発性の匂いもある。人に優しい家などという謳《うた》い文句はあるが、まったく無害だと保証されているわけでもない。小さい子もいるので、そのあたりはどうしても気を遣ってしまう。

雪見は立ち上がって窓に近づき、網戸側のサッシを開けた。

ここから隣の家の庭が半分ほど見える。ドーベルマンが寝ている。午前中、まどかと見に行ったが、あんなに大きな犬だとは思わなかった。以前住んでいた家に侵入者がいたから飼い始めたということらしいが、放し飼いまでしなくてもいいのにと思わないでもない。フェンスには近づけないようになっているようだが、まどかにも一応近づかないように言い聞かせておいた。

雪見は隣の庭から目の前にある隣家の二階に何気なく視線を移した。

小さな窓に焦点が定まって、雪見の身体は硬直した。

隣の男……武内がこちらを見ていた。

思わず力負けしてしまうような鋭い視線で、雪見は瞬間的に目を逸らしていた。

何だ、あの陰気な眼は……？

五、六メートルは離れているが、それを感じないくらい、すぐそばから見られた感覚があった。

雪見はレースのカーテンを引いて、離れ際にもう一度、そっと隣の窓を窺った。

武内は姿を消していた。

「何見てんだ？」

急に後ろから声がかかり、雪見は驚いて振り返った。

「何だ……」

俊郎だった。怪訝《けげん》な顔で雪見を見ている。

「何だって何だよ？」

「いや……何でもないけど……お帰り」

俊郎は確かめるように窓の外を見ていたが、何もないのですぐに目を離した。

「まどか、元気だったか？」明るい声でまどかを抱っこする。「パパもいつかは無実の人を救うような弁護士になるからな。待ってろな」

とてもまどかには理解できない言葉を一方的に投げかけ、雪見に向き直った。

「母さん、買い物に出てったよ」

「そう。じゃあ、下りなきゃ」

「帰ってくるときさあ、何か変な男がうちをジロジロ見てたぜ。俺を見て逃げてったよ」

「え……？」

俊郎の言い方もあるが、雪見は何か薄気味悪いものを感じた。

「もしかして隣の人？」

「違う、違う。隣の家もジロジロ見てたよ。武内さんも不審者に庭先まで入られて番犬を買ったっていうんだろ。記者とかその手の連中だと思うけど、まどかを出すときとか、一応気をつけたほうがいいぞ」

「うん……そうね」

いつもなら一笑に付すことかもしれないが、そんな気にはなれなかった。武内のあの視線が雪見にうそ寒い空気を運んできていた。

リビングでぶどうを食べているうちにまどかがうとうとし始め、とうとう寝入ってしまった。そのまま五時過ぎまで家の中が静かになった。祖母が呼ぶこともなかった。

雪見は、夕食の一品ぐらい先に作っておいたほうがあとから楽だろうと、冷蔵庫にあった厚揚げやかぶ、さやえんどうを使って煮物をした。だし醤油やみりんを入れた鍋に薄切りしょうがを加えて中火で煮立て、油抜きした厚揚げやかぶなどを適当に切って放り込む。しばらく弱火で煮てから火を止めた。このまま置いておけば、味が染み込んでくれる。

ご飯は昼に五合炊いたから十分ある。あとは義母が何か考えて買ってくるだろう。

まどかが目を覚ましたので、残っていたぶどうを二人で食べた。

今は一番日の長い季節だ。五時半でもまだ夕方という感じがしない。

「お庭いくー」

まどかが猫みたいにテラスの網戸をガリガリと引っかきながら上目遣いに雪見を見る。

「いいよ」雪見は玄関からまどかの靴とお砂場セットを持ってきて、彼女を庭に出した。

まどかは庭の真ん中にしゃがみ、でたらめな歌を口ずさみながらスコップでせっせと土をほじり始めた。

やっぱり砂場で遊び足りなかったんだな……まどかの小さな背中を見て、雪見は思った。

　隣の庭にはドーベルマンが寝そべっている。フェンス側には作りかけながら植木鉢を並べる階段状の大きな棚が置かれている。棚の両側にもにわか作りの柵があって、犬はフェンスのそばまでは来られない。

　だが、念には念を入れて、雪見はもう一度注意しておくことにした。

「ワンちゃんのほうには行ったら駄目だからね」

「うん」まどかは聞き分けのいい子になって、大きく首を振った。

　優しい風が庭に吹いていた。

　そうだ……雪見は、いつかおもちゃ屋で何かのおまけにシャボン玉セットをもらっていたことを思い出した。まだまどかが二歳になりかけの頃だったので、危ない気がして使わなかったが、ちゃんと教えればもう飲んだりする心配はないだろう。

　娘と庭でシャボン玉をするというのは、何となく憧れるような、やってみたいと思わせるノスタルジックな魅力がある。

　取ってくるか。

　途中、祖母の部屋を覗いたが、ぐっすり眠っているようだった。二階に上がると、俊郎も昼寝をしていた。

　雪見は和室の押し入れにある段ボール箱から、シャボン玉セットを見つけ出した。

くすぐったいような軽やかな気持ちでそれを手に取り、押し入れを閉めた。

下へ行こう。

その刹那《せつな》、雪見の視線はベランダ側の窓に流れた。半分だけ見える隣の庭。ドーベルマンがいる。

雪見はそのドーベルマンが取っている体勢に強烈な胸騒ぎを感じた。ドーベルマンは作りかけの棚の二段目あたりに前足をかけ、まるで獲物を狙っているように、まどかのいる庭のほうを窺っていた。

まさか……しかし、あの棚が階段状にできているのが気になった。雪見の本能が身体を衝き動かした。

慌てて階段を駆け下りる。

リビングに入ったとき、テラスの向こう側に見えたのは、まどかではなく、ドーベルマンの黒光りした身体だった。

雪見は空気が張り裂けるような悲鳴を上げながら、庭に飛び出した。猛犬はひとっ飛びで詰められるような間合いを取って、まどかの周りをじりじりと回っている。殺気が吹き荒《すさ》ぶ異様な空間の中で、まどかは泣くのも忘れて立ち尽くしている。

ドーベルマンが襲撃をもったいぶった何秒か……あるいは何秒という時間もなかったのか

もしれない……とにかく、その空白のような時間に、雪見は自分の身体ごとを投げ出していた。夢中でまどかを抱き抱えた。間に合った。震えが意味をなさない声となって、口からこぼれ出た。

獣の息遣いが背後に迫っている。向き合うのは危ない。自分の背中を盾にするしかない。

次の瞬間、雪見の太腿に荒々しい唸り声が絡まり、鋭い痛みが神経を走った。

雪見はもう一度悲鳴を上げていた。それに煽《あお》られて、まどかもけたたましく泣き始めた。

足を振ると太腿からは外れたが、デニムのスカートの生地が犬の牙に引っかかったようで、いくら逃げ惑っても後ろに犬の気配がついて回る。

「こらあっ！」

怒声とともに、人影がウッドフェンスを乗り越えてきた。武内だ。手には棚作りの材料と見られる角材が握られていた。

武内は雪見の目前に来て、凄まじい形相で角材を振り上げた。

「ふんんっ！」

狙いをつけて、それをドーベルマンの背中に打ち下ろした。

ドーベルマンが甲高い鳴き声を上げた。絡みつくような犬の気配が離れ、雪見は家の外壁に身を寄せた。

武内は庭の中央でさらに犬を打ちつけていた。

「ふんんっ！」

興奮した気張り声が彼の鼻孔あたりでくぐもっていた。血走った眼を見開き、歯をぐっと食いしばって、強烈な憎悪をぶつけるように犬を殴打していた。鋭い一撃が犬の頭部を直撃し、ドーベルマンは異常な鳴き声を上げて、痙攣にも似た動きで七転八倒した。

それでも武内は打つ手を緩めなかった。鬼気迫る気張り声を発するのみで、黙々と角材を振り下ろした。

雪見はその光景を見ながら、自分に今張りついている戦慄《せんりつ》は何に対するものなのか、分からなくなってきていた。

角材が折れたところで、武内の手はようやく止まった。ドーベルマンはぐったりとしていた。

その夜、武内は雪見が病院から帰ってくるのを待っていたかのように梶間家を訪れ、青ざめた顔をして何度も頭を下げた。

ドーベルマンは明日にでも保健所送りにすると武内は話した。今日は時間が遅かったために保健所には連絡がつかなかったらしい。しかし、あの様子では、明日まで犬が生きているかどうかは怪しいところだと雪見は思った。

　雪見の太腿は、嚙まれた部分が裂傷になっていた上に、周囲が紫色に変色していた。牙の食い込みが浅かったのが、幸いと言えば幸いだった。外科病院で消毒してもらい、痛み止めと抗生物質をもらってきた。

　武内の謝罪には主に義母が応対した。義父も俊郎もリビングにいたが、挨拶程度以外に口を挿むことはなかった。雪見も謝罪を受ける当事者ながら、一歩引いたところにいた。それが武内には態度を硬化させていると映ったのか、彼はますます頭を低くして、「本当に申し訳ありませんでした」と繰り返した。

　確かに大型犬を放し飼いにしていたという先方の管理不徹底が今回の一件を招いたわけだから、それに対する腹立たしい気持ちは雪見にもあった。一歩間違えば、まどかが犠牲になっていたかもしれないのだ。だが、武内の謝罪を素直に受け入れられない理由はもっとほかのところにあり、それは言ってみれば彼自身に対する忌避感なのであった。

「まあ、お互い、まさかこんなことになるとは思ってなかったことですからねえ。もうお気持ちは十分頂きましたから、武内さんもこれ以上、心を痛めないで下さいな」

　義母は終始やんわりと彼の謝罪を受け止め、逆に武内を気遣っていた。

「幸い、大事には至りませんでしたし……」

そう言って、義母は武内に一言も返そうとしない雪見を仕方なさそうに見やった。それにつられるように、武内も視線を雪見に移す。そのとき……雪見の冷たい感情を一瞬で察したかのように、彼の眼に陰々とした影が差した。ほんのわずか、眼が警戒するように細められた。そしてそれは、義母が武内を見たときには元に戻っていた。

武内はテーブルに無地の封筒を置いて帰っていった。結局、彼に非難の言葉を投げかける者はいなかった。義母が友好的な空気を作っていたし、それ以上に武内の謝罪はしつこいほどに十分過ぎていた。

「まあ、これ……」

湯呑みを片づけてからテーブルに置かれた封筒を確かめていた義母が声を裏返らせた。

「ねえ、こんなに」

彼女は封筒から札束を抜いて、みんなに見せた。雪見もせいぜい二、三万のことだろうと思っていただけに、その厚みには驚いた。

「三十万よ」数え終わって、義母は感想を求めるようにみんなを見た。「三十万ですって、お父さん」

「ふむ……」義父は少し戸惑ったように唸るだけだった。

「いいよ、いいよ。くれるものはもらっときゃいいんだよ」俊郎だけが平然としている。

「裁判起こせばそれくらいの額にはなるんだからさ。世間を知ってる人だよ。悪いのは向こうだけどさ、こうされると実際憎めないじゃん」

「そうよねえ。飼い犬っていっても、あの人にとっては唯一の家族だったんだし、ここまでされると、逆に気を遣うわね」義母は同情的な口振りだ。

「まあ、ああやって話を聞くと、見どころのある人ではあるよね」

俊郎は顎をさすりながら自分で頷いている。彼は雪見の悲鳴で目を覚ましたらしいが、下りてきたのはすべてが終わってからという、のんびりしたものだった。妻と子供が味わった恐怖にも他人事《ひとごと》のような言い方だ。

「折を見て、何かこちらからも返したほうがいいかもな」義父がぽつりと言う。彼の頭はもらい過ぎのお金のことで占められていたようだ。

「こっちが気を遣う必要はないって」

俊郎がけだしもっともなことを言った。反対に義母は義父の言葉に、「そうよね」と相槌《あいづち》を打ち、それから雪見のほうに目を向けた。

「雪見さんも腹が立つのは分かるけど、ちゃんと謝ってる人にはそれなりの対応をしなきゃ」

「行動的には、とりあえず最善尽くしてるしね」俊郎も口を挿む。

「うん……」雪見は自分のわだかまりを認めて口をすぼめた。「でも、あの人、何か怖くて……」

「ちゃんとした方よ」義母は真顔で雪見をたしなめた。「人を色眼鏡で見ちゃ駄目」

義父が裁判に関わった冤罪のことを言っているらしい。

「そんなんじゃ弁護士の妻になれないぜ」俊郎も冗談混じりに茶々を入れる。

しかし、雪見が違和感を残しているのは、似ているようで違うものだった。自分の五感を通した実感だった。

〈5〉 遺言

土曜日、義姉の満喜子が梶間家を訪れ、家の中はにわかにピリピリとした緊張感に包まれた。

「お母さん、どう？」

二日に一度は電話で様子を尋ねてくるが、やってきてもその質問から始まる。介護の怠慢を見落とすまいとする鋭い眼つき。肉づきのいい身体ながら、自然にその場の雰囲気を緊迫させるきびきびとした振る舞い。検査官のような彼女を前にして、尋恵は強張りがちな顔を努めて和らげた。

「ええ、まあ何とか変わりなく。ちょっと食欲がないかな……」

「粘り強く食べてもらわないと駄目よ。食べるのがすべての基本なんだから」

満喜子は自室にいた勲に軽く挨拶し、リビングに大きなバッグを置くと、お茶を淹れようとする尋恵に、「いいから、いいから。私には気を遣わないで」そう強く制して、早速姑の部屋に向かった。

　尋恵もあとについていく。姑は起きていた。

「お母さん。元気にしてた？」

満喜子が子供をあやすような声で呼びかける。

「私、誰だか分かる？」

姑は顔中の皺を動かして嬉しそうな顔をした。

「満喜子ちゃん……」

「そうだよ」姑の頭がはっきりしているのが分かって、満喜子も満足そうな笑顔を見せた。

「満喜子ちゃん、待ってたのよ」

姑は無邪気に言う。その無邪気さと裏腹に、発する言葉は尋恵の胸をちくりと刺した。

「私を待っててくれたの？　ごめんね、待たせて。今日は満喜子、お母さんと寝るからね。お母さんの晩ご飯も満喜子が作るから。おいしーいお雑炊、食べさせてあげるから」

「ありがとうね、いつも」

やっぱりこの人、ありがとうって言えるんだ。私に言わないだけで……そんなことを思いながら、尋恵はそれ以上聞いていられなくなり、そっと部屋を出ようとした。

「ちょっと、ちょっと、尋恵さん」満喜子が呼び止める。「この掛け布団、少しじめついてるんじゃない？　ちゃんと干してる？」

「ええ。四、五日前にも干したけど……」

尋恵は満喜子に合わせて掛け布団を触ってみた。確かに乾き切っている手触りではないが、布団の中には一日中寝たきりの人間が入っているわけで、多少は仕方ないのではないか。排泄もここで済ませるのだ。どうしても蒸れが起きてしまう。それに、敷き布団は掛け布団ほどまめには干せないので、湿気が移ってしまうこともあるだろう。

満喜子は黙っている尋恵になおも続ける。

「それに、これちょっとお母さんには重いんじゃないかな。ほら、ちょっと汗かいてる感じ。もう暖かくなってきてるから」

「そうねえ……」

「あ、そうだ。あれ、どうしたの？　私が送った羽毛の掛け布団。あれならそんなに厚くないし、通気性もいいはずよ。どうして使わないの？」

「ああ……」

そう言えば、引っ越し祝いに満喜子から高そうな羽毛の掛け布団が送られてきていた。確か、俊郎が気に入って使っているはずだ。

あれは姑に使ってもらうつもりだったのか。そりゃそうだろう。少し考えれば分かることだ。一般的な贈り物として受け取っていたから、考えが及ばなかった。迂《う》闊《かつ》だった。

「あれね。今持ってくるわ」

平静を装ったが、声は自分でも分かるほど上ずっていた。

部屋を出ると、髪を振り乱して二階に駆け上がった。犯行を揉み消す犯罪者はこんな気分だろうか。かっと熱くなった頭に心臓の音がドクドクと響く。

「どうしたの、お義母さん？」

昼寝をしているまどかの横で育児雑誌を読んでいた雪見が顔を上げる。

それを無視して、尋恵は押し入れから羽毛の掛け布団を引っ張り出した。

「雪見さん、ちょっと新しい掛け布団のカバー出して。もらい物で使ってないやつ。いくつかあるでしょ」

布団カバーを外しながら、押し殺した声で雪見に指示する。

「それ、新しいよ」

「違う、使ってない新品のやつよっ」

「おいおい、それ俺のだけど」隣の部屋から俊郎が顔を出した。

「あなたのじゃないのよっ」

雪見が押し入れの下から取り出した中に、サイズの合うカバーがあった。パステル基調で姑には向かない色合いだが、仕方がない。包装から出して広げ、羽毛布団を入れる。

はあ、はあ。

息が切れる。カバーがくっついていて、端のほうまで布団がうまく入っていかない。

息が……どうして、たかだかこんなことで……。

見かねた雪見が途中から手伝ってくれた。カバーの内側にある紐を布団の四隅に結び、きれいに入ったところでファスナーを閉めた。いかにも包装から解いたばかりという折り目の付いたカバーに羽毛布団が納まった。

これでいい。

しかし、ひどく呼吸が乱れていて、すぐには動けなかった。立ち上がるとめまいを起こしそうだ。

「雪見さん、これ、おばあさんのとこ持ってって。俊郎が使ってたって言わないで……」

「分かった」雪見が察して、一階に布団を運んでいった。

何とか減点は免れたか。

老親を差し置いて馬鹿息子に羽毛布団を使わせていたと知れたら、どんな罵声が飛んでくるか分からないところだった。

網戸を吹き抜けてくる弱い風に当たっていると、雪見が二階に上がってきた。

「こんなカバーしかないのって」

「それだけ？」

「うん。中の布団もチェックしてたけど、特には何も。ああ、これこれって感じ」

あのカバーは確かにいまいちだった。俊郎が使っていたカバーを洗って替えておけばいいだろう。

「それから、おばあさんが通帳を見たいって」

またか。尋恵は雪見が出してくれたハンカチで首筋の汗を拭い、一階に下りた。

「通帳は尋恵さんの管理だからね」満喜子は尋恵を待ちわびていたように言った。

通帳はこの部屋にあるたんすの引き出しに入っているので、姑に見せるくらいなら勝手に出してもらって構わないのだが、満喜子は一切触れようとはしない。このあたりは実に厳格に一線を引く性格だ。

「おばあさん、通帳見てもお金動いてないわよ」

尋恵が言うと、満喜子は口先に力を入れた。

「見たいんだって。見るだけだって」

そう急《せ》かされて、尋恵はたんすの引き出しから通帳を取り出した。

姑の口座には、たまった年金が五百万あまり入っている。定期預金を勧めてみたが、一目で全額が分からないと嫌らしく、普通預金から動かすことはしない。

尋恵は通帳を広げて、姑の目の前に掲げた。

姑はしばらくそれを眺めたあと、納得したように一つ頷き、「みんな来てちょうだい」と妙なことを言い出した。

「いるわよ」満喜子が応える。「満喜子も尋恵さんもここにいるわよ」

「勲も、俊ちゃんも、呼んでちょうだい」

何だろうか。尋恵は満喜子と顔を見合わせたが、姑にしつこく何の用か訊くわけにもいかず、勲と俊郎を呼んだ。雪見は二階に残っていたが、姑は何も言わなかった。

ここ最近、姑が勲を呼ぶことなどほとんどない。長男を立てているのか、用事を頼むことを遠慮しているところがある。満喜子にしても、梶間家の家長はそれらしくしろという考えの持ち主だ。当初こそ姑を施設に預けるのか、それとも居を落ち着けてしっかり介護するのかという問題に巻き込まれていたが、裁判官の仕事を辞めて東京にマイホームを買ったことで、勲は一族に対して一つの示しをつけた格好になっている。だから彼自身、やることはやったと、今ではまるっきりの傍観者になってしまった。

「何だい、何だい」

俊郎がどたどたと入ってきた。勲も何事かと尋恵に目で訊いてくる。

「みんな来たわよ、お母さん」満喜子が優しく呼びかける。

「計算機、持ってきてちょうだい」と姑。

俊郎が取りに行って、すぐに戻ってきた。

「通帳、見せてちょうだい」とまた姑。

尋恵が先ほどと同じように広げて見せた。

姑は言葉をためるように口をもぐもぐさせた。そして、満を持して口を開いた。

「満喜ちゃんに百万円……」

ああ……。

遺言なんだ。

そう気づいて、尋恵は滑稽《こっけい》さと切なさの混ざった感慨を抱いた。

一週間前の蛍光灯がまだ気になっているのだろうか。それで今度満喜子が来たときに、と考えていたのか。

誰も姑の遺産など当てにしていないのに。もったいぶって遺言を告げる姿は微笑ましささえ感じさせる。

でも、あれだけ毎日のように通帳と睨めっこしていた大事なお金なのだ。それを譲るということで、彼女なりの家族への感謝を示そうということに違いない。子供に戻ったような顔を見せる姑が着々と段取りを踏んで死を迎えようとしている。そのことを思うと、居ずまいを正される気持ちにもなる。

「登《のぼる》に百万円……」

登は千葉に住んでいて滅多に顔を見せないが、勲の弟だ。

「俊ちゃんに五十万……」

へえ、俊郎に……梶間家の長男だし、姑も可愛がっていたからな。尋恵は心で微苦笑した。俊郎は柄に似合わず真剣に聞いている。

姑はゆっくりゆっくりと続ける。

「望《のぞみ》ちゃんに三十万……勝ちゃんに三十万……健ちゃんに三十万……悦ちゃんに三十万……」

みんな、満喜子や登の子供だ。それぞれ社会に出ていて、もう姑の見舞いに来る者たちではないが、満喜子が代わりに近況報告をするので、姑も忘れていない。

「ん……今、いくら？」

「ええと」姑に訊かれて、俊郎が電卓を弾いた。「三百七十万だね」

残りの二百万弱が勲にということだろう。なかなか姑も上手に振り分けたのではないか。

ところが、続きが残っていた。

「尋恵さんに三万円……」

　ここに来て自分の名前が出てくるとは思わず、尋恵は一瞬、何も頭に浮かばなかった。三万円という言葉が尋恵の中に入って膨張していく。それと同時に、心の中にあった潤いのようなものが急速に乾いていくのを感じた。

　満喜子が尋恵に微笑みかけてくる。

「俊ちゃんのお嫁さんに三万円……」

　あの満喜子の笑みは何だ？　よかったねという意味か。お母さんがあなたに感謝してるしるしよ。よかったね……そう言いたいのか。

　冗談ではないが、そんなふうには受け取れない。

「残りは勲に」

　三万円って何だ？　自分が姑にしてあげた何を対価に直すと三万円という数字が出てくるのだ？　それが実の子より数十倍尽くしている人間に対して出す数字なのか。

　ゼロならゼロでいいのだ。自分への分があるとすれば、それは勲に渡る分に入っている。ゼロなら常識としてそう察することができる。

　なぜ三万などという剝《む》き出しの数字を出して、大変な思いをしてきた数々の努力を踏みにじろうとするのだ？　なぜそんなに安く買い叩こうとするのだ？

「ありがとうね、お母さん。大事に使わせてもらうからね。でもねえ、お母さん。それはまだまだ先の話よ。もっと長生きしてもらわないと困るわよ」

満喜子が姑の手をさすりながら、大げさに礼を言う。姑も「そうだねえ」などと言って、にこにこしている。

「私、いらないのよ」

ぐらぐらと煮え立った尋恵の身体から、冷えた言葉が出た。

「おばあさん……私、お金なんていらないの……いらないから」

姑がきょとんとした顔で尋恵を見る。

「尋恵さん」満喜子はかっと見開いた眼に驚きの色を浮かべていた。「そんな言い方……」

尋恵は通帳を姑の枕元に置き、きびすを返した。勲と俊郎の間をかき分けて姑の部屋を出た。彼らがどんな顔をしているのかは見なかった。

涙をボロボロと落としながらリビングを抜けて、テラスのサッシを開け、息が詰まるような家から出た。庭の南天の横でしゃがみ込み、そこで激しく嗚咽した。

「うっ……うっ……」

実母との別れ以来流したことのなかった大粒の涙が、次から次へとあふれ出てきた。たまりにたまった悔しさが堰《せき》を切って涙に変わっていく。

こんな思い、誰にも分かってもらえないんだろうな。

年寄り相手に大人気ない態度を取って。親の介護なんて当然のことに何を期待してたの？　満喜子ならたぶんそう言って責めるだろう。彼女が口にするのはいつも正論だ。対して、自分のはただの感情論だ。毎日毎日、来る日も来る日も、食事の世話から下の世話から意味不明な話の相手まで、すべて自分より優先させて面倒を見てきた者にしか湧かない感情だ。

悔しいな。

本当に悔しいな。

「奥さん……」

フェンス越しに控えめな声が聞こえた。

涙が流れるまま顔を上げてみると、武内が心配そうにして立っていた。

「どうしたんですか？」優しい声で訊いてくれる。

尋恵は眼元を拭って立ち上がった。無理に笑ったら、顔が歪んだだけだった。

「世の中って、何でこんなに報われないんでしょうね」

そう口にすると、余計に涙がこぼれてしまった。

〈6〉 過労

満喜子は翌日の昼、姑に昼ご飯の世話をしてから帰っていった。前日の出来事以降、尋恵とは一言の会話もなく、目を合わせることもなかった。

尋恵は前日、あれから武内の家に誘われて、リビングで紅茶をご馳走になった。もともとヨーロッパの雑貨を扱う仕事をしていたというセンスが生かされた部屋には、趣味のいい家具や小物があっさりした感じで並んでいた。

尋恵はそこで一時間以上、たまった愚痴を吐き出し続けた。武内は親身になって聞いてくれた。

「全然おかしくありませんよ。当然です。よく分かりますよ」

彼はそう言って、尋恵が抱え込んでいる気持ちに共感してくれた。話しているうちに尋恵の気分はだんだんと落ち着いていき、少なくとも満喜子が来る前までの状態には戻れた気がした。

「よろしかったら、またいつでも相談相手になりますよ。それに私は体力も時間も余ってるんで、何でも頼んで下さい。手伝えることがあれば飛んでいきますから」

おいとまするときには笑顔で力強い言葉をかけてくれ、フランスで買ったという小物入れまでお土産にくれた。

満喜子が帰って、梶間家の日常は戻ってきた。姑は何も憶えていないかのような顔をして、いつものように尋恵に頼み事を繰り返した。

夜を迎えて、一家は就寝の床についた。夜間は一応、姑の手元にチャイムが鳴るスイッチを置いているが、それでも姑はいつも声を出して尋恵を呼ぶ。尋恵と勲の寝室は姑の部屋の向かいにあるので、呼ぶ声はよく聞こえる。尋恵は眠っていても目が覚める。用事はだいたい、オムツを替えてくれとか、どこそこが痛いからさすってくれとか、手足が冷えるので何とかしてくれというようなことだ。テレビを点けてくれとか、昼ご飯はまだかとか、痴呆なのか寝ぼけているのか分からないことを言って、尋恵の睡眠時間を削ってくれることもよくある。

この夜の一時頃はそんな姑の声もなく、尋恵は眠りについていた。

そこへ電話が鳴り響いた。

尋恵が起きようとしたところで、音は途絶えた。しばらくして、寝室のドアが開いた。俊郎だ。彼はまだ起きていたらしい。

「満喜子伯母さんから電話だよ」

尋恵は勲を起こさないようにリビングへ出た。

部屋の明かりを点けて、時計を確認する。こんな夜中に……一つため息をつき、絶対に謝ることだけはすまいと心に決めて受話器を取った。

「もしもし」

「尋恵さん？」

名を呼ばれるだけで気が滅入《めい》るような、不機嫌な声だった。

「ああ、今日はどうも……」

尋恵の声をさえぎって、満喜子が続ける。「私、眠れなくってねえ。昨日そちらに泊まったときも眠れなかったの。で、こっちに帰ってきても、どうしても眠れないの。どうにも腹が立って、やり切れなくて眠れないのよ。あんな非常識なこと、本当は相手にしないでおこうと思ったけど、どうしても許せなくて電話してるの。もう、血圧が上がっちゃってぶっ倒れる思いよ。お母さんの哀しそうな顔を思い出すと泣けてきちゃってね。あなたはどういうつもりでいるか知らないけど、私はあんなこと一生忘れられないと思うわよ」

今までになかったくらい喧嘩《けんか》腰《ごし》の言葉に、尋恵は反発を覚える以上に血の気が引いてしまった。

「尋恵さん。お金が欲しいんだったら、私に言ってよ。そんなに欲しいんだったら、私の分あげるから。お願いだから、あんな陰険なやり方で罪のない人をいびるようなことはしないでよ。お母さんはお母さんなりに感謝の気持ちを込めてるのよ。それを、その金額が少ないからって、人の好意を拒否するなんて血の通った人間のすることじゃないわよ」

「そうじゃないの。お金が欲しいからじゃないの」尋恵は理由の分からない震えを抑えながら喋った。

「欲しいからでしょ？」満喜子は決めつけるように語調を強めた。「三万じゃ少ないから、ああ言ったんでしょ？」

「違うのよ、お義姉《ねえ》さん。本当に私、お金はいらないから……」

「いらないなら、どうしてあんな怒ったような言い方したのよ？　少ないから怒ったんでしょ？　やめてよ、自分を正当化するような建て前の話は。気分悪いわよ。尋恵さんって、いつもそうじゃない。言ってることとやってることの辻褄が合ってないのよ。どういう神経したらあなたみたいなことができるか分からないわよ。あなたは心の裏でただの他人だと割り切ってるかもしれないけど、私には大事な親なのよ。その大事な人をあなたに預けてる私の気持ちを分かってよ。お願いだから、それくらいのこと分かってよ。残りどれだけ生きられるか分からない人を幸せにしてほしいのよ。目の前で親がいじめられてるのを見てたら、あなた、黙ってられないよ。まったく、鬼嫁っていうか、あなたの本性が分かって怖くなってきちゃったわよ。ねえ、ちょっと聞いてる？　私の言うこと、間違ってる？」

どうしてこんなことまで言われねばならないのだろう。もう、嘘でもいいから謝ってしまおうか……。

言葉の凶器に打ちのめされ、すべてがどうでもよくなるような敗北感があった。

武内さんも、こんな気分でやってもいないことを自白しちゃったのかな……ふと、そんなことを思った。

「尋恵さあん……」

謝りの文句が喉まで出かかったところで、耳の端を姑の声がかすめていった。

「お義姉さん」

「どう？　正直に言ってよ。あなたの考え」

「ちょっと、おばあさんが呼んでるから」

「………」

満喜子は一呼吸分の沈黙を置いたあと、はっきりと聞こえる舌打ちを残して、いきなり電話を切ってしまった。

尋恵は受話器を持ったまま、静かなリビングの中、一人放心した。一方的な罵声に力を奪われてしまっていた。

　それから、重い身体を無理に動かし、姑の部屋を覗いた。

明かりを点けると、そこに見えたのは、少し口を開けて眠る姑の顔だった。確かな寝息も立てている。

幻聴か……そう気づいて、尋恵は愕然《がくぜん》とした。

　満喜子の電話の声が呪いのように耳に残り、一睡もできぬまま朝を迎えた。朝食の支度は、まどかの世話に忙しい雪見には任せられず何とかこなしたが、出勤する勲を見送ると、尋恵はだるい身体を再びベッドに横たえた。

　それでも眠れなかった。身体中に不快な熱がこもっていて、苛々の虫が多発的にうずいた。起き上がって喚き散らしたい衝動をどうにか抑えて、布団に包《くる》まっていた。

　寝室の外では時折、姑が尋恵を呼ぶ声が聞こえた。幻聴ではないようで、そのたびに向かいのドアが開け閉めされる音と、その前でまどかが駄々をこねる声が繰り返された。

　胸がむかむかとして、食事も受けつけなかった。昼を過ぎた頃からは、雪見のストレスもたまり始めたのか、激しい口調でまどかを叱る声と、それに呼応するまどかのけたたましい泣き声が続いた。姑の声も加わった気ぜわしいやり取りは、夕方まで断続的に尋恵の耳をかき乱した。

このまま横になっていても仕方ないと、尋恵は起きることにした。しかし、体調は朝にも増して悪くなっていた。立ち上がったとたん、ひどいめまいに襲われ、暗澹《あんたん》たる気分になった。訳の分からない窒息感があり、呼吸がすぐに乱れる。

これはいよいよ入院だな……冷静に判断しても、自分の身体が限界に来ているような気がした。

今日は勲も遅くはならないと言っていた。もうすぐ帰ってくるだろう。

「雪見さん、買い物に行ってきて」

まどかがトイレでおしっこをするのを見守っていた雪見に、尋恵は頼んだ。

「いいの？　今日の分くらい、あるもので作れるけど」

「私はいいから。ゆっくり行ってきなさい」

「まあ、そう言うんなら……」

尋恵を心配げに見つつ、雪見は小さく頷いた。買い物に行くことが分かると、まどかが嬉しそうにはしゃぎだした。

「何か好きなお菓子でも買ってあげなさい」

「はあい」

「それから……」

「……？」雪見が怪訝そうな目を向ける。

「お父さんが帰ってきたら、ちょっと私、病院に行こうと思ってるから」

雪見は顔を曇らせた。「それだったら今からでも」

「ううん。あなたは家のことをやって。まどかもいるし。おばあさんだったら、ちょっとくらい大丈夫だから……気にしないで行ってきて」

「うん……」雪見は浮かない顔をしながらも、まどかに引っ張られるまま出ていった。

尋恵はリビングで休むことにした。

雪見を前にするときは、義母としての心の張りが多少ある。しかし、一人になってリビングのソファに座り込むと、その張りも一気に解けてしまい、倦怠感ばかりが尋恵の神経を覆い込んだ。なぜか、意識していないと呼吸がうまくできない。吸ったり吐いたりすることに集中しなければならない。そうやって、意味なく時間が過ぎていった。

三十分ほど経って、勲が帰ってきた。待ちわびた感があった。気を張って家事を切り盛りしている尋恵にとって、いざというときに弱音を吐いて助けを求められる相手というのは、やはり勲しかいなかった。

「お父さん……ちょっと私、病院に連れてってほしいんだけど」

ネクタイを解いた勲に尋恵が言うと、彼は片眉を下げた。

「どうした？」

「何だか身体中がだるくて……言うこと聞かないの」

勲は束の間、考え込むように尋恵を見ていたが、「じゃあ、行くか」と腰を上げた。

「雪見さんは二階にいるのか？」

「今、買い物。もうすぐ帰ってくると思うけど」

「ふむ……それならいいか」

尋恵はたんすの引き出しから保険証を取り出して、出かける支度をした。ここ数年、病院にはほとんど行っていない。行く必要がなかったのではない。行く余裕がなかったのだ。

戸締りを済ませ、尋恵は姑の部屋に顔を出した。姑は起きていた。

「おばあさん……私、ちょっと病院に行かせてもらうから……なるべく早く帰ってくるけど……それまでお願いね」

肩で息をしながら姑の耳元で言うと、彼女は頷く代わりに、「あのね」と逆に呼びかけてきた。

「昨日からお腹が張ってるから手伝ってちょうだい」

ああ、そうだったと思い至り、尋恵は目の前が暗くなる気がした。

三日ほど前から、姑は便が出ていないのだ。お尻の力が弱っているので、少しでも硬いと詰まってしまう。便通の薬を多めに飲ませようと思っていたが、満喜子が来てああいうことになってしまい、そのままになっていた。満喜子がいつもの食事の倍以上食べさせていったから、なおさら張っているはずだ。

「浣腸してちょうだい」嗄《しわが》れた声で姑が言う。

それしかないか。そうだろうな。いったん詰まったら、一人じゃ出せないもんな……そう思いながら、尋恵はなかなか身体を動かすことができなかった。

「おい、どうした？」

出かけるのを急かすように、勲がドアの隙間から首を出した。

「おばあさんが……お腹が張って……浣腸してほしいって……」息も切れ切れに答える。

勲は眉間に皺を寄せて、困ったように唸った。「ふむ……」と考えあぐねるように視線をさまよわせていたが、最後には尋恵のほうへ向けられた。

「何とかならんか？」

やるしかないんだな……分かっていたことだが、その道だけしか自分は選べないのだと尋恵は知った。

「雪見さんはまだか？　携帯に入れてみるか？」

勲からは自分でやろうという言葉は出てこなかった。当然と言えば当然のことに、尋恵はさして失望はしなかった。オムツも替えていない人に浣腸などできるわけがない。雪見にしても、そこまではやらせていない。満喜子も同じだ。全部自分がやってきた。

雪見に押しつけるのも酷だと、尋恵は腹を決めた。

「私やるから……向こうで待ってて」

勲をリビングに追いやり、尋恵は介護用の薄いビニール手袋を嵌めた。布団をめくり、姑の足を折ってオムツを外し、トイレットペーパーを周りに敷いた。潤滑剤のゼリーを彼女の肛門に塗り、イチジク浣腸をゆっくりと注入した。

私がやるしかないんだ。

ただ、そう思いながらやっていた。

たとえ自分がこれから死ぬというときでも、最後に姑の下の世話をしてからじゃないと死ねないのだ。

はあ……はあ……。

どうしてこんなに呼吸が苦しいんだろう。

姑の力が緩く、浣腸液が外に洩れ出てくる。待っていても便が出てくる気配はない。

「駄目？」

訊いてみるが、姑は顔をしかめているだけだ。

「じゃあ……もう、指で出すよ」

指を入れると、姑が呻《うめ》いた。だが、これぱかりは仕方がない。硬い感触のものが指先に触れる。

しかし、これをどうやってかき出せというのか。

「もうちょっと……力……入らない？」

強引に指を動かすと、姑がその痛みに苦しそうな声を出す。かき出せそうで、かき出せない。

はあ……はあ……。

こんなもどかしさが最近あったなと思い、蛍光灯の取り替えを思い出した。いや、あれと比べたら、今のほうが数倍きついなと思い直す。

はあ……はあ……。

汗だくだ。額を伝った汗が眼に染み込んでくる。この手では拭けやしない。

はあ……はあ……。

やっとのことで、ある程度かき出した。

もうこれくらいでいいだろう。

意識を失いそうで、立っているのが気持ち悪い。

床に膝をつく。

不思議に便の臭いは気にならなかった。それどころではないというのが本当のところだった。

廊下で雪見の声が聞こえる。帰ってきたらしい。

雪見さん……と呼ぼうとしたが、荒い呼吸が邪魔をして、うまく声が出なかった。

幸いすぐにドアが開き、雪見が様子見に顔を覗かせた。

「お義母さん⁉」

汗まみれで息苦しさに歪んだ尋恵の顔を見て、雪見が顔を強張らせた。

「……ゆ、雪見さん……これ……ト、トイレにな、流してきてっ……」

尋恵は必死になって声を絞り出したが、雪見はそれを聞かず、部屋を出ていった。

「お義父《とう》さん、救急車呼んでっ！」

雪見の慌てた声が廊下の向こうで聞こえる。

夢のように現実味のない声だと思った。

救急車で運ばれた病院で、尋恵は三日間の療養入院をした。血圧は上が一五〇と少々高めではあったが、そのほかの尿検査や血液検査、レントゲンや心電図では、これといった異常は認められなかった。担当の医師からは「過労でしょうな」と言われ、呼吸がおかしくなったときにはポリ袋を口に当てるように教えられた。パニックになることがたびたび続くなら、一度心療内科や精神科に行ってみるといいかもしれないとも言われた。

入院二日目には安定剤のおかげで断続的に睡眠が取れ、体調はいくぶん持ち直した。それで自信ができたわけではないが、三日目になると安静にしているのも落ち着かなくなり、また検査も点滴もなくなって、医者も「どうします？」と訊いてきたので、尋恵は自ら退院を申し出た。

雪見に車で迎えに来てもらい帰宅すると、家には満喜子が待っていた。彼女は尋恵の見舞いにこそ来なかったものの、連泊して姑の介護に当たってくれていたと雪見から聞いている。何だか借りを作ってしまったなと尋恵は思ったが、これまでのように何が何でも自分だけで完璧にやるという意地はどこかに消え去っていて、気まずさも淡白にしか浮かんでこなかった。

「まあ、尋恵さん。もう退院してきて大丈夫なの？」

最初こそそんな気遣いの言葉をかけてきた満喜子だったが、結局それが最初で最後であり、つまり形だけのいたわりだった。

「私も土日にこちらに来て、一回帰ってまたこちらでしょ。さすがにちょっとこたえたわ。まあ、お母さんのほうは問題なかったからよかったけど。仕事もあるし、今日は帰らせてもらわなきゃ」

うんざりしたという意味合いのことを、彼女は笑顔とごちゃ混ぜにして言った。

「ありがとう。申し訳なかったわね。あとは大丈夫だから」

尋恵も形式的に礼を言い、荷物をまとめた満喜子を外まで送った。

外に出た満喜子は、門扉に手をかけたところで立ち止まった。雪見がいたときより醒《さ》めた眼になり、腹を割るという空気を発した。

「もうこういうことはなしにしてね。倒れられるとみんなに迷惑かかるんだから。自分の身体ぐらい自分で管理して」

「ごめんなさい」尋恵は口先だけで言葉を返した。「お義姉さんも身体には気をつけて」

「更年期なんて女だったら誰でもあるんだから。私も尋恵さんの年頃のときはそうだったけど、我慢してたらそのうち治っちゃうもんよ。いちいち入院してたらきりがないわよ」

満喜子の無遠慮な物言いより、尋恵は訳の分からない自分の体調不良が更年期障害だと決めつけられて、なるほどと妙に腑に落ちてしまった。更年期を迎える五十代前半頃の女性は自律神経失調などに悩まされるとはもちろん知識として知っていたが、自分の体調とは結びつかず、また、日々の生活に追われていて無自覚だった。それに、更年期障害がこんなにひどいものだとは思ってもいなかった。たぶん個人差があるのだろうし、満喜子あたりは口振りからして割と無難に乗り切ったのではないだろうか。

「まさか当てつけじゃないよね？」満喜子が冗談とも本気ともつかぬ口調で訊く。

「まさか……」尋恵はまともに取り合わず、受け流した。

「ならいいけど……私が倒れると思ったら、あなたが倒れたんでびっくりしたわよ」

この人も元気に見えて、結構ぎりぎりのところで気を張ってやっているのかなと尋恵は思った。彼女のところは義父母との同居ではない。その代わり、夫が税理士業を営んでいるので、その手伝いに追われている。専業主婦が楽であるように言われるのは心外だけれど、彼女は彼女なりに一杯一杯なのかもしれない。

今の尋恵は、満喜子に嫌味を言われたところで、反発を覚えるような状態ではなかった。何となく気持ち全体が張りを失っている。一度ノックダウンを食らってしまったダメージは大きかった。

「また電話するから。よろしく」

尋恵に背を向ける刹那、満喜子ははっとするように肩を反応させて何かを見た。その視線の先を追うと、隣のガレージ脇に武内が立っていた。微笑んで尋恵に会釈する。満喜子は気を取り直したように「じゃあ」と尋恵に言い、足早に帰っていった。

「どうも、昨日はお見舞いありがとうございました」

尋恵は武内に頭を下げた。

尋恵が救急車で運ばれたときは、彼も外に出てきて、心配そうに見送ってくれた。そして、昨日の午後には尋恵の病室を見舞いに訪れ、束の間の話し相手にもなってくれた。

「もう動いていいんですか？」武内がフェンスに寄って訊く。「くれぐれも無理はしないように」

「ええ。まあ、何とかなるようです」

「結局、特にどこが悪いとは言われずに？」

「ええ。それで考えてみたら、これが更年期障害なのかなって思って」

「ああ、やっぱりそうですか。いや、私も昨日お話を聞いて、いくつか本なんかを当たってみたんですけど、もしかしたらそうじゃないかなと思ってたんですよ。ああいうのは婦人科だから、科が違うと医者の診立《みた》ても違ってくるみたいですね。ちょっと待って下さいね」

武内は唐突に家の中へ入っていき、両手に瓶を一本ずつ持ってすぐに出てきた。

「これね、ザクロのジュースなんですけど、更年期障害にいいらしいんですよ。本にも書いてありましてね。ただのジュースですし、試しに飲んでみたらどうかと思いまして」

わざわざ調べた上に買ってきてくれたのか……優しい心遣いに尋恵は感激してしまった。

「まあ。それじゃあ、お代金払わないと」

「とんでもない。別に高いもんじゃないですから。ただ、飲み続けるとしたら、あとは奥さんのほうでね。この二本は遠慮なくもらって下さい」

「そうですか。じゃあ、お言葉に甘えて」

尋恵がザクロジュースを受け取ると、武内は改まったように真顔を見せた。

「それで、おばあさんのお世話のほうは大丈夫なんですか？　今までのような調子でいくと、また同じようなことになりますよ」

「ええ……でも、嫁も手伝ってくれますし、何とかねえ」

答えながらも、自分の声が自信なげに聞こえていた。

「お嫁さんにしても、お子さんに手がかかって、限度があるでしょうに」

そのことは尋恵も認めるしかなかった。

「それはそうなのよね。よくやってくれる子なんだけど、用事が重なるとストレスがたまって、ついつい子供を叱る声も大きくなるみたいで。そのあたりのさじ加減を考えながらでしか、頼み事ができない面は確かにあるんですよね」

そう話すと、武内は尋恵の感覚よりも深刻に捉えたようで、何やら考え込むように腕を組んだ。そしておもむろに言う。

「もしあれでしたら、昼間の何時間かでも助っ人になりますよ」

「そんな。いくら何でもそこまでは」

「いやいや。お話を聞いてると、奥さん一人で全部抱えちゃってるでしょう。とても黙って見てられないんですよ。私も中学生の頃に父と祖母の介護をすることになりましてね。両方が前後して寝たきりになったもんですから、そりゃ大変でした。それだけに奥さんの立場が分かるんですよ」

「まあ……そうだったんですか」

聞けば聞くほど、この人は悠々自適の生活を送っているように見えて、実は苦労人なんだなと思う。

「逆に言うと、こういうことの勝手も知ってるわけですし、まるっきりお役に立てないということはないと思いますよ。四時間でも五時間でも気を休められる時間があると、負担も違ってくるでしょう」

彼の親切ぶりには、本当に頭の下がる思いがした。

「お宅の家庭事情をどこかに話すなんてことはしませんし、また話す相手もいません。そのへんはご心配なく」

「いえ、そんなことは、はなから心配してませんけど……」

確かに二度目のノックダウンは許されないしなと思う。自分一人でという気持ちもなくなったし、満喜子にこれ以上の借りは作れない。深く考えないままに遠慮してしまうと、あとで後悔するかもしれない。

「まあ、一度梶間先生とご相談なさったらどうですか？」

武内はそう言って、笑顔を添えた。

夜、布団に入ってから、尋恵は勲に武内の申し出のことを相談してみた。尋恵の話には無意識のうちに、自分はまだまだ体調に自信がなく、そういう助けがあれば本当にありがたいというニュアンスがこもったものになった。

「ふむ……」勲は例によって、気乗りするのかしないのか分からないような軽い唸りを発した。「介護サービスとかそういうのはどうなんだ？」

あまり気乗りはしないらしい。

「でも、前にお義姉さんにそんな話を向けたら嫌な顔されたし……」

勲も姉の満喜子には頭が上がらない。

それに、介護サービスといっても、それを調べたり頼んだりするのは尋恵の役目になることが目に見えている。もっと手っ取り早い方法があるのだから、これは尋恵のほうが気乗りがしなかった。

「雪見さんもいるから、男の人を入れてどうこうって心配はないと思うし」

「そんなことは別に心配してないけどな」勲は苦笑混じりに言う。「ばあさんと合わなかったらどうするんだ？　なまじっか知ってる人だと断りづらくなるんじゃないか？」

「それは大丈夫よ。私の体調が戻ったから、もう結構ですって言えば。実際お願いするにしても、私の調子がよくなるまでのつもりだし」

「うーん、そうだなあ……でも、隣の人間というのがなあ……ちょっと近過ぎないかな」勲が妙なことを言う。

「近いからいいんじゃないの。昔だったら近所の奥さん連中とか手の空いてるご隠居さんあたりが、いろいろ動いて助け合ってたわけでしょ。そういうのと同じことだし、近過ぎるっていっても……」

尋恵は言葉を切って、勲を見た。

「もしかして、お父さんも武内さんのことを色眼鏡で見てるの？」

「いや、そういうわけじゃないよ。そうじゃない」勲は少し声を強めて否定した。

「私はお父さんの知り合いだからって思ってたし。大学の授業に招いたりしたんでしょ？お父さんも紳士的な人だって言ってたじゃない」

「もちろん、それはそうだけど……ちょっと隣に甘えっぱなしだなと思ってな。ただより高いものはないっていうし、好意だからって受け入れてばかりだとな……」

「そんなことは気にしなくていいと思うけど。武内さんって生き甲斐がなくて、こういうことに関わりたいんじゃないのかな。お昼ご飯でもご馳走すれば、快く手伝ってくれるような感じよ。うちだってこの家買ったばっかりで、俊郎もあんな感じでしょ。そうそうお金は無駄にできないし、助かる話だと思うわよ」

　勲は一つ唸ったあとに、寝返りを打って尋恵に背を向けた。

「でも、謝礼はちゃんとしたほうがいいぞ。こっちが引け目を感じないようにな」

　煮え切らない口調ではあったが、彼はそんな言い方で武内の協力を認めた。

〈7〉　助力

雪見がまどかと歌を歌いながら公園遊びから帰ってくると、玄関に義父や俊郎のものではない男物のローファーが並んでいた。

客が来ているらしい。

雪見はお昼間近であることを腕時計で確かめ、お客さん用の食事も作らなきゃいけないのかなと考えつつ部屋に上がった。客はリビングでコーヒーを飲み、義母と談笑していた。

隣の武内だった。白い薄手のブルゾンにスラックスを穿いている。

雪見は知らぬうちにまどかとつないでいた手に力を入れてしまい、まどかが泣きそうな声を出してそれを嫌がった。

「お邪魔してます」武内は雪見に軽い会釈をした。

「お帰り」義母は談笑をそのまま引きずった笑顔で雪見に声をかけた。「今日からね、武内さんに少しの間、おばあさんの世話を手伝ってもらうことになったの」

「あ……そうなんですか」

雪見は戸惑いながらも彼に頭を下げた。人見知りの激しいまどかは、雪見の後ろに隠れてしまっている。

「それで雪見さん、お昼は武内さんの分もお願いするわ。ラーメンなんかがお好きだそうよ。買い置きしてあるやつで足りるはずだから」

急なことに動揺する一方で、そんな手軽なものでいいのかと拍子抜けする思いもあった。

「お手を煩わせますね」

そう言う武内に雪見は硬い愛想笑いで応え、そろそろとリビングを出た。まどかを二階に上げてアニメビデオを流しておき、その間にキッチンに立って、まずは祖母の雑炊に取りかかった。

祖母の食事は、好物でもある雑炊とだいたい決まっている。具や味つけはときどきによって変えるが、魚肉や野菜を細かく刻んでご飯と一緒に煮込んだ見た目はほとんど同じになる。それと、薬をゼリーに溶かしたものを一つ。

寝ながらの食事であり、飲み込む力が弱いために、こういうものでも時折むせたりする。雑炊は喉を通りやすいが、汁けが多いとむせる元になるので加減が難しい。昔はかぼちゃやいもなどが好きだったようだが、そういうもさついた食べ物は必ずと言っていいほど喉に詰まってしまうので、出したくても出せなくなってしまった。

出来上がったところで、義母がお盆に載せて運んでいく。

「ああ、それは私がやりましょう。奥さんは座ってて下さい」

「まあ……いいんですか？」

「もちろん。こういう手伝いをしに来たんですから」

そんなやり取りが廊下のほうから聞こえてくる。

雪見は引き続いてインスタントラーメンに取りかかったが、湯を沸かす間に祖母の部屋が気になってきたので、火を弱めて様子を窺いに行った。

ちょっとお椀に盛った量が多かったかなと思っていた。満喜子ならお椀に一杯近く、祖母をおだてながら食べさせてしまうが、雪見も義母もそんな無茶はしない。お椀の半分がせいぜいだ。義母なら問題はないが、武内では全部食べさせようと無理してしまうのではと気になった。

祖母の部屋を覗く。武内の後ろに義母がついていた。いつものようにクッションを敷いて、祖母の頭を少し上げてある。雪見に気づいた武内が「何か？」というふうに首を傾げてみせる。

「いや。あんまり無理しないでと思って。むせやすいから」

問題なさそうだなと思いながらも、雪見は念を入れて言っておいた。

「分かりました」武内は笑みを浮かべて言い、丁寧にスプーンで雑炊をすくい、祖母の口へ運んでいく。

雪見はキッチンに戻り、麺が伸びないように頃合いを計りながらゆっくりとラーメンを作った。自分でも好きな銘柄のラーメンなので味は大丈夫だと思うが、インスタントはしょせんインスタントである。せめて具ぐらいは豪華に見せようと、野菜や焼き豚をたっぷりと入れた。

これも出来上がる頃に、義母が顔を見せた。

「おばあさん、武内さんのことお医者さんだと思ってるみたいで、『先生、先生』って。オムツ替えるのも問題なかったし、うまくいきそうよ」

「へえ」雪見は相槌を打ちながら、武内の服装を思い出して納得した。祖母はあの白いブルゾンを白衣だと思ったのだろう。とすると、案外武内のほうでも意図的にそういう格好をしてきたところがあるのでは……と、心の中だけで深読みをした。

義母が食卓に箸を並べていく。

「武内さん、ここで食べるの？」

「居間の低いテーブルじゃ食べにくいでしょ」

「でも、まどかがいるし」

まどかを言い訳に使ったが、実際は雪見自身が武内を避けている。そういう自覚もある。

「ああ、そうねえ。じゃあ、ソファの前に座布団敷いといてくれる？　私の分も」

結局、武内と義母がリビングで食事をとることになり、雪見はまどかと一緒にダイニングテーブルでラーメン一杯を分け合った。

食事の後片づけを終えると、まどかの手を引いて二階に引き上げた。食事中のまどかもずいぶん大人しかったが、雪見も何となく、この家の一階の居心地が急に悪くなったように感じていた。

まどかが昼寝を始めたので、雪見は二階の二部屋をコロコロで掃除した。それもほどなくして終わり、とうとう手持ち無沙汰になってしまった。いつもはまどかが昼寝している間、いくらでも片づけなければならない仕事があるのに、今日は探しても見当たらない。

妙に落ち着かない。

用を足すために一階に下り、さりげなくリビングを覗いてみると、武内が一人ソファに座って文庫本を読んでいた。義母は自分の部屋で休んでいるようだ。

ますます一階にいづらくなったなと思いながら、雪見は二階に戻った。

一時間ほどしてまどかが目を覚ましたときには、やっと起きてくれたかという感じだった。

「ママ、ママ。下で鬼ごっこしよっ」

寝ぼけが取れたところで、まどかが言う。下で鬼ごっこというのは、リビングと仏壇のある和室を開け放って、ぐるぐる走り回ることだ。

「鬼ごっこは駄目よ。二階で遊びなさい」

「どうして？　どうして鬼ごっこできないの？」

「隣のおじちゃんが下にいるでしょ」

「どうして隣のおじちゃんがいるの？」

「ひいばあちゃんのお世話してるのよ」

「いついなくなるの？」

「さあね」

こっちが知りたいくらいだ。

雪見は質問攻めから逃れようと、集めておいた包装紙を一枚出した。裏向きにして広げる。

「ねえ。ママとお絵描きしよっか？」

「うん、するっ！」

まどかは喜んでクレヨンを手に取り、絵とは呼べないぐちゃぐちゃの模様を描き始めた。

雪見もクレヨンを取ろうとすると、その手をきっと睨みつけてくる。

「ママは描いちゃだめ！」

つれないことを言う。逆らうと一気に機嫌が悪くなりそうなので、雪見は鑑賞役に回ることにした。

「それ、何？」

「これはねえ」描いてから考えている。「ネコちゃん」

「ああ、ネコちゃんねえ。じゃあ、これは？」

「ウサギさん」

猫もウサギもキリンもまるで見分けのつかない絵が次々に出来上がった。描き上げては空いたスペースを見つけて、新しい色で埋めていく。右手で描いたと思うと、次は左手で描いている。クレヨンの持ち方も無茶苦茶だったが、雪見は放っておいた。

やがて紙全体が絵で埋まり、まどかも満足したのか、それとも飽きたのか、ほかのおもちゃをいじり始めた。

「お絵描き終わったの？」

「うん」

それじゃあと紙を畳みかけたところを、まどかが見咎めた。

「だめえっ！」ヒステリックに怒る。

「何よ？」

「しまっちゃだめえっ！」

「遊び終わったら仕舞うんだよ」

「いやーっ！」

また始まった。

「じゃあ、まどかが自分で仕舞いなさい」

「いやーっ！」

見る見るうちにまどかの顔が歪み、べそをかき始めた。

「もう。泣けばいいと思ってるんだから」

「おばあちゃんとこ行くっ！」

まったく脈絡のないことを言い始める。

「何言ってんの。おばあちゃんはお休みしてるのよ」

「起こして！」

「起こしちゃ駄目でしょ。おばあちゃん、また病院行っちゃうよ」

まどかの泣き声がヒステリックに高くなった。思わず耳をふさぎたくなるようなこの声だけはどうも苦手だ。雪見は反射的にかっとなっていた。

抑えようと思えば抑えられたが、まどかの足をぴしゃんと叩いた。手加減はした。その代わりに、大げさなほど怒った顔をして叩いた。

まどかはびくんと身体を震わせ、泣き声を一気に低く落とした。

「そんな声で泣かないの。分かった？」

返事はないが、明らかに効き目があった。

義母が入院していたときにも、雪見は自分の忙しさとまどかのヒステリーが重なって、二度ほど彼女に手を上げている。そのときも一発で治まった。奥の手なので乱発するつもりはないが、こうやって少々強引にでも止めていくと、次第にヒステリックな泣き方も直っていくのではという気がした。

公園でママたちに一度訊いてみたことがある。真面目そうなママでも、「私もときどき叩いちゃうよ。どうしても言うこと聞かないときとか、それしかないもん」と言っていた。そんなことを聞いたせいか、それとも慣れのせいか、自分の中でまどかを叩くことへの抵抗が少しなくなりつつあるようにも思う。

あくまでも奥の手だ……そう自分に言い聞かせながら、軽く息をつく。そのとき……。

雪見の背後でふすまがノックされた。

突然のことに、背中全体がその気配を警戒して、ぎゅっと強張った。

ふすまは下の声が聞こえるように、半分開けてある。それに、義母は足音を立てるため、階段を上がってくるのが分かる。今は、ノックの音で初めて人がそこにいるのだと気づいた。

振り返ると武内が立っていた。

何だ、この人。二階まで上がってくるのか……。

彼の眼は異様にぎょろついて見えた。そして視線だけ窓のほうに移す。

「小雨が降ってきたものですから……洗濯物、大丈夫ですか？」

「あ、ああ……」雪見は操られるように窓の外を見た。確かに曇っている。雨粒は見えないが、そんなことはどうでもよく、落ち着かない気分に押されて立ち上がった。「入れますから、大丈夫です」

武内は一つ頷き、最後の一瞬まで部屋の中を観察していくような気持ち悪いほどゆっくりした動きで首を引っ込めた。下りる足音もしなかったので、もしや聞き耳でも立てているのではと思って階段を覗いたが、さすがにそんなことはなかった。

洗濯物はおおかた乾いていて、バスタオルやトレーナーなど半乾きのものは部屋に吊るし、残りは畳んだ。

それにしても嫌な感じの男だな……畳んだタオルを重ねながら思う。

何がどういうことではないが、気がつくと自分の五感が警戒する距離に迫ってきている。

それが大胆なだけに、五感の警戒が一歩遅れてしまうのだ。そして慌てて警戒信号を発することになる。武内と接するときはそんな感覚が付きまとう。

義母の話からすると、親切な人らしいし、事実そうなのだろうが、その親切ぶりも雪見にはくどくて、何やら不快な湿り気を帯びているように思えてならない。

電話が鳴った。

この家は一階のリビングと義父母の寝室、そして二階の和室に電話機が置いてある。もちろん回線は一つだ。

義母が寝ているのなら電話の音で起こすのも可哀想だと、雪見はすぐにそれを取った。

「もしもし梶間ですが」

「ああ、雪見？ 私、私」

しかめっ面から放たれているような愛想のない声が聞こえてきた。海老名に住む実母だ。珍しいなと思う一方で、雪見は不意に入り込んできたかすかな雑音に気づき、そちらのほうが気になった。

「何？」浮かぬ気分のまま用件を訊く。どうせろくな話ではあるまい。

母のほうも、何の前置きもなく話を切り出してきた。

「あのさあ、お前んとこ親と同居して冷蔵庫余ってるだろ。うちの壊れかけてんだよ。それ送ってくれよ」

　荒んだ口は今に始まったことではないが、聞くたびに厭《いと》わしさが新たになる。それが雪見の育った家の空気そのものであり、ため息ばかりの少女時代を送ってきた証でもあるからだ。

「余ってなんかないわよ。だいたい、私が買ったのを何であげなきゃいけないのよ」

　虫のいい話にかちんときながらも、まどかの手前、ぞんざいな口は控えた。

「固いこと言ってんじゃないよ。一つの家に二台あったってしょうがないだろ」

　雪見の嫁入り道具でもあった冷蔵庫は、この新居に来てからはダイニングテーブルの脇に置かれ、もっぱら飲み物や冷凍食品などをストックするサブ的な役割に甘んじている。三百リットルという容量は決して小さくはないものの、六人家族の冷蔵庫としては多少頼りない。義父母が官舎から賃貸マンションに移ったときに買った四百リットルの5ドア冷蔵庫には勝てない。必要ないと言えば確かに必要ないのだが、自分の貯金をはたいての十万円の買い物だっただけに愛着はある。

　同じく嫁入り道具として買った洗濯機はさすがに置き場所がないので、引っ越しのときに実家へ送った。向こうはそれで味を占めて、今度は冷蔵庫をと言っているのだ。

「こっちは帰ってきもしないお前のために一部屋空けてんだよ。あれだってどっかの学生に貸したら月三万は取れるよ。代わりに部屋代ぐらい払えっていうんだよ。何ならお前の持ち物、全部捨てたっていいんだぜ」

今どき、あんなかびくさい家の一室を間借りする学生などいるわけないじゃないか。とはいえ、捨てると言えば本当に捨てかねない相手なので、取り合わないわけにはいかない。

「勝手に私の物に触んないでよ。大事な物ばっかなんだから」低い声で釘を刺しておく。独身時代の持ち物には、こちらに持ってきても置き場所に困る物でありながら、捨てるには惜しい物も多い。世間一般の実家ならそんなことにいちいちうるさくは言わないだろうが、この親は違う。

仕方なく、冷蔵庫の件は考えておくと応えた。

「ふん。じゃあ、よろしく」

そう言って電話が切れた。まどかは元気かとかそんな言葉もない。そういう母親なのだ。

まったく、反面教師にもほどがある。

それにしても……。

雪見は受話器を戻しながら、電話中ずっと続いていたかすかな雑音に不快感を隠せなかった。

この家の電話機は満喜子の家のお下がりらしいが、通話中にほかの電話を取ると、そこからも会話の声が聞こえるという代物だ。よく義母と二人、一階と二階で同時に電話を取ってしまうことがあり、そんなとき受話器から洩れる音には、こんなふうにかすかな雑音が混じっている。

義母が盗み聞きをするとは思えない。

そっと階段を下り、リビングを覗いてみる。しかし、武内は何もなかったように文庫本を読んでいるだけだった。

まさかとは思う。普通、他人の家の電話など取らないだろう。ただ、平然と二階まで上がってきたあの感覚なら、あり得ないとも言えない。

胸の燻りを残したまま、雪見は二階に戻った。

それから少しして、下から「雪見さん」と義母の呼ぶ声がした。起きたらしい。

「今のうちに買い物に行ってきて」

「はあい」今日ばかりは外に出られてほっとする気分だ。「まどか。買い物だって。行こ」

まどかは泣き疲れた顔で小さく頷いた。

「さあさあ、お買い物だよ。今日はどこに行こうかな」白のボレロに袖を通しながら、まどかを煽り立てる。

ふと、床に広がったクレヨンの絵に目が留まった。すると、あっけないほど先ほどのまどかの真意が理解できてしまった。

「ねえ。この絵よく描けてるから、おばあちゃんに見せてくる？」

そう水を向けると、今度はまどかも大きく頷いた。

「わあ、一杯描いたねえ。全部まどかが描いたの？　すごいねえ」

下で義母に褒められて、まどかは得意満面になった。

「これがネコちゃんでね。これがウサギさんなの。これはキリンさんだよ」

「本当だ。みんな上手に描けてるわ」

この子に悪いことしちゃったなと雪見は思った。今日は叩くべきじゃなかった。ただ、まどかが機嫌を直してくれているので、まあいいかと気を取り直した。

「お義母さんさあ、私の冷蔵庫、実家にあげてもいいかな？」

雪見はあえて唐突に切り出してみた。義母はかすかな戸惑いを顔に浮かべ、それから微笑んだ。

「そりゃ、雪見さんの冷蔵庫だし……」

やはり義母はこの話を聞いていない。雪見はそれを確信した。しかし、武内も澄ました様子で興味がなさそうにしている。

「あの家の、壊れたらしくて」

「あらそう」義母は同情的な面持ちに変わった。「そんなことなら運送屋さんに頼んで、送って差し上げなさいよ。うちは大きいほうで足りないことはないいんだし」

「うん……じゃあ、そうしようかな」

「お母さん、お元気だった？」

「うん……」実母の話題になると、どうしても気持ちが声に出てしまうので、雪見は適当な相槌だけ打ってその場を切り上げた。「じゃあ、行ってきます」

外に出て、まどかを車の後部座席に設置したチャイルドシートに座らせる。

「ママ、どこ行くの？」

「さあ、どこかなあ。西友かなあ、ヨーカドーかなあ」

車をガレージから出そうとしたところで、前を黒い車が通った。雪見はブレーキを踏んで、それをやり過ごした。

いや、あの車……。

うちの前に停まっていて、今動き出したような……雪見はその車が走り去るのを見ながら、そんなことに気づいた。

買い物の帰り道に、まどかは寝入ってしまった。車をガレージの中に入れた雪見は、彼女をそっとしておくことにした。一度昼寝をしているのですぐに起きるだろう。いつものように窓を開け、玄関のドアも開け放って家に入った。

「ただいま……」

いきなり自分の冷蔵庫が目に飛び込んできて、雪見は少々唖然とした。早くも玄関先に運ばれている。

靴がないことから見て、武内はどうやら帰ったらしい。義父は特別な仕事か酒席の約束でもない限り、たいていは五時から七時くらいの間に帰ってくる。俊郎もだいたい夕方あたりに戻ってくるので、武内の手伝いも五時あたりまでということになっているのだろう。

「武内さんが運んでくれたの」

リビングにいた義母は、雪見を見てそう言った。

そんなところだろうと思っていたので、驚きはしなかった。ただ、ありがたいとも思わない。どうせ誰かに玄関先まで運んでもらわなければならないとはいえ、私の冷蔵庫に勝手に触ってくれるなという気持ちが正直なところあった。

「今日は本当、楽だったわねえ」

義母の声には嬉しそうな感情がこもっていた。

「でも、お義父さんは知ってるの？」

「もちろんよ。お父さんに黙ってそんなこと頼まないわよ」義母は笑って言う。「満喜子さんにはまだ言ってないけどね。連絡ないから」

あの人だったら何か言いそうではあるなと雪見は思った。彼女は典型的なうるさ型である。結局のところ、この家の介護問題は義母と満喜子の、魂のぶつかり合いのようなものであって、義母はそれに真っ向から挑んで壮絶に散ったのだ。

だが、その裏にある一番の問題は、他人事のような義父の態度ではないかと雪見は思っている。義母は義父を立てているし、雪見がたまに口を滑らせて異の一つも唱えようものなら、「お金を稼いできてくれる人にそんなこと言うもんじゃないわよ」と、たしなめられる。

それでも、義母が祖母の世話にバタバタしているとき、義父がのんびりと新聞を読んでいたりするのを見ると、実の親の問題なのに、あんなふうでいいのかなとつい思ってしまう。雪見も実の親に対する態度では人のことは言えないのだが、義父は祖母を憎んでいるわけではないだろう。憎んでいたとしても、すべて妻任せにするというのは少し違う気がする。

義父は人に尊敬されるような仕事をして、家族が一緒に暮らせるピカピカの家を建てた。それは立派なことだ。しかし、その家に入る肝心の家族にどんな問題が迫っているかということには、無関心だったのではないか。結果として義母一人が皺寄せを受け、一人に重みがのしかかり、一人で我慢するしかなかった。そのことに義父は気づいていなかったのではないだろうか。

そこの部分だけは釈然としないものを感じる。

「クッキーあるわよ。食べなさい」

言われて、雪見はソファに座り、一つつまんだ。

「これも隣から？」

「どこのが美味しいのか、知ってる人なのね」義母は頷く代わりにそう言った。

誰からもらおうとクッキーはクッキーだ。雪見はそのまま口に放り込んだ。確かに美味しい。

「雪見さんも、ちょっと気持ちに余裕が出てきたら、考えたほうがいいわよ」

「何を？」きょとんとして義母を見る。

「二人目よ」

「ああ……」

「まどかだって一人じゃ可哀想だし。おばあさんのことだったら、何とでもなるんだから」

「うん……」

「俊郎の将来にしても、そんなに心配することないと思うわよ。お父さんも私も、あなたたちが生活に困るようにはさせないつもりだし。頼ってもらっていいんだから」

二人目か……しかし、家族の誰にも言っていないが、本当のことを言えば、まどかこそが二人目なのだ。一人目のあすかは、赤ちゃんの人形として実家に残してある。実家には滅多に帰らないが、それでもときどき帰るのは、その子に会いに行くためだ。

だから、本心としては、これ以上の子供はいらない。まどかを育てるだけで手一杯だし、満足している。

それにしてもと、雪見は義母のお節介な口振りに苦笑したくなった。

母親らしいというか……。

いつも家族のことを考えてるんだろうな、この人は。

この家に嫁いできてよかったと思うのは、彼女が義母だったことだ。巷には嫁と姑の確執の話がいくらでもあるが、雪見には関係なかった。実家には実母がいるにもかかわらず、そしてその実母と長年一緒に暮らしてきたにもかかわらず、雪見は梶間家に入って初めて、母親というのはこういう存在なのかと実感した。さりげなく気遣ってくれ、さりげなく引っ張ってくれるような……それがときにはお節介だとも感じるわけだけれど……こんな母に育ててもらいたかったなという気持ちは今でも持っている。

「私は真面目に言ってるのよ」雪見の口元が緩んでいたらしく、義母はことさら真顔になってみせた。「俊郎に言ってもどうせ柳に風なんだから、あなたに言ってるの」

「はいはい、分かりましたよ。でも今んとこ余裕ないからね。あんまり期待しないで」

「まあ、無理してでもってことじゃないから、プレッシャーに思ってもらうと困るけど」

「思わないわよ。そんなの、なるようにしかならなら……」

雪見は言葉を途中で切った。

先ほどから人の声が自分の耳朶《じだ》をかすめていることに気づいた。いや、それが遠のいたからこそ、今それを意識したのかもしれない。

かすかな声だったので、祖母の部屋でテレビでも点けているのかと思ったが、どうも違う。

雪見は弾かれるようにしてリビングを出た。廊下を抜けて、玄関でサンダルを突っかける。

アプローチを走って、ガレージに飛び込む。カローラに手をつき、後部座席を覗き込む。

いない！

チャイルドシートだけが寂しげに残っている。

血の気が引いた。頭が軽くなって揺れ、反対に足は重く、動かなくなった。

男の声が近くで聞こえる！

雪見はふらつきながらも通りへ飛び出した。

「もう、これで最後だよ……」

すぐ目の前……武内の家の前にまどかが立っていた。その隣に武内が座り、まどかに菓子を与えているところだった。

「どうしました？」

武内が笑いかけるように訊いてくる。そのごく日常的な言い方に、雪見は怒りを直接ぶつけていいものかどうか、躊躇《ちゅうちょ》してしまった。

「え……いや……」

「まどかちゃん、ママに見つかっちゃったよ」

武内が言うと、まどかは雪見のほうをじっと見て、怒られないうちにと思ったのか、手に持っていた菓子を一気に口へ入れてしまった。

お菓子ぐらいで、つられないでよ……雪見は思わず脱力した。そして気まずさをごまかすために、髪をかき上げた。

「その……変な男の人がうちの周りをうろついてるって、前に夫から聞いたことがあったもんですから」

雪見がそう言うのに、武内は眉だけ動かしてみせた。

「そうですか。私もまどかちゃん一人だけ車の中に残されてるもんですから、ちょっと心配になりましてね」

一人だけといっても、ちゃんとした家の敷地内じゃないか。だいたい、他人の車を開ける権利がどうしてこの人にあるのか。親切心かどうか知らないが、それにもほどがあるだろう。

「あの、私がしっかり気をつけてますから……そういう心配は結構ですから」

さらりと言ったつもりだったが、武内は雪見から視線を外さなくなった。まるで雪見の心にある険を確かめるように、冷えた眼を向けている。

「それは申し訳ありませんでした。出過ぎた真似をしまして」武内が無感情に言う。「まあ、でも物騒な世の中ですから、お隣同士、用心し合うに越したことはないと思いますよ。助け合ってね」

言い終えると、彼はようやく雪見からまどかへ目を移した。

「じゃあ、明日ね」

まどかの頭を撫で、自分の家に入っていった。

〈8〉　不帰

武内が梶間家の介護を手伝うようになって一週間が経った。そしてその間、義母の負担が明らかに軽くなったのは、雪見も認めざるを得ないところだった。昼間に一定時間の休みが取れるので、夜間、介護に眠りを妨げられても、疲労は重ならない。あれから義母がパニックに陥ったり、過呼吸を起こしたりすることはなくなった。また、婦人科でもらってきた女性ホルモンの錠剤が効き始めたのか、倦怠感やのぼせも一時ほどではなくなったらしく、もともと朗らかな義母だけに自然な笑顔も見られるようになった。

その月曜日は、昼前に満喜子が来ることになっていた。

前日の電話は雪見が取った。

「本当は土日に行きたかったんだけど、どうしても仕事で抜け出せなくてね。うちみたいな自営は土日も関係ないもんだから」

昼前に来て、夕ご飯の世話をしたらもう帰るという。平日に来て、しかも日帰りというのは珍しいし、ずいぶん慌《あわただ》しいなと思った。

「それで、手伝いに来て下さるっていうお隣さんはどう？　特に問題ない？」

「ええ、特には」

「明日も来るんでしょ？　いいのよ。私がそちらに行くっていっても気にしないで。来てもらって」

どうやら、隣の武内なる者が自分の母親の介護を担わせるに適当な人物であるかどうか首実検をしたいらしい。数日前も雪見は満喜子からの電話を受けたが、そのとき武内の印象を訊かれて少々言葉を濁した返事をしてしまった。彼女はそのことを敏感に感じ取って、気にしていたのかもしれない。

「雪見さん、ちょっと手伝って」

この朝、朝食を介助していた義母に呼ばれ、雪見は彼女と一緒に祖母の体位を変えた。

お椀のおかゆは、盛りつけたうちの半分ほどが残っていた。今朝は食欲がなかったようだ。ただ、気分や味覚などの問題があるので、少ししか食べなかったからといって必ずしも体調が優れないというわけでもないらしい。そのあたりは本人でないと分からない。祖母も「もういい」とは言うが、なぜ「いい」のかは言わない。

「今日はねえ、満喜子さんが来るそうよ」義母が祖母の耳元で話しかける。

「へぇえ」祖母がとぼけた相槌を打つ。「先生は？」

「先生も来るわよ。今日は賑やかよ」

「へぇえ」

祖母は眼を閉じ、二人に動かされるままに身を任せている。そのうち、何やら口を動かし始めた。

「あしーたー浜辺ぇを、さぁまーよーえーばー……」

雪見は義母と顔を見合わせた。

「昔ぃのこーとーぞ、しぃのーばーるるー……」

歌だった。嗄れた声で訥々《とつとつ》とメロディを口ずさむ。祖母が鼻歌を口にすることなど聞いたことがなかったので、ちょっと驚いてしまった。

「ご機嫌ね」義母は含み笑いをし、独り言のように言った。憎み切れないなと言いたげだった。キッチンに戻った彼女は、祖母から引き取るように「浜辺の歌」を口ずさみながら朝食の後片づけをしていた。

十一時頃になって、武内がやってきた。

「今日は急に川越の義姉《あね》がこちらに来ることになりましてね」義母がリビングで武内にお茶を出しながら言う。「手が足りるから、武内さんの時間をお借りする必要もなくなったんですけど、義姉がぜひ直接お礼を言いたいって言うもんですから」

「そんな。お礼なんて」武内は鼻をかいた。「まあ、せいぜい今日は邪魔にならないように気をつけますよ」

雪見が二階に上がる間もなく、今度は満喜子が現れた。二人の対面は少し見物《みもの》だと思われたので、雪見は満喜子に意味もなくくっついていった。

「まあ、お忙しいところ、いつも母のためにありがとうございます……」

「いえいえ、いたらないことばかりで、お役に立てているかどうか……」

何やらごにょごにょとした言い方でお互いに頭を下げ合い、挨拶はあっけなく終わった。

雪見はその場を離れて、満喜子にお茶を淹れた。それを出す頃になると、さすが彼女はちくりとやり始めていた。

「最初に尋恵さんから聞いたときには『ええっ』ってびっくりしましてね。男の人に手伝ってもらってるって言うでしょう。介護なんてのはほら、かゆいところに手が届くような気遣いがないと、どうしてもねえ。それを男の人が？　っていう感じで。私がこの近所に住んでれば、そんな他人様の手伝いなんか受けなくてもいいようにできるんですけど、家が川越で、しかも仕事を持ってますでしょう。だから、来たいときに来られないんですよ。それが本当につらくてねえ。何だか母のことに関しては、身の引き裂かれるような思いばっかり味わっちゃって」

笑顔で話している割には、言葉にとげが生えている。

それを聞いている武内のほうも、口元では笑みで応えているが、眼は笑っていない。

満喜子が湯呑みに手を伸ばしたところで、義母が話題を変えてしまった。

「今朝、お義姉さんが来るって言ったら、おばあさん、ご機嫌になって鼻歌歌い始めちゃって。あんなの初めてよ」

「へえ、それは聞きたかったなあ」満喜子が残念がる。「そうだ、そうだ。お母さんに挨拶してこないと」

そう言って祖母の部屋に行った満喜子は、しばらく家中に響くような声で祖母に話しかけていた。

雪見はまどかを義母に預け、キッチンで昼食の下ごしらえにかかった。今日は人数が多いのでどさっと揚げ物をして、あわよくば夕食にも残るくらい作っておこうと思った。

途中から満喜子もキッチンに入り、祖母の雑炊を作り始めた。

「お母さん、先生、先生って言うわね」腑に落ちないような声で話しかけてくる。

「武内さんのことですよ。お医者さんだと思ってるみたいで」

「あっそう。いや、頭がぼうっとしてるのかなと思ったけど違うのね」納得しかけたように見えた満喜子は、それでも面白くなさそうに首を捻った。「それにしても、そんな思い違いをさせたままで、ちょっとひどいわね。何か騙《だま》してるみたい。尋恵さんもどうして訂正しないんだろう」

雪見は苦笑いでごまかし、コメントは差し控えた。

満喜子がしゃもじでご飯をこんもりとすくい、鍋に移していく。

「あ、今朝はあんまり食べなかったみたいですよ」

「うん。いつもよりは元気がないみたいね。よその人の介護が続いて、疲れてるんじゃないかな」

彼女にかかると、そういう理屈になるのか。

でも、彼女から見ても元気がなさそうに感じるということは、今日は頭がはっきりしていないのだろうか。だからあんな歌を歌ったりしたのだろうか。

「まあ、私が朝の分まで食べさせるから大丈夫よ。私が作るのは一味違うからね。お母さんもこれが一番美味しいって言うんだから」

彼女はいつも自家製のだしつゆを持参してくる。具の野菜や卵も自然農法で作られたものを調達してきている。本当に美味しいかどうかは、雪見には食べさせてくれないので分からないが、気合が入っていることは確かだ。

普通に立っているだけでも、せわしなく動く満喜子の邪魔になってしまい、雪見の料理は進まなかった。一足先に雑炊のほうが出来上がった。

「雪見さん、ちょっとクッションを頭に敷くの手伝ってくれない？」

「はあい」満喜子に言われて雪見は料理を中断した。雑炊を運ぶ彼女のあとをついていく。部屋ではちょうど、武内が祖母の足をマッサージしているところだった。

「まあ、お母さん。足を揉んでもらって気持ちよさそうねえ」

満喜子がサイドワゴンにお盆を載せながら話しかけると、祖母はこくりと頷き、「いい先生だわ……」とかすれた声で応えた。

「お母さん、この方ねえ、先生じゃなくてお隣さんよ。お隣の人」

言わなくてもいいのにと思いながら、雪見は横目で武内をちらりと窺った。しかし、彼は特に表情のない、つまらない顔をしていた。

満喜子の言葉に、祖母は束の間、ぽかんとしていたが、やがて歯のない口を見せて、ニヤッと笑った。

「そんな馬鹿なって顔してる」

満喜子は彼女の笑顔が嬉しかったらしく、おかしそうに言っておどけてみせた。祖母の笑顔は珍しいので、雪見もつられて笑みが込み上げてきた。

「じゃあ、ちょっと手伝って」満喜子が雪見に言い、それから祖母に顔を向けた。「お母さん、頭少し起こすからね」

「ああ、私がやりましょう」

「いいです、いいです」満喜子は大きな声で、武内が進み寄るのを制した。

満喜子が頭と肩を抱えたところに、雪見が厚手のクッションを潜り込ませる。以前は、満喜子が電動ベッドを買ったらどうかと圧力をかけていたものだ。しかし、検査入院したときがそうだったのだが、起こしたベッドに寝ているのも体力を使うらしく、ほっておくとどんどん上体が横へずり落ちていってしまう。買っても大して意味をなさないというのが義母と雪見の結論になっていた。義父が優柔不断にかわし続けているうちに、満喜子もそのことは言わなくなってしまった。

「じゃあ、お母さん。美味しいお雑炊作ったから、今から満喜子が食べさせてあげるね」

祖母の食事が始まったので、雪見はキッチンに戻った。メンチカツやカキ、豚肉のアスパラ巻きなどをフライにして、サラダも作った。まどかは食べ散らかすので、小さなおにぎりを何個か握ってやる。

味噌汁も作り、あとはご飯をよそうだけという頃になって、祖母の食事が終わったらしく、武内がお盆を持ってキッチンに入ってきた。それをテーブルに置く。

「すいませんが、お願いしますね」

「あ、はい」

雑炊は多少の残りがあるだけだった。八割方、食べさせたということだ。あれだけの量を持っていって、これだけしか残っていない。さすが見得を切るだけはあるなと感心した。

お椀とゼリーの皿を片し、吸い呑みは口をつけるところだけスポンジで洗い、あとはざっとすすいだ。

さて、このメンバーでどういうふうに食べるのだろう。ここのところ武内と義母がリビングで食べる光景がお馴染みになっていたが、今日は満喜子もいるので、全員ダイニングテーブルで、というあたりが妥当だろうか。

リビングでまどかと絵本を読んでいた義母に訊いてみると、「そうね。そうして」との返事だった。

「まどか、おてて洗うよ」

まどかを洗面所に連れていき、ハンドソープで手を洗わせる。

そこへ満喜子が現れた。

「ちょっと小さいタオルあるかな。お母さんの顔を拭きたいから」

そう言うので、雪見は棚からおしぼりサイズのタオルを出した。まどかの横から濡らそうとするのを満喜子が止める。

「ああ、いいのよ。手を洗ってからで」

彼女は一息つくようにゆったり構え、「へえ、まどかちゃん、可愛く編んでもらってるわねえ」と、まどかの三つ編みをもてあそんだ。

まどかは鏡越しに満喜子の顔をじっと見ていたが、気《き》後《おく》れしたように何も応えなかった。

「もう、クッションは外していいですね？」祖母の部屋の入口から、武内の声がかかった。

「ああ、そうですね」満喜子は素っ気なく背中で返事をした。そしてぶつぶつと独り言を言う。「別に大人しくしてくれてていいんだけどね。結構、手を出したがるね」

意見を求められるような視線を受け、雪見は曖昧に笑った。

「おばあさん、朝の分まで食べちゃいましたね」まどかの手を拭きながら話を変える。

「ううん。なかなか進まなくて。何とか強引によ」満喜子はまどかと場所を代わり、タオルをお湯で濡らした。「たまに今日みたいな日もあるけどね」

「でも、あれだけ食べさせられたら十分ですよ」

「前のを飲み込むまで待ってたら駄目よ。次から次に入れていかなきゃ。まあ、私じゃないとできないかな」彼女は得意そうに言った。

祖母の部屋から武内が出てきたので、雪見はそちらに目を移した。

「あ、食事の用意ができましたから」

「ああ、いつもすいませんね」武内は小さく頭を下げ、雪見の後ろを回って、満喜子の次に洗面所を使った。

「伯母さんもそろそろ」

「はいはい。これ終わったら頂くわ」満喜子はそう応え、絞ったタオルを持って、祖母の部屋に行く。

　雪見はまどかとキッチンに向かった。

キッチンでは義母がいくつかの湯呑みにお茶を淹れているところだった。

そのキッチンに入ろうとしたとき……。

後ろから、「あ」とも「が」ともつかない、ひしゃげたような満喜子の声が聞こえた。

雪見は最初、軽く振り返っただけだった。もともと騒々しい人だけに、半ば聞き流していた。

　雪見のすぐ後ろにいた武内も、肩越しに後ろを窺う以上の反応は見せなかった。

「誰かあっ！」

　もう一度、満喜子の声が響いた。今度ははっきりと助けを呼ぶ声で、しかも尋常でない緊迫感がこもっていた。目が合った義母の顔つきも変わった。

武内に続いて、祖母の部屋に入る。

雪見の目に飛び込んできたのは、何かをしようとして何もしていない満喜子の姿だった。地団駄を踏むように足を動かし、両手を意味なくさまよわせている。

その向こう、祖母がかっと眼を見開いていた。顎をひくひくと動かし、戻したと思われる雑炊が口元を汚していた。

「喉に詰まってるのよ！」

雪見の後ろで義母が叫んだ。

雪見を含めたいくつかの手が祖母の口に伸びた。だが、素手ではうまくこじ開けられない。

「お義姉さん、スプーン持ってきて！」

義母の声に押され、三人の後ろで立ち尽くしていた満喜子は慌ててキッチンへ行った。満喜子が髪を振り乱して持ってきた何本かのスプーンを使って祖母の口がこじ開けられ、さらに口の中にたまっていた雑炊がかき出された。一気にとはいかず、かなりもどかしい。ぐえっぐえっと祖母の喉が苦しそうに鳴った。

眼を剝いて顔色を落としている祖母の様子は、明らかに異常事態を呈していた。

「雪見さん、救急車！」

義母の声に、雪見はその場から離れた。

「私が、私がかけ、かけるわ……」

満喜子が異様に強張った顔で言ったが、彼女では住所が言えるかどうか分からないと思い、雪見は自分で電話に走った。

救急車が到着する間に、口の中の物はほとんどかき出せたようだった。しかし、祖母の反応は鈍かった。呼吸をしているかどうかも定かでない。手足には紫色が浮かび、眼は苦しさに潤んで、こめかみのほうへ一筋の涙が流れていた。

祖母を呼ぶ義母や満喜子の声は、やがてサイレンの音にかき消された。

*

病院の救急処置室前の待合室で、尋恵は満喜子と肩を並べていた。

救急車には満喜子を乗せ、尋恵はカローラの鍵を雪見から借りて、それに乗ってあとを追ってきた。雪見は家に残し、武内にはとりあえず帰ってもらうように言っておいた。

満喜子を乗せるとき、救急車の中では救急隊員が姑に心臓マッサージを施していた。何だか嘘のような光景だった。

遅れてこの待合室に駆けつけると、満喜子が泣き出しそうな顔で尋恵を見たので、尋恵は思わず、ああ、駄目だったかと思ってしまった。しかし、それは尋恵の早合点で、まだ医者からの話はないということだった。尋恵は自分が最悪の結果をある程度覚悟していることに気づいた。そして、満喜子の悲痛な表情から目を逸らすように、彼女の隣に座った。

「私が……私が悪いのよ。私が食べさせなきゃよかったの。どうしよう。私がお母さん殺しちゃった」満喜子がとても聞くに堪えないことを言う。

「そんな。第一、まだどうなるか分からないし……」

大丈夫よ、とはさすがに言えなかった。

「私の目の前でごぼって吐き出して……苦しそうだったけど、私は何もできなかったのよ」

「仕方ないわよ、それは」

「食欲なさそうだから、いつもより少なめにしたつもりだったのに。ああ、でも、無理して食べさせてたんだね……ああ、もう」

満喜子は両手で顔を覆って、肩を震わせた。

姑も娘の作った雑炊ということで、頑張って食べてしまったのだろうか。何ともやり切れないなと尋恵は思った。自分が食事介助するときでも、十分起こり得るとびくびくしていたことだっただけに、満喜子を責める気にはとてもなれなかった。もし最悪の結果になったとしても、この母娘の間で完結することならば、外から自分が口を挿む問題ではないとも思えた。

「梶間曜子さんのご家族の方……」

扉が開いて、若い男の医師が姿を見せた。

「はい……」尋恵は満喜子と一緒に立ち上がり、医師に促されて中に入った。

通されたのは、机を脇に置いた診察室のようなスペースだった。

「そこの椅子も使って下さい」

医師に言われ、丸椅子は満喜子に譲って、尋恵はパイプ椅子に腰かけた。

「ええと、救急隊の報告によりますと、梶間曜子さんですね、この方が今日の十二時半頃にベッドの上で昼ご飯の雑炊を嘔吐して、それが喉に詰まり呼吸困難に陥ったと、そういうことですねえ」

淡々とした医師の話に、尋恵は「はい」とだけ相槌を打った。

「それでまあ、救急隊が駆けつけたわけですが、そのときにはもう、呼吸がなくて、心臓もほとんど動いていない状態でした。で、移送中からずっと人工呼吸などの救命処置を取ってきたんですが……ここに運ばれてからだいたい二十分以上経ちましたか……ずっと救命を続けているんですが、ちょっとこれ、心臓が動き出す気配がないもんですから……」

尋恵は重い空気に全身をからめとられて、身じろぎ一つできなくなっていた。

「残念ながらですね……あとはもう、ご家族のご理解で処置を打ち切ることになるわけですが……」

「そんな」満喜子が声を引きつらせた。「何とかなりませんか!?」

「何とかしたいのは山々なんですけどね」医師は言いにくそうに言う。「確かに喉を詰まらせて命を落とされるのは大変お気の毒なんですが、お年寄りにはこういうことが多いのも事実でして。飲み込む力や吐き出す力がどうしても弱いんですね。曜子さんも八十を過ぎて、寝たきりの生活を送っておられたようで……まあ、ここまでよく頑張ってこられたわけですから、もう静かに休ませてあげられたらいかがでしょう」

医者がそう言うからには、本当にどうにもならないのだろう。尋恵は一つに絞られた結果を胸に刻んだ。唇をぐっと噛んで返事をしようとしない満喜子には尋恵から話しかけた。

「お義姉さん……そうしましょうよ。もう、送ってあげよ」

満喜子は沈痛な表情のまま、こくりと頷いた。

「それじゃあ、こちらに来て頂けますか」

医師は席を立って二人を招いた。

カーテンの向こうは、冷たい光を反射するリノリウムの床に医療機器や酸素ボンベなどが雑然と置かれた処置室だった。奥に姑の乗ったストレッチャーがあり、その周りを何人かの医師や看護師が取り囲んでいた。

　尋恵と満喜子が姑のかたわらに立ったところで、すぐ後ろのカーテンが引かれ、心臓マッサージや人工呼吸をしていた者たちがそれをやめて一歩退《さ》がった。

　眼を薄く開けた姑は、明らかに死んでいた。

　この人、こんなところで自分が寝てること、もう知らないんだな……尋恵は魂の抜けた彼女の姿を見て、そう思った。

「心臓は動いてません」

　医師は改めて言い、壁にかけられた時計を見上げた。

「それでは一時十五分ですね。死亡ということになりますので」

　事務的な口調とともに小さく頭を下げた。

「お母さん！　お母さん！」

　満喜子が姑の胸にすがりついて、嗚咽を洩らした。

　尋恵はただ黙ってそれを見ていた。こんなドラマの一コマみたいな光景、本当にあるんだ……そんな冷めた思いをわざと胸によぎらせた。そうでもしないと抑え切れないものが、自分の中にも込み上げてきていた。

　医師は一人の世界に入ってしまった満喜子をあきらめ、尋恵のほうだけを向いた。

「まあ、状態から見ましても、嘔吐物による窒息ということに疑いはないと思いますけれど、念のため胃の中に毒性のものが入っていなかったか調べるために、未消化物を採取する処置をしたいと思います。そのあとでお身体を拭き清めますから、しばらくまだ待合室のほうでお待ち頂けますか」

尋恵は、そういうものなのだろうなと納得して、それに従うことにした。

「それから、何か着替えさせるものがあれば持ってきておいて下さい」

「ああ……じゃあ、寝巻きを買ってきます」

答えてからバッグに手を入れた。財布は入っていた。

離れがたい様子の満喜子の肩を抱いて処置室を出る。

そして、尋恵一人だけで病棟内にある売店に向かった。

売店では、桜の花模様がついた薄紅色の寝巻きを買った。

それを手に抱いて廊下を戻る途中で……。

尋恵は堪《こら》え切れなくなった。

そばにあったベンチに座り込み、ハンカチで顔を覆った。

あんなに大きな存在だったのに。

魂を込めて、全力でぶつかっていた相手だったのに。

尋恵は、自分の戦争が唐突に幕を下ろしたことに心から虚脱した。そこに勝者も敗者もいなかったことを噛み締め、ただ寂しいと思った。

ついに最後まで一言のありがとうも言ってくれなかった。

この私を認めてくれていたのかどうか、それだけでも聞かせてほしかったのに。

終わってしまったんだ、全部……そう思うと、本当に寂しくてたまらなかった。

姑は家に帰ると、仏壇の前に北枕で寝かされた。布団は雪見が敷いておいてくれた。葬儀屋と慌しく打ち合わせが行われたあと、満喜子はひとまず川越に帰っていった。勲には病院から大学へ電話を入れたが、結局、彼は自分の勤務を終えた五時過ぎに帰ってきた。

彼はスーツ姿のまま姑の寝ている部屋に入り、まるで弔問客のように正座して手を合わせた。それからしばらく頬紅をつけた静かな寝顔に目をやり、一つ吐息をついた。尋恵としては、その吐息に彼なりの感慨を見つけるしかなかった。

「でも、おばあさん、あなたの買った家で最期を迎えられたから……」

尋恵がぽつりと言うのにも、彼は「ふむ」と喉の奥で応えただけだった。

本通夜を明日、葬儀を明後日、ともに近くの葬祭場で執り行うことが、葬儀屋と尋恵や雪見、俊郎らとの相談で決まっていた。それについても、勲はカレンダーで日柄を確認しただけで特に何も言わなかった。

自室に戻る勲のあとを、尋恵は何となくついていった。何でもいいから彼の生の声を聞きたかった。「残念だな」でも「親戚に連絡はついたか」でも「写真は選んだのか」でも何でもよかった。姑に関することの言葉をかわして、喪失感を共有したかった。

勲は上着を脱ぐとベッドの上にそれを置き、自分自身もベッドに腰を下ろした。そしてネクタイを解きつつ尋恵を見た。

「武内さんな」彼は出し抜けながら口重そうに切り出した。「ちょっと、本通夜と葬儀は遠慮してもらうように、お前から言ってくれんか」

「え……どういうこと？」

彼は顔をしかめる。「ほら、裁判所の関係者も来るだろうし、いらん憶測も呼びたくないだろう」

「憶測って？」

「どうして元裁判長の家の葬儀に裁判の被告になってた人が来るかってことだよ。あの裁判を一緒にやってた紀藤さんらもたぶん来る。そんなところに武内さんがいたら、あれって思うだろう。あの裁判の前から関わりがあったのかと思われても困る」

尋恵はまったく気が乗らなかった。

「そりゃそうかもしれないけど、何もやましくない人に遠慮してもらうなんて……」

武内は姑の世話をしてくれた一人であるし、姑が無言の帰宅をしたあとにも顔を出し、涙を流して手を合わせてくれた。葬儀のときは受付でも何でもやりますからと申し出てもくれた。尋恵はお願いしますと言ってしまっていた。

無実の罪のせいで、彼がこんなふうに人目を避けなければならないのは可哀想だなと思った。また、それをさせるのが、無罪を言い渡した当の本人であるのも皮肉だと思った。

「ちゃんと話せば分かってくれるよ。だから、ちょっと行ってきてくれ」

そんなことなら自分で行けばいいのにと思いながら、あえて逆らう気も起きず、尋恵は仕方なく家を出て隣のチャイムを鳴らした。

取り込み中の家の者が来たということでだろうか、武内は神妙な顔つきで玄関から出てきた。その表情は、尋恵が勲から頼まれた用件を訥々と話しているうちに、かすかな笑みに変わった。しかし、無理に笑っているのがありありと分かり、尋恵は胸が痛んだ。

「しょうがないですね。梶間先生のおっしゃられることはよく分かります」武内は大げさなほどさばさばとして言った。「まあ、これは私に課せられた宿命みたいなもんですから。残念ですけど……本当に残念ですけど……こういうのは一生背負っていかなきゃいけないのかな……」

笑顔を崩さない武内の眼が少し潤んで見えたので、尋恵は頭を下げることで目を逸らした。

「本当に申し訳ありません」

「いえいえ。奥さんが謝られることじゃありませんよ。誰にもどうすることもできないことです。分かりました。私も自分のことで他人様にご迷惑をかけるほどつらいことはありませんから。明日、明後日は私のほうで遠慮させて頂きます」

「本当に申し訳ありません」それしか言えず、重ね重ね頭を下げた。

「じゃあ、今夜が仮通夜ということであれば、あとでちょっとお邪魔させて頂いてよろしいですかね？」

「はい。そうして頂けるなら、ぜひ」

恐縮する尋恵の肩を、武内はポンと叩いた。

「奥さん、おばあさんは絶対分かってくれてますよ。あなたはよく頑張った。これだけ尽くして伝わらないはずはないですよ。突然のことでしたけど、こういうのは順番ですからね。誰にもどうすることもできないものです。今は送ることに専念してね、あともう少し大変でしょうけど、また新しい生活が開けてきますから。そしたら今度は自分のためにね。応援してますよ」

尋恵は話を聞いていて目頭が熱くなってしまい、もう武内の顔を見ることもできず、うつむいたまま一礼して家に戻った。自分の戦争に進んで力を貸してくれた戦友はやはり分かってくれていた。その励ましが何より嬉しかった。

武内が梶間家を訪れたのは、僧侶の枕経《まくらぎょう》と家族の夕食が済み、知人関係への連絡も一段落して、家の中に物憂げな空気が漂い始めた九時頃だった。

彼は勲に向かって言葉少なに悔やみの台詞を述べると、姑の枕元に淋見舞《さびしみまい》の菓子と香典を置き、長い間、数珠を握った手を合わせていた。それから枕経の前に到着していた義弟の登と挨拶を交わした。

「今日はおばあさん、朝に歌を歌われたらしいですけど……それがまさかこんなことになるなんてねえ」

「ほう、母が歌を。何か感じてたんですかね。勘の強い人だったから……いや、不思議なもんですね」

そんなたわいない話も、適当なところで武内のほうから切り上げ、「じゃあ、今日はこれで失礼します」控えめに言って、静かに帰っていった。

武内が帰るのを待っていたように、リビングのソファで足を組んでいた俊郎が立ち上がった。武内が置いていった香典袋に手を伸ばす。

「うわ、また分厚いなあ」彼は場にそぐわない声を上げた。

「やめなさい」尋恵は彼をたしなめたが、勲が眉をひそめ、「ちょっと開けてみろ」と俊郎を促した。

香典袋には、ドーベルマンのときと同じように一万円札が三十枚入っていた。

〈9〉　不審

「そろそろ帰ろっか？」

着地を決めたまどかに、もう十分だろうと雪見は声をかけた。

「まだ。もっと滑る」

まどかはあっさりと却下し、また滑り台に上り始めた。雪見は仕方なく、足を踏み外さないように背中に手を添えてやる。

この公園の滑り台にも慣れてしまい、そうなると得意になって滑り続ける。特に今日は雨上がりでほかの子供たちがいなかったので、まどかは遊び放題だ。砂場はべとべとなので、ただひたすらここで滑っている。

梅雨入りしたもののすぐに中休みとなり、今日は昼前からいい天気になった。祖母の葬儀に雨模様の天気が重なり、まどかのストレスも満タンにたまっていた。何をするにもヒステリックな反抗ばかりで、足を叩いてやるとその場は治まるものの、やがては同じことが繰り返される。即効性はあるが持続性はないのが奥の手の限界だった。そうそんなことに頼ってもいられず、結局はストレスを発散させるのが一番だろうと、まだまだ水たまりだらけの公園に思い切ってやってきた。遊んでいるのは滑り台だけだが、いつの間にか靴は泥だらけで、ハイソックスにも点々と跳ねが飛んでいる。

「さあ、あと一回だよ」

「違うっ」

「じゃあ、あと二回だ」

まだまだ遊ぶ気があっても、こっちがしつこく言い続けていると、まどかもこれくらいにしといてやるかとあきらめてくれる。

二回滑ったところで、まどかは雪見の顔を窺った。

「終わり？」

訊くと、まどかは慌てて首を振る。

「じゃあ、あと一回だけだよ」

まどかは素直に頷いて滑り台を上っていく。よかった、よかったと思いながら、雪見はまどかの背中を支えた。

そのまどかの背中の向こうに……。

一人の男の視線があった。

公園沿いの道路に停められた車の中から、男が雪見を見ていた。

男が視線を外し、ウインドウが閉められる。

何かを狙っているような暗い眼だった。

黒いセダンに乗っている。

雪見は肩のあたりに寒けを感じた。

「ママ、もう一回滑っていい？」

まどかがスカートを引っ張ったので、雪見は我に返った。

「駄目、駄目。お日様が怒って、おててが赤くなっちゃうでしょ。帰るよ」

先ほどにも増して、早く帰ろうという気になっていた。

「抱っこ」

まどかが嫌らしく交換条件を出してくる。雪見は折れて、まどかを抱き抱えた。公園を出てぬかるみを脱したところですぐに下ろす。

「はい、抱っこ終わり」

とてもじゃないが、家まではできない。

代わりに手をつないで帰る。

「来ーて来てあたしンち、来て来てあたしンちー……」

まどかと一緒に口ずさんで歩く。

かすかに後ろでアスファルトの砂を踏みしめる音がした。

振り返ると、背後に見知らぬ男がいた。あまりに近くまで寄られていたことにびっくりして、雪見は思わず声を上げそうになった。

「あの」男は回り込んで、雪見の前に立ちはだかった。雪見は反射的にまどかの手を引っ張って、自分の背中に隠した。

「私、誰だか分かります？」

まったく見覚えのない男にそう言われ、雪見は異常性を感じた。変質者じゃないかと思った。

男は雪見が何も答えないのを見ると、上着のポケットに手を入れた。

「私、新聞社の者なんですが」ぶっきらぼうに言い、名刺を差し出してきた。

関東日報の記者、寺西《てらにし》某と書いてある。記者なら、誰だか分かりますも何もないだろう。

雪見は彼の意図が見えず、警戒して名刺を受け取らなかった。

公園で車の中から見ていた男だと、寺西の眼を見て気づいた。四十代で肩ががっちりとして、険しい顔つきをしている。記者というよりは刑事か自衛官のほうが相応しい風貌だった。

妙に鬼気迫る威圧感がある。

「梶間さんの家の方ですね？」

無骨な口調が続いた。敬語に違和感を覚えるくらいだ。雪見が答えないのを認めたと受け取ったらしく、彼は言葉を続けた。

「亡くなられた梶間曜子さんというのは、梶間勲さんとはどういうご関係の？」

「……実の母になりますけど」雪見は勢いに押されて、しぶしぶ質問に応じた。

「亡くなられた原因というのは？」

記者だからといって、見ず知らずの人にそんなことを話さなきゃいけないのだろうか。言い方が余計にそう感じさせるのか、ずいぶんぶしつけで厚かましいなと思った。

「どうしてそんなことを訊くんですか？」

質問で返すと、寺西は言葉に詰まった。苛ついたように頭をかき、思い詰めた形相で雪見に一歩寄った。

「答えて下さいっ」

「あの……私、急いでますから」

脇を通ろうとする雪見の肩を寺西が摑む。雪見が振り解《ほど》くとその手は引っ込められたが、彼はまた前に回り込んで血走った眼を向けてきた。

「ふ、不審な点は……死因に不審な点はないんですか？」

何を言ってるんだ、この人は……雪見は「ありません」と即答して、また彼の身体をよけた。

「お宅に武内真伍が出入りしてるでしょう。彼と梶間曜子さんとの間に何かあったんじゃないですか？」

戸惑いと反感が同時に湧いた。反感が勝った。

「人の家を覗き見るような真似はやめて下さい」

「梶間曜子さんが亡くなられたときかその直前、武内はあなたの家にいたんじゃないですか？」

質問を一蹴するより先にあのときの記憶が脳裏をかすめ、雪見は言うべき言葉をなくした。

寺西は不意に脇道へ視線を移し、そちらに釘付けとなった。一瞬にして雪見に興味を失ったような感じだった。

脇道は狭い石段の坂だ。見ると、武内がコンビニか何かの袋を提げて、石段を上ってくるところだった。

「また次の機会に……」

寺西は感情を押し殺すように言い、ゆっくり公園のほうへと戻っていった。

武内がすぐ近くまで上がってきた。まどかの足ではどうせ追いつかれるので、雪見は先に行くことをあきらめた。

石段を上がった武内はまどかに笑顔を向けた。

「まどかちゃん、お菓子食べるかな」

そう言って袋に手を入れ、まどかのために買ってきたとしか思えないコアラのマーチを取り出した。

まどかが雪見の顔を窺う。

雪見は仕方なく許可した。「ありがとって」

「ありがと」まどかが武内からおずおずと菓子を受け取る。

「その節はどうもありがとうございました」

祖母が亡くなった日以来、初めて顔を合わせたので、雪見は礼を言っておいた。

「いえいえ」武内はさらりと受け、雪見とすれ違う。

「今の男……」武内は横顔で言った。「危険ですよ。関わらないほうがいい」

思わず武内の後ろ姿を目で追った。彼は何もなかったように歩いていく。

風ではない何かが、雪見の背中を撫でて通り過ぎていった。

そんなことがあった日の翌日、雪見は満喜子からの電話を取った。

「あ、お義母さんは美容院に行ってるんですけど」

「いいの、いいの。雪見さんでいい」

満喜子の声は疲労にまみれていた。葬儀のときも彼女は憔悴《しょうすい》していて、とても見てはいられなかった。口数も少なく、眼も落ちくぼんでいた。

「お身体のほう、大丈夫ですか？」

雪見が気遣うと、彼女はため息で答えた。

「昨日までずっと横になっててね。今日は無理してでもと思って起きてるんだけど」

何だか人が変わってしまったような弱々しさに、雪見は少し気の毒に感じた。好きなタイプの人ではないが、彼女が祖母を大事にしていたのは雪見も認めるところであり、それをあいった形で死なせてしまったのだから、ショックなんだろうなと思った。

「あんまり考え込まないほうがいいですよ」

「うん……」と、またため息。「でも、雪見さん、どう思う？　やっぱり私が悪かったのかな？」

「そんな。悪いとか悪くないとか……」

「いや、私が悪かったんだろうけど、思い出すたびにさ、どうにかならなかったかなと思って。本当、まさかってことが重ならないと、ああいうふうにはならないもんねえ」

「そうですね。もう、運が悪かったとしか言いようがないですよね」雪見は慰め加減に話を合わせた。

「あの武内さんっていう人……あの人がお母さんの頭に敷いたクッションを外していいかって訊いてきて、クッション外したんだもんね。ああいうことも重なって……あの人、そのときに何か具合悪そうだなとか、戻しそうだなとか思わなかったのかな……あれ、私が外していいって返事しちゃったから何にも言えないのよね。でもまさか、あんなふうになるなんて夢にも思わなかったから。私が見たときはもう戻し始めてたもの。あの人がおかしいと思ってくれたら、もうちょっとねえ、何とかなったかもしれないけど……」

満喜子の話を聞いていて、雪見は妙に自分の心がざわざわと波立つのを感じていた。それは昨日の記者、寺西が放った「死因に不審な点はないか」という言葉が源にあった。

雪見が無言のままでいると、満喜子は決まり悪そうに謝った。

「ごめんなさい。人のせいにしてちゃいけないわよね。この話は忘れて。尋恵さんには言わないでね」

「はあ……」

「でも何か、本当につらくて……分かってくれとは言わないけど……話してみたかっただけなの。忘れて。ね？」

「はい……」

「七日ごとには行けるかどうか分からないけど、四十九日は無理してでも行くから。じゃあ、また」

電話が切れて、雪見は受話器を置いた。

確かに武内はあの場にいた。けれど、それだけだ。

それだけのことに……なぜ引っかかりを覚えるのだろう。

満喜子からの電話があったこの日も、雪見は昼食の後片づけを終えると、「こうえーん」を連呼するまどかを連れて出た。

この時間は幼稚園児も小学生もまだ帰ってきていないし、ロン毛君や茶髪君もいない。午前中に公園遊びを済ませるところも多く、この公園が穴場となる時間帯である。

ただ気になるのは、昨日の寺西という男だった。また今日も公園に車を停めているのだろうか。そのときはどうする。もう一つ先の公園まで行こうか。

何が狙いなのか話を聞いてみたい気もするし、関わり合いになりたくない気もする。

武内が無罪判決を受けた裁判が物議をかもしたことは知っている。義父がその裁判長をやっていたことも。テレビのニュースで義父が法衣を着て澄ましている映像も見ている。記者というからには、あの事件を引きずって、武内の周囲を嗅ぎ回っているのだろう。そんなことをするほどの何かが武内にあるのだろうか。

公園方向に曲がる四つ角が見えて、雪見は足を止めた。

四つ角の向こうに、テールをこちらに向けて黒い車が停まっている。

あれだったかな……警戒しつつ雪見が再び歩き始めると、車は不意に動き出した。

遠ざかっていく。道なりにカーブを曲がって消えてしまった。

違うか……。

それとも、ルームミラーでこちらを確認して反応したのか。

雪見は後ろを振り返った。しかし、自分とまどか以外には誰もいない。

よく分からないことばかりだ。

公園に着いたが、黒のセダンは停まっていなかった。しばらくまどかを自由に遊ばせて、それとなく注意していたものの、黒のセダンが公園の前を通ったりすることもなかった。

何だかほっとしたような、それでいて気が抜けたような、変な気分だった。

すっかりお気に入りとなった滑り台は、今日もまどかが独り占めだ。しかし、十分も経たないうちに、まどかと同じ年頃の子供を連れたママがやってきた。

「こんにちは」

雪見たちに近づくなり、先に向こうから声をかけてきた。それが少し意外に思えたのは、何となく内気そうで覇気のない眉目《みめ》のママだったからだ。加えて、年齢がよく分からないような老け方をしている。見たことがない人でもあり、無理して挨拶したようにも感じたので、最近引っ越してきて思い切って公園デビューに来たのかなとも思った。

「こんにちは」とりあえず雪見は愛想よく返しておいた。

「こんにちはー」

子供にも挨拶されて、雪見はびっくりした。この年頃で初めて会う人に挨拶できるなんて信じられない。眼がくりくりとした可愛い男の子だ。

「すごいねえ。ちゃんと挨拶できるのねえ。僕、いくつ？」

「三さい」男の子が指を三本立てるのに続いて、ママが「ちょうど今月で」と言った。

まどかと同い年だ。偉いなあと雪見は感心した。名前を聞くと、「まついかずと」と答えてくれた。松井和人君かと、字は雪見のほうで勝手に想像した。

「おばちゃん、ぼくもすべりっこしたい」

和人君の声に雪見は、おばちゃんか……と苦笑しながらも、明るく「いいわよ」と応えた。

その返事が和人君のママとまるっきり重なった。

「ああ、あの」彼女は少し口ごもった。「妹の子供なんです。預かってくれるように頼まれて」

「あ、そうなんですか」雪見は愛想笑いで場を取り繕った。

言われてみれば納得する。彼女からは小さな子のママにはそぐわない淀んだ空気がまとわりついている印象を受ける。一緒にいて嫌な感じのするタイプではないが、その虚《うつ》ろな眼には気を許すのをためらわせるほの暗さがある。

そんな伯母とは対照的に、和人君は活発で、しかも自制が利いていた。まどかは後ろにもう一人来て焦ったのか、滑り台の上から滑り降りられなくなってしまった。長い間まごまごとしていたが、和人君はじっとそれを待っていた。

雪見が手を貸してやり、まどかを滑らせる。

「まどかのほうが二カ月早いけど、和人君、しっかりしてるわ」

話を聞くと、和人君のママは出産前まで保母さんをやっていたそうで、子供の扱いには慣れているのだという。そういう人は子供に手を上げたりしないものか、ためしに訊いてみたが、和人君の伯母は薄く笑って、見たことがないと否定した。雪見は一度そのママに育児の秘訣を教わりたいものだと思った。

「あの……」と和人君の伯母が遠慮がちに切り出した。「このあと、お暇ですか？」

「え……というと？」雪見は訝《いぶか》って問い返した。

「よかったら近くの喫茶店にでも行きませんか？」

「でも、まどかも今来たばかりだし」

「もう少し遊ばせてから」

何か唐突で無理のある誘いだなと思った。雪見でも多少の人見知りはするのに、いかにも人付き合いの苦手そうな彼女が初対面でそんなことを言い出してくるのは違和感があった。

「すいません」雪見は直感的に首を縦に振ることができなかった。「今日は家の用事で義母が待ってるもので……また今度」

祖母の介護という伝家の宝刀は使えなくなったが、家の事情なら相手も大人しく引くだろうと、とりあえずはそれで逃げておくことにした。

「じゃあ……また今度」和人君の伯母は、陽炎《かげろう》のようにゆらりと笑って言った。

*

「雪見さん……？」

尋恵は二階に確かな物音がしたのを聞いて、階段の上を見た。俊郎は午前中から出かけている。雪見もまどかと公園に行ったはずだが、いつの間にか帰ってきたのだろうか。それにしてはまどかの声がなかった。

「雪見さん」

尋恵は階段をゆっくりと上がっていった。

またかすかに物音が聞こえた気がした。

洋間は俊郎の勉強部屋だが、ドアが開け放たれていて、一目で誰もいないのが分かった。

和室のふすまが半分開いている。湿った風がそこから抜けてくる。

ふすまを全部開けてみる。

部屋の奥でカーテンがはためいていた。

網戸から風が吹き込んでいる。それに煽られてか、窓枠の柱にかけてあったプラスティックのかごが落ち、洗濯ばさみが畳に散乱していた。

知らないうちに風が強くなってきている。また梅雨空が戻ってくるかもしれないな……そう思いながら、尋恵は洗濯ばさみを拾い集めた。ベランダに干してあったシーツも取り込み、網戸にしてあったところは半分だけサッシを閉めた。まどかが身体をかゆがったりするたびに、雪見がシックハウス、シックハウスとうるさいので、このところは尋恵も閉め切らないように気をつけている。

シーツを畳んで一階に下りた。そしてリビングに入ったところで尋恵は足を止めた。

テラスの向こう……。

庭に人影が見えた。

男の背中が庭の片隅で丸まっている。

尋恵はテラスに進み寄り、サッシを開けた。

男……武内がその音に振り向き、風に乱れた髪をかき上げながら尋恵に笑いかけた。

「シンビジュームが倒れてて」

地面にこぼれた培養土を手ですくって鉢に入れている。

「あらあら。すいません、わざわざ」

「いえいえ。こちらこそ勝手に入ってきて」

武内と一緒に、鉢を風に当たらないところに移した。

それが終わり、武内が腰を伸ばしたところで、尋恵は改まって彼に頭を下げた。

「先日はどうもありがとうございました。おかげ様で無事に葬儀も済みまして」

「何よりです」武内が軽く頭を下げ返す。

「それから、何ですか。あんなに香典を頂いて……」

「気持ちですよ。気にしないで下さい。またこちらからお世話になることもあるでしょうし、お互い様です。お返しも結構ですから」

「まあ……そんなわけにはいきませんけど」

武内は静かに首を振ってその話を打ち切った。

「だいぶ落ち着かれましたか？」

「そうですねえ。落ち着いたのか、気が抜けたのか……」

「奥さんなら、そのうちきっと元気になられますよ。まあ、こう言ったら何ですが、自由の身になられたわけですから。今度はそれを楽しまなくっちゃ駄目です」

武内は自分で言っておきながら、照れくさそうに肩をすくめた。それから、「ちょっと横着しますね」とフェンスを子供のように乗り越えていった。ひさしを除いてほとんど完成した植木鉢の棚の脇に下り、いたずらっぽく笑う。

「その髪の色、なかなか素敵ですよ」

「まあ……」尋恵は風で乱れたセットを手で直した。「あんまり美容院の人が勧めるんで。光の加減でしか分からないくらい微妙でしょ」

「柔らかい感じがしますよ。似合ってます」

家の中では雪見ぐらいしか言ってくれる者がいないだけに、尋恵は素直に嬉しかった。

「お、まどかちゃん」武内が尋恵の後ろに視線を流した。「こんにちは」

公園から帰ってきたまどかがテラスに顔を出して、こちらを見ている。

「ちょっと待っててね」武内は言うと、家の中に入っていき、すぐに出てきた。「はい。ジュースあげる」

ヤクルトをまどかに渡そうとする。まどかがどうしようか迷っているので、尋恵が彼から受け取り、ふたを開けて渡してやった。

「ありがとは？」

「ありがと」まどかは消え入るような声で言い、美味しそうにぐびぐびと飲み始めた。

武内は眼を細めてそれを見守っていた。

その晩、尋恵は寝入りばなに目を覚ました。一瞬、姑が呼んだのかなと寝ぼけた頭で考えたが、すぐにあり得ないことと気づいた。

上が騒がしい。まどかの泣き声が聞こえる。時計を見ると、十二時をとうに過ぎていた。

二階に上がって和室を覗いた。明かりが点いていて、まどかが布団の上で全身の力を振り絞って泣き喚いていた。

「どうしたの？」

隣で雪見がうんざりした顔をしている。

「もう……全然寝てくれなくて」

「寝ないって、今日はお昼寝もしてないんでしょ？」

熱があるのかと思ってまどかの首に触ってみたが、そんな感じではない。まどかが嫌がるので、尋恵は手を引っ込めた。

「訳が分かんない」雪見が言う。

よく見ると、まどかのこめかみに汗が浮いている。扇風機はついているが、二階には独特の暑さがある。

「ちょっと蒸し暑いんじゃないかな。エアコン点けてみて」

これだけ泣いているのだから、汗をかくのも当然だろうが、そうしてみるしかなさそうだった。

一階の寝室に戻ってベッドに入る。勲は心地よさそうに寝息を立てている。

まどかの泣き声はそれから二十分以上経っても止《や》まなかった。

尋恵はもう一度二階に上がった。

「俊郎の勉強に差し障るからさ、下で寝かしつけてあげて」

雪見はむすっとしながらも尋恵の指示に従い、リビングのローテーブルをずらして、そこにまどかの布団を敷いた。雪見はソファで寝るつもりらしい。

それからしばらくぐずっていたようだが、尋恵のほうが先に寝てしまった。

翌朝……いつもなら七時には大きな声でこの家を賑やかにしてくれるまどかも、この日は九時を過ぎてなお、リビングの中央で大の字になっていた。

「二時だよ、二時」雪見が腫れぼったい眼で愚痴る。「もう今日は公園遊びはなしだね。私のお昼寝にあてよ」

「ありゃ、夜遊び好きの女になるな」俊郎が無責任な冗談を言い、勉強に出かけていった。

この日は夕方まで煙のような雨が降り、どちらにしろ雪見が元気であっても公園遊びは無理な空模様だった。

四時を過ぎ、尋恵は雪見たちを残して、一人で買い物に出かけた。たまにはすき焼きでもと牛肉を買ってスーパーを出ると、雨は上がっていた。晴れ間さえ覗き、東の空には涼しげな虹が架かっている。

家に帰って雪見を呼んだ。

「雪見さん、虹だよ。まどかに見せてあげて」

雪見はリビングでうつらうつらしていた。尋恵の声に顔を上げる。

「ああ、今見たとこ」

「まどかは？」

「お庭でしょ」

テラスに出てみると、まどかに加え、フェンスの向こうには武内がいた。

「虹ですよ」

武内が尋恵を見て空を指差す。尋恵は笑顔で頷いた。

まどかは虹など目もくれず、ヤクルトをぐびぐびと飲んでいた。

〈10〉 墓地

リビングに敷いたまどかの布団を触って、雪見はまたかとがっかりした。

ここ一週間でおねしょは三回目だ。しかもその間、夜中の二時、三時まで寝ついてくれない日々がずっと続いている。リビングで寝るのが当たり前になってしまっているのだ。仏壇のある和室や祖母が寝ていた部屋は怖がるので、二階が駄目となれば必然的にリビングしかない。

まどかのパジャマと下着を脱がせ、シーツと布団カバーを外して洗濯機を回した。

まどかに向き合い、パンツを穿かせる。

「ねえ。今日寝るときから、もう一回オムツ穿こうか？」

ため息混じりに訊いてみると、まどかは「いやー」と情けない声を出した。

「でも、そしたらどうするの？　またおねしょしちゃうよ」

こんなこと子供に言ってもしょうがないんだろうなと思いながらも、言わずにはいられなかった。

「もうしない」まどかが泣きそうな顔で言う。

そりゃ、したくてしてるわけじゃないだろうけど……オムツ外しはうまくいったと思っていただけにがっかりだ。

雪見の当惑は、まどかに対してというより、自分に対してといったほうが正しいのかもしれなかった。この一週間で、子育ての自信が脆《もろ》くも崩れてしまっている。

それまでは反抗されて手を焼いても、大枠のところではまどかをコントロールできていると自負していた。どんなときはどうすればいいか、だいたい分かっていたし、ご機嫌斜めの理由も考え詰めてみれば思い当たる節があるものだった。

しかし、ここ最近は、まったくどうしていいか分からない制御不能の状態が何度あったことか。一方的にフルボリュームで泣き喚かれ、コミュニケーションが一切通じない。怒るも駄目、なだめるも駄目、触るも駄目、離れるも駄目。今までの経験や理解を超える別人まどかを相手にして、こちらはただ途方に暮れるしかないのだ。

昼近くに起きてから夕方までは比較的ケロッとしている。多少の反抗やぐずりはあるが理解の範囲内で、体調も悪そうには見えない。しかし、夜になって何とか寝てくれと布団に押し込めると足をバタバタさせて暴れ出す。子守唄も昔話も聞いてくれない。あげくには泣き始め、こちらがかっとなれば火に油を注ぐばかりだ。ようやく泣き疲れて寝たと思ったらおねしょである。

　祖母の死を引きずって情緒不安定になっているのか。それとも、論文式試験に駒を進めた俊郎からピリピリした空気を敏感に感じ取っているのか。あるいはただ単に、成長の過程であり得るケースなのか……。

　とにかく今までのノウハウではまったく対処できない。ここのところは雪見自身も眠れなくなってしまった。まどかの泣き声を聞くと、ビクリとする。尋常ではない泣き方をされると、まどかに恐怖心さえ覚える。

　信じられない衝動も出てくる。あまりにひどい泣き喚きが続いていると、思わずその口をふさぎたくなるのだ。できることと言えば、その衝動を抑えることだけ。あとは何の手立てもなく、呆然と子育てを放棄している自分がいる。とことん付き合う根気が続かなくなっている。難解な問題に嫌気が差し、放り出したくなっている。

　この日は二七日《ふたなぬか》の法要があり、十一時にお寺の住職がお経を上げにやってきた。満喜子はやはり姿を見せず、義母と俊郎が祭壇の前に並んだ。義父は昨日から大学の司法試験勉強会の合宿に指導教員として同行している。まどかは祭壇の遺影が怖いのか骨壺が怖いのか、和室に入ろうとしない。雪見はまどかを膝に乗せながらリビングで法要を見守り、あとはお茶を出す役をこなした。

「あの……納骨はいつ頃がいいんでしょうか？」

義母の問いに、お茶をすすっていた住職は、「まあ、最近は百カ日あたりが多いですが、皆さんが集まられる日がよろしければ四十九日でも」と答えた。

「そのほうがいいんじゃない。早くおじいちゃんと一緒にさせてあげれば」と俊郎が口を出す。

義母にも特に考えがあったわけではないようで、四十九日に納骨も済ますことが決まった。

昼食を終えたあと、義母はテラスの窓から外の天気を見て、雪見と俊郎に顔を向けた。

「今日、お墓の掃除してこようか。ついでに近くの石材屋さんに墓誌の戒名彫りを頼んでおきたいし」

「俺も？」俊郎が笑いの混じった声で訊く。

「たまにはいいでしょ。合格祈念してきなさい」

そう言われて、俊郎は「へいへい」と首をすくめた。

「まどか、お出かけするよ」

「どこ行くの？」

そう訊かれたが、適当にごまかしておいた。墓地は面白くないだろうが、帰りにスーパーぐらいには寄るだろう。

身支度を済ませて外に出ると、隣のガレージで武内が車を洗っていた。

「どうもー」俊郎が軽い調子で挨拶する。

「そろってお出かけですか？」武内がにこやかに訊く。

「ええ、ちょっとお墓のほうに」義母が穏やかに答える。

「ああ、多摩野霊園の。そうですか。お気をつけて」

義母は何でも話しているんだなと、雪見は呆れ気味に思った。おそらく、墓を建てたら満喜子に「何の相談もなく、そんな遠いところに建てたの？」とねちねち言われたことなどを話したのかもしれない。雪見もそんな話を聞かされたことがある。

梶間家の墓は、十五年ほど前、祖父が亡くなったときに建てられたらしい。その頃、義父は横浜地裁の相模原支部に勤めていたそうで、終《つい》の住みかも神奈川か西東京に構えるつもりだったのだろう、多摩野の西外れに墓地を買ったのだという。

「いいねえ、ベンツは」俊郎は立ち止まって、羨ましそうに武内の車を眺めていた。「俺も欲しいね。でも弁護士が乗ると客の反感を買うっていうしな。いや、仕事で使わなきゃいいか」

じゃあ、私の車かなと、雪見は心の中で罪のない夢物語に付き合った。

「よかったら、いつでもお貸ししますよ」武内が言う。

「へへへ」俊郎はご機嫌になり、ちゃんと聞いたぞということなのか、武内に指を差してみせ、笑いながら車に乗り込んだ。

運転は俊郎が受け持った。助手席に義母が座り、後部座席のチャイルドシートにはまどかを、そしてその隣に雪見が座った。

「やっぱりカローラは駄目だなあ。狭いし、大人三人乗ると加速が全然だよ」

俊郎が乗ったこともないベンツと比べながらカローラを動かす。

車は東西に長細い多摩野市を横断する多摩野街道を西に抜けていく。

途中からまどかが寝てしまった。それはそれで静かだからいいのだが、夜のことを思うとそうも言ってはいられない。寝顔はこんなに可愛いんだけどなと、まどかの髪を撫でながら思う。

霊園には三十分足らずで着いた。花屋で対の供花を買った。霊園内は壮観なほど、あたり一面墓だらけだ。その中を縫う狭い車道をぐるりと回って、梶間家の墓がある区画の前で俊郎が車を停めた。墓は目の前なので、エンジンをつけてエアコンを利かせたまま、まどかを残して降りることにした。

備え付けの桶に水を汲んで墓に向かう。

「ああ、やっぱりぼうぼうね」

お彼岸を最後に来ていなかったので、梶間家の墓は玉砂利の隙間から盛大に草が伸びていた。三人で抜いてもちょっとやそっとでは済みそうにない。

「あれ、何これ？」

俊郎の声と同時に、雪見もおかしなものに気づいていた。

墓誌の横に小さな地蔵がある。

「あら、やだ。どうしてここに水子地蔵が？」

義母が言い、雪見はふっと血の気が引いた。

「これ、見て。墓誌にも」義母が墓の手前、横向きに立てられた墓誌を指す。

そこには祖父の戒名や名前、没年月日の隣に、新たな一人が彫り加えられていた。

明雪水子《すいし》……あすか……没年月日は雪見も忘れない六年前のあの日だ。

あすかの「明」に雪見の「雪」で明雪。

「ちょっと困るわね。どこかの家のが間違ってここに来ちゃったんだわ」義母は呆れたように言った。

「これ、墓誌の石、丸ごと替えなきゃいけないじゃん」俊郎も憤っている。「彫った石材屋に弁償してもらおうぜ」

俊郎が付近の石材店を当たってくると言って、車で飛び出していった。

その間、雪見は義母と草を抜くことになった。足から力が抜けて座り込みたかったので、ちょうどよかった。

しかし……。

誰がこんなことを……。

「ちょっと雪見さん、大丈夫？　顔色悪いけど」義母が目ざとく雪見の異変を感じ取った。

「そう？」雪見は作り笑いでごまかした。確かに今の自分の顔には色がないだろうなと思った。それくらい、頭全体がふわふわとして気持ち悪い。

隠し通せるのだろうか。

明らかに事実を知った者がいて、悪意に満ちた方法でそれを暴露しようとしているのに。

いや……。

今まで一人で背負ってきたからといって、隠し通さなきゃいけないものなのか。

やがて俊郎が戻ってきた。

「分かんないね。二軒ばかり当たってみたけど、知らないって」

「どこか近くに同じ梶間っていうお墓があるんじゃないかな」義母が言う。

「そこと間違えたってことか。探してみてもいいけど、それが分かったって所有者の連絡先が分かんなきゃ」

「管理事務所に訊けばいいんじゃないかしら」

「あ、そうか。そこで調べてもらえばいいんだ」

我慢できなくなって、雪見は立ち上がった。

「私、ちょっと実家に行ってくるから」

「何だよ、いきなり」俊郎が眉を上げて雪見を見る。

「お義母さん、まどかお願いね」

「雪見さん……」

「帰ったら話すから」

そう言い残して、雪見はその場を離れた。夢遊病者のように霊園内を歩いて外に出た。タクシーを拾い、西多摩野駅で降りた。電車に乗り、シートに座って大きくため息をついた。

あのとき……。

俊郎に相談してから中絶すればよかったのだろうか。そうしておけば、少なくとも今になってこんな嫌な思いはしなくて済んだはずだ。

しかし、そんな後悔も今だからこそできるようなもので、当時は一つの解決策しか目の前にはなかったのだ。

四年前、まどかの妊娠が分かったときは、これ以上命を摘むことはできないと思って俊郎に告げた。彼はあっさり結婚に踏み切ることで答えを出してみせ、どうなることかと不安だった生活も義父母の支援で何とか回った。そのとき雪見は、ああ何とかなるもんだなと思った。もしかしたら最初の妊娠のときも彼に告げていれば、まどかのときの展開が二年早く来ただけで、恐れることは何もなかったのではとも思った。

けれどやはり、最初の妊娠では露ほどの余裕もなかったからこそ、ああいった方法を選ばざるを得なかったのだ。

二十四歳に二十二歳……俊郎も自分も若過ぎたと雪見は思う。彼は就職などさらさら考えていない極楽とんぼで、深刻な話も全部冗談に変えてしまう軽さしか持っていなかった。結婚などまだまだ頭の隅にもないことは、彼と接していればすぐに分かることだった。

雪見自身も、自分が子供を育てることなどは想像もできなかった。一人の命に責任を持つなんて怖いと思った。生まれてくるからには幸せにしてやりたいし、自分のような子供時代は送らせたくない。考えれば考えるほど、今は産めないという結論に絞られていった。

これしかないと気持ちが固まったとき、今度はそのことを俊郎に話して、彼が深く考えもせず、「産めよ」と言ったらどうしようと考えるようになった。彼の性格を考えると十分あり得ることだった。

結局、これは自分一人で解決してしまうのが一番いいのではないか……それが、妊娠が分かってから一カ月後に雪見が行き着いた決断だった。

雑誌の読者投稿などを読み、中絶の経験者って結構多いんだなと自分の心をごまかして手術に臨んだ。手術は不快極まりなかったが、終わってみればあっけないものだった。それでも、問題が片づいた安堵《あんど》のようなものはまったく湧かなかった。徐々に心を巣食う罪悪感に苛まれるようになった。自分の都合で無垢《むく》な命を摘んでしまうなんて……事情を知らない者だからこそ言えると思っていた言葉が、いつの間にか抜き身の刃《やいば》として自分の前にあった。雪見はその刃で何度も何度も自分の心を切り刻んだ。

女の子だったらいいな……悩んでいた一カ月の間には、そんなことを考えていた時期もあったのに。「あすか」とか「まどか」とか、ひらがなで書く柔らかい名前がいいな……そう空想していたときもあったのに。

手術代の領収書をもらったときは、こんなものいらないと思ったが、自戒のために手帳に挿んでおくことにした。

堕ろしてから何カ月か経った頃だ。雪見は街の雑貨店で自分を見ている赤ちゃんの人形を見つけた。忘れかけていた頃だっただけに衝撃があった。あの子だと思った。こんなところにいたのと、その人形を抱き、買わなきゃと思った。家に帰って前かけにＡＳＵＫＡと刺繡を施した。前かけのポケットに手術の領収書を入れて、机の上に置いた。あすかは動物のぬいぐるみたちに囲まれて、ちょっと楽しそうだった。

あなたのようにはさせない……あなたの分まで大切にする……そう思って産んだまどかは、いつしかあすかを超えて大きくなっている。

あの子、梶間の家に連れていかないことを怒っているのかな……ふとそんな気もした。あの子にはどう責められても仕方がない。

でも、それはやはり違う。誰かがやっているのだ。生身の人間がやった汚い仕業だ。

いったい誰が？

海老名にある実家は、梶間家の墓地以上に雑草の生い茂った、辛気くさい一軒家だ。雪見は玄関に入って、薄暗いたたきに靴を脱ぎそろえた。

家の中に男の臭いがある。またどこかの男と住んでいるのだろうか。どうでもいいことだと思いながら、テレビの音がする台所を窺う。

「何だ、お前か」

食卓の椅子の一つに、母が斜《はす》に座って煙草をふかしていた。ばさばさに乾いた髪には白髪が増えている。すっぴんの顔は全体的にくすんで見えた。

「来るときは電話くらい寄越せよ」

雪見はそれに応えず、実母を正面に見据えた。

「あんたさあ、うちの……梶間のお墓に何かした？」

「は？　何かって何だよ？」

口を半開きにして雪見を見返す。この表情を見て、雪見は違うなと思った。この人は何も知らない。気づいている可能性はあると思っていたが、元より自分の子供に興味などないのだ。

「もういい。何でもない」

「いきなり来て、何おかしなこと言ってんだよ。馬鹿かっつうの」

「馬鹿って言うほうが馬鹿なのよ」

言い返しながら、雪見は台所の片隅にある古びた冷蔵庫に目を留めた。

「何これ……私の冷蔵庫は？」

「売ったよ」

母ははなから開き直ったように言ってのけた。しかし、雪見の険悪な視線を受け、「これ、叩いたら直っちゃってさ。で、ちょうど冷蔵庫を探してる友達がいたもんだから」と苦しげな言い訳を口にした。

結局そういうことなのだ。雪見は心底失望しながら、半ば分かっていたことだと、そのやり切れなさにふたをした。嫁入り道具も用意してくれない親がいると思っていたが違った。嫁入り道具を売りさばく親がいたのだ。

洗濯機も同じかと思ったものの、確かめても腹が立つだけなのでやめておいた。今日はそれどころではない。ため息を残して二階に上がる。

和室の片隅にある小さな机と押し入れの中のいくつかの段ボール箱に、雪見がここに住んでいた名残がある。部屋全体はがらんとしていて、隅には埃も浮いている。部屋を使っていないという母の言葉には嘘はないらしい。

机の上に座っているあすかを抱く。身体を持てば、前かけのポケットに紙が入っている感触は分かる。が、感触がなかった。抜き取られている。

やはりこれか。

触らなければ気づかないだろう。しかし、偶然にしろ、この人形に触れれば気づいておかしくはない。そうやって紙を広げて、ほくそ笑んだ者がいるのだ。

よほど執念深くこの机に手をつけたらしい。

引き出しを開けてみる。と、ノートや手帳の類も何冊か消えていた。ああ、当時の手帳にも中絶のことを何か書いていたかもしれないなと気づいた。さすがに詳しくは憶えていない。消えたノート類はもう必要ないものばかりだ。とはいえ、気味が悪いことに変わりはない。

誰かが侵入していることははっきりした。

サッシを見ると、回転錠がかけられていなかった。

外は小さなベランダになっている。その気になれば下からよじ登ることもできるだろう。

母は布団を干すこともまれだから、長い間ここは侵入可能な状態だったわけだ。

雪見は回転錠をロックした。

あすかを抱き締める。

この子ではない誰かが私を攻撃しようとしている……。

実家には母の男が帰ってくるまで粘ってみた。その男が二階の雪見の机をあさって……という可能性も捨て切れなかったからだ。しかし、ひげ面のむさ苦しい男が母に放った最初の言葉は、「何だ、お前、子供がいたのか?」だった。それを聞いただけで雪見はまともな挨拶もせず、さっさと実家をあとにした。

雪見があすかを持って梶間家に帰宅したのは、夜の八時を過ぎてからだった。

梶間家には何とも言えず重い空気が立ち込めていた。雪見はリビングで深刻な顔をした三人を前にして六年前の事実を話した。誰に責められているわけでもないのに、ありのままを打ち明けることはつらく苦しかった。知らず知らずのうちに眼が潤み、声が詰まった。

「一人で抱え込むことなかったのに」

義母はいたわるようにそう言ってくれた。雪見は頷いたとたんに涙をこぼしてしまった。

「誰がやったかっていう心当たりはないのか？」

黙って聞いていた義父はそれだけを尋ねた。雪見はそれも頷くしかなかった。

墓誌は四十九日までに取り替えることになり、水子地蔵も誰の仕業か分からない以上、撤去することになった。その上で雪見が望むなら、改めてお寺と相談して供養を考えてもいいと義母は言ってくれた。

「雪見、ちょっと」

重苦しい時間のあと、二階に上がりかけた俊郎が呼んだ。ほとんど聞いたことがないくらい不機嫌な声をしていた。

二階の洋室のドアを閉め、彼は椅子を回して雪見のほうに向かって腰かけた。

「何で言ってくんなかったんだよ？」吐き捨てるように訊いてくる。

「ごめん」それしか言えなかった。

「そんなのさ、何とかなるじゃん。何で簡単に堕ろしたんだよ」

「簡単に堕ろしたわけじゃないわよ」

「何か露骨に俺のことが頼りにならないって言ってるみたいじゃん」

「そんなことないけど、これだけは安請け合いしてもらっても困ることだし」

「俺がいつ安請け合いしたよ？」

「だって、調子のいいこと言ったって、責任取れれば取るし、取れなきゃ取らないっていうのがあなたじゃない」

「何だよ、逆ギレかよ」

「逆ギレも何も、あなたこそ怒らないでよ。私一人で抱えて苦しんで、どうしてあなたに怒られなきゃならないの？」

「だから、一人で抱えようとするのが許せないんだよ」

俊郎はふて腐れ気味に言い、わざとらしく嘆息して話を変えた。

「あのさあ、俺の前に付き合ってたやついただろ。中野《なかの》とかいった」

急に変な名前を出されて、雪見は言葉が出てこなかった。

「あいつとまだ関わりがあるのか？」

「あるわけないじゃない。もう何年も前の話だし」

「でも、俺と付き合い始めた頃もちょくちょく会ってたんだろ？」

「会ってたんじゃなくて、付きまとわれてたのよ。あなたも知ってるでしょ」

言いながら、中野という線は一つの可能性としてあるかもしれないと思った。実家に侵入して、梶間家の墓地にいたずらをした犯人だ。

中野とは十年ほど前に一時付き合っていたが、俊郎と出会った頃にはあの男の粘着質な性格に雪見も嫌気が差していて、ほとんど逃げ回っていた。しつこく付きまとわれたり、一方的に手紙を送りつけられたりと、ストーカーまがいの行為が続き、うんざりしていた。

あの男ならあり得る。しかし、彼とは七年も前から会っていない。今頃になって、なぜまたという気もする。そう言えば、中野から送りつけられた手紙や、逆にこちらから送りつけた内容証明つきの警告書の控えなどは、俊郎から言われて何かのときのために保管していた。あれはその後処分したかどうか憶えていない。もしかしたら、机の引き出しの奥にでも入っていて、今回の侵入者が持っていってしまったかもしれない。

ただ、中野かどうかは確認しづらいなと雪見は思った。もし違っていたらと考えると、中野本人に問い質すのは二の足を踏みたくなる。ようやく切れた関係をむやみにこちらからつなぎたくはない。

「真面目に訊くけどさ」俊郎は膝に手をつき、心持ち身を乗り出した。「六年前の妊娠って、本当に俺の子なのか？」

「……どういうこと？」

「いや、可能性としてさ、そうじゃないってこともあると思ってたんじゃないのか？　だから堕ろしたんじゃないのか？」

俊郎が自分とはまったく別の方向へ考えを及ばせていることに気づいて、雪見は呆れた。中野の子だと疑っているのだ。

「何言ってんのよ」

そんな下らない考えは一蹴したが、俊郎は不愉快そうな表情を崩さなかった。

〈11〉 亀裂

玄関のチャイムが鳴り、トイレ掃除をしていた尋恵はゴム手袋を外した。

「はい」インターフォンまで戻るのも面倒くさく、そのまま玄関に出てドアを開けた。

門扉のところに中年の男女が立っていた。後ろに、丸眼鏡をかけた女性が口元に笑みを作って尋恵にお辞儀し、アプローチを歩いてきた。後ろに、地味なスーツを着た男性が続く。

セールスかなと思い、尋恵はドアから顔を出したまま、黙ってそれを眺めていた。

「あの、お忙しいところ失礼します」丸眼鏡の女性は丁寧な口調で挨拶した。「私ども、児童相談所の相談員をしている者なんですが」

彼女は尋恵に名刺を差し出した。後ろの男も軽く頭を下げて、名刺を出してくる。尋恵はそれを受け取ったが、児童相談所なるものにこれまで縁はなかったので、彼女らの訪問意図が分からず、「はあ」とだけ応えた。

「こちらのお宅は、小さなお子さんと若いお母さんがいらっしゃいますか？」

丸眼鏡の女性が訊いてくる。名刺を見ると稲川《いながわ》という名前だった。

「ええ。いますけど……」

「失礼ですけど、奥様はそのお子さんの……」

「まあ、おばあちゃんですね」

「あ、そうですか。そうするとここのご家族は……」

尋恵は稲川に訊かれて、家族の年齢や名前などを答えた。

「ええと、それで今日はまどかちゃんと雪見さんはご在宅で？」

「いえ、出かけてますけど」

今日の雪見は生活サイクルの乱れているまどかを八時頃に強引に起こし、一日遊園地で遊ばせてくると言って出ていった。まどかをたっぷり疲れさせて、今日こそは早く寝かせようということらしい。それに雪見本人も気晴らしを求めているようなところがあり、尋恵は弁当を作って送り出してやった。

「ああ、出かけていらっしゃいますか。いえ、結構ですよ」稲川は愛想を保って言う。「ええと、すぐそこで構いませんから、ちょっと入れて頂いてよろしいですかね」

依然、話の先は見えないままだが、不審な人たちではないようだし二階には俊郎もいるので、尋恵は上がりかまちまで退がって二人を入れた。

男性がドアを閉めたのを合図にしたように、稲川が切り出す。

「実はですね、当所のほうに、お宅のまどかちゃんがお母さんに……ですから雪見さんにですね、その何というんですか……いわゆる虐待のようなものを受けてるんじゃないかという匿名の通報が寄せられましてね」

「え？」尋恵は驚きのあまりに声をこぼした。

「まあ、虐待というと言葉があれなんですが……その……しつけが乱暴に行き過ぎてしまうことが最近でもねえ、よく世間を賑わす問題になってるわけでして。それで、念のためにちょっとお話を伺いに参った次第なんですが」

話しながら、稲川は尋恵の肩越しに会釈を送った。振り返ると俊郎が立っていた。

「それはいくら何でもねえ、何かの間違いだと思いますけど」

心からというわけではなかったが、尋恵は笑い流した。

「はいはい」稲川は尋恵に合わせるように頷く。「そうであれば大変結構なんですけどね。一応お尋ねしますけど、最近まどかちゃんの身体に痣を見つけたとか、何か気になるような変化はございませんか？」

「いや、そんなことは……」否定しかけた言葉が尻切れになる。痣はないはずだ。尋恵もときどきまどかに服を着せたりするので、あれば気づく。しかし言われてみれば、ここ最近のまどかの様子はおかしいのだ。寝つきが悪く、情緒が著しく不安定になっている。雪見も首を捻っていたが、原因がよく分からない。

「まあ、少し奥様のほうで様子を観察して頂いてですね、何かありましたら、私どものほうへ遠慮なくご相談下さいませんか。なかなか家庭内のことは外に出しにくいとは思いますけど、こういう問題はそのまま放っておきますと、あとで悔やんでしまう結果につながりかねませんから。若いお母さんには多いんですよ。何でも自分で解決しようと頑張る気持ちが裏目に出ちゃって、悪いほうへ悪いほうへとね」

そういう傾向は当てはまるかもしれないなと尋恵は思った。特に雪見は保育所も使わず、ほとんどつきっきりでまどかを育てている。全部自分でやろうとすることの危うさは、尋恵も姑の介護で身をもって分かっている。

「じゃあ、またこちらからもご連絡しますけど、しばらく奥様のほうで」

「分かりました」

稲川たちを見送った尋恵は、部屋に戻ろうとして、苦虫を嚙み潰したような俊郎の顔に視線が当たった。

「あなたが変に口を出してもこじれるから、とりあえず私に任せて」

尋恵が言い含めると、俊郎は肩をすくめて、「あいつ最近おかしいよ」と呟きながら階段を上がっていった。

*

よみうりランドを連れ回した日のまどかは、さすがに八時にはぐっすり寝入ってくれた。次の日は一日中雨で、まどかの駄々も多かったが、それでも昼寝をした上、夜の八時半には寝ついていた。

しかし、その次の日は雨も上がって、公園に散歩に買い物に引っ張り回し、夕方には義母と庭に出てはしゃいでいたにもかかわらず、夜になると布団の上で暴れ始め、二時近くまで泣き通す状態に戻ってしまった。

何がよくて何が悪いのかがさっぱり分からない。雪見はますます自信を失うばかりだった。

それに加え、家の中には今までに感じなかったような空気が漂い始めている。疎外感にも似た、何となく遠巻きに見られているようなよそよそしい気配が雪見を包んでいる。中絶の件はあれで終わったように見えて、やはりそうではなかったということか。自分を含めて、この家族には明らかな変化が表れ始めていると雪見は思う。それがどういう形になろうとしているのかは分からない。

この日は薄曇りで小雨がぱらつきそうな空だったが、雪見は十一時近くまで寝ていたまどかに朝昼兼用のおにぎりを食べさせると、十二時半には傘を持って公園に連れていった。

途中、四つ角の向こうに黒い車が停まっていたが、雪見は四つ角で曲がってしまったし、もうあまり気にならなくなっていた。寺西とかいった記者はあれ以来、姿を見せていない。

土曜日なので何人かの小学生がいるかと思ったが、公園には誰もいなかった。お昼時だから、ママや小さな子はもちろんいない。

ところが、まどかを滑り台でしばらく遊ばせていると、和人君とその伯母が手をつないで公園に入ってきた。

「あ、こんにちは」

こんな時間に……と思いながらも、雪見は一応如才なく挨拶した。和人君もしっかり挨拶を返してくる。

この二人に会うのは今日で三度目になる。雪見は二度目にも何となく感じていた奇妙な符合に、今日こそはっきりと思い至った。

この二人は雪見たちが来てから少し経った頃に現れる。そして、雪見たち以外のママや子供がいないときにやってくるのだ。二度目のときも、和人君の伯母は遠慮がちに雪見を喫茶店に誘ってきた。そのときも雪見は適当な口実で逃げた。

なぜか知らないが、妙に気に入られている。どこかこの公園が見えるマンションの上階に住んでいて、そこからチェックして来ているのではないかとさえ思える。

和人君は早速、滑り台で遊び始めた。まどかも和人君と遊ぶのには慣れたようで、呼吸も合っている。子供同士に関しては何の問題もないのだが……。

和人君の伯母は、相変わらず魂の抜け殻のような顔をしている。天気のことなど当たり障りのない話をしたところで、早くも話題に詰まった。何となく横からジロジロ見られているのが分かったが、目を合わせるのも気が進まず、雪見は子供たちのほうだけを見ていた。

「何か……お疲れのようですね」不意に彼女がぽつりと言う。

「そ、そうですか……？」

当たっているけど、この人に言われたくないなという気もした。人のことよりまず自分の心配をするべきじゃないだろうか。

「何かお悩みのことでも？」

そう訊かれて雪見は一瞬躊躇したが、話を切るのも場の空気に悪いので、軽く応じることにした。

「最近、まどかの寝つきが悪くて……」

寝かせるのに一時二時までかかり、暴れて手がつけられないことも多いという話をした。

彼女も大きな子供がいるかもしれない。もしかしたら経験上のアドバイスが聞けるのではという望みもないではなかった。

「それは変な話ですねえ」

和人君の伯母は、そんな感想を洩らした。「困った話」と言われるなら分かるが、「変な話」という言い方も独特だなと、雪見は引っかかりを覚えた。

それっきり会話は途切れてしまった。どうやらコメント一つだけで話は片づけられてしまったらしい。軽い失望はあったが、やはり素人では難しいのかなという気がした。こうなると専門医に相談すべき問題なのかもしれないなと思った。

ところが、雪見がその話を手元へ引っ込めた気になった頃に、和人君の伯母は、「それ……」と暗い声を出した。

「何か特別なものを誰かに飲まされてるんじゃないかしら」

「え？」

まったく脈絡のない言葉を投げかけられたも同然で、雪見はぽかんと彼女を見た。

「例えば、カフェインの強い飲み物とか。カフェイン自体、錠剤で売ってますし、それを何かの飲み物に混ぜて飲ませるとか」

「ええ？」

この人いきなり何を言い出すんだ……雪見は呆気《あっけ》に取られた。彼女の口振りが真剣でなかったら、一笑に付したいところだ。いったい誰が、なぜ、まどかにそんなことをしなければならないというのか。どこからそんな発想が出てくるのだろう。

「よく考えてみて下さい。そういうことをしそうな、不審な人が周りにいませんか？」

「いやあ……」雪見はちょっと大げさなくらいに首を傾げてみせた。この人、被害妄想に取りつかれているのかもしれないなと思った。

「あの……今日このあと、お茶でもいかがですか？」

また突然……会話の運び方にも相当無理がある人だ。

「すいません。今日も家族で出かける用事があるんで」

やんわり断ると、彼女の冴えない表情に、さらに落胆の色が加わった。

「ああ、そうですか……」打ちひしがれたように呟く。

ちょっと気の毒かなと雪見は思ってしまった。この次あたりは誘いに応じたほうがいいだろうか。

一時を回る頃になって、小学生のグループが自転車に乗ってやってきた。広場のほうで賑やかに繰り広げられる話し声が、気詰まりになっていた雰囲気を和らげた。

次に、若い男が一人だけで公園に入ってきた。綿シャツにジーンズという出で立ちの、背の高い男だ。漫然とその姿を眺めていた雪見は、彼が自分のほうに向かってくるのに気づき、その顔を凝視した。

高い鼻に開き気味の両眼……特徴の一つ一つを確かめるまでもなく、すぐに誰だか分かった。思わず息を呑んでいた。

中野佳樹《よしき》だ。

間違いない。

どういうことだ……墓地の一件との関係があるのか考えたが、頭がうまく働いてくれず、雪見は混乱するばかりだった。

しかも、彼は笑いかけてきていた。

「よう。久し振り」

雪見の前で立ち止まった中野は、その顔を一層綻《ほころ》ばせた。

どんな言葉を交わしていいのか分からない。驚いたのももちろんだったし、かつての嫌悪感がそのまま残っていることにも気づいた。気取った声遣いや嘘っぽい笑顔には、相変わらずの嫌な粘り気が感じられる。

「どうしたの?」

こう言うしかないだろう。

「どうしたのじゃないだろ」何かのジョークを聞いたように彼が笑う。「まさか本当に来るとは思わなかったって言いたいのか？　来るよ。来るって。俺は全然雪見のこと忘れてなかったんだから」

流れが見えない。彼だけの勝手な事情がこの場に持ち込まれている。

「ちょっと訊くけど」雪見はストレートに尋ねて、主導権を取ることにした。「うちのお墓はあなたの仕業？」

「墓？　何の話？」

中野は実家の母と同じような反応を見せた。

まったく解せない。

「あなた……」言いかけて、雪見は和人君の伯母に目を移した。「あの、すいません。ちょっとまどかを見てもらえますか」

まどかにも和人君と遊んでいるように言い聞かせて、雪見は公園の隅にあるベンチに移動した。中野が後ろをついてくる。雪見がベンチに座ると、彼もならって隣に腰を下ろした。

それを待って雪見は立ち上がり、中野の前に回って彼を見下ろした。

「あなた、私の実家でコソドロの真似してない？」

「は？　お前、さっきから何言ってんだよ」

シラを切っているわけではなさそうなのだ。こちらの手札は一切通じない。仕方なく、どうしてここに来たのか訊こうとしたが、彼の口のほうが早かった。

「そんなこと訊くために俺を呼んだのか？　違うだろ？」

「待ってよ。私はあなたなんか呼んでないけど」

雪見がきっぱり言うと、中野は「またまた」と言いつつニヤニヤした。

何が「またまた」なのだろう？　少しも彼の事情が理解できない。

ふと、中野の視線が雪見の後ろに流れて固定される。振り返って、また驚いた。俊郎が歩いてくる。

彼は市立図書館に出かけたはずだが……いや……混乱を極めた頭の中で、雪見は何とか一つの可能性に行き着いた。つまり、俊郎が中野を呼んだのだ。それほどまでに彼が中野のことを疑っているとは思っていなかったが、そうとしか考えられない。

「どうも」二人のそばまで来た俊郎が口を開いた。いつもの軽い調子ではなく、敵意のこもった低い声だ。

「どうも」中野が同じように返す。

雪見は俊郎を睨み、ため息混じりに不平をぶつけた。

「もう。こんな趣味の悪いやり方やめてよ。どうして私を信用できないの？」

俊郎は逆に、笑いの混じったため息をついた。

「ちょっと待てよ。何か俺がこそこそお前を見張ってたみたいな言い方じゃないか。俺はたまたま今通りかかっただけだよ」

雪見は耳を疑った。話がさっぱり嚙み合っていないのだ。しかも、俊郎の言葉は雪見の読みをあっけなく打ち砕くものだった。何かの意図があって、彼がわざとでたらめを言っているのでなければ、この場には何一つ理にかなったことがないことになる。

「で、そちらはどうしてここにいるわけ？」俊郎が感情を殺した声で中野に訊く。

「雪見が呼んだから」中野が挑発するように答える。

「私、呼んでないって」雪見はムキになって否定した。

「この子、何か知らないけど、さっきから芝居がうまくってさ」中野は含み笑いとともに雪見を見た。

何を言うんだ、こいつ……雪見は憤りのあまり、顔がかっと熱くなった。

「そんな赤くなるなよ」中野は雪見と俊郎を交互に見てニヤつきながら、セカンドバッグから折り畳んだ紙を取り出した。「君らが仲直りしたのかどうかは知らないけどさ、俺はちゃんと雪見に誘われて来てるんだから。雪見には悪いけど、俺の名誉のためにもはっきりさせないとね」

そう言って、彼は俊郎に紙を突き出した。

俊郎がそれを広げて見る。便箋をコピーしたものだ。雪見は横から覗いた。


お久しぶり。元気ですか。昔のこと思い出しながら、これ書いてます。

あのころいろいろあったけど、楽しいことも多かったし、なつかしいな。

このごろ、人生の選択をまちがったかなと思ってます。悩むことばかりで、結婚前からやり直したい。彼とも心がはなれちゃいました。見せかけの関係です。

会えないかな。話だけでも。でも連絡先は教えられないの。こういうの、わかってくれるよね。

毎日、こどもと公園に行きます。多摩野市の新山公園。土日だったら仕事も休みだろうし、期待していいかな。時間はだいたい一時ごろだけど、その日の都合で違っちゃったらごめんなさい。

どうか奇跡が起きますように。

なつかしい人へ。

雪見

雪見は読み終えたあとも、この虫酸《むしず》が走るような文章を唖然と眺めていた。

「これ、お前の字だな」俊郎が雪見を冷ややかに見る。

「私、こんなの書いてない。書くわけないじゃない」

雪見は強く言ったが、残念ながら俊郎の反応はなかった。

「ということ」中野が勝ち誇ったように言う。

「あのさ」俊郎が中野を見据える。「雪見がどう誘おうと、彼女はまだ俺と結婚してるんだから、勝手に会わないでくれる？　今、俺、警告したから。何なら内容証明送ってもいいけど。この先、雪見に手を出すことがあったら、ケツの穴まで慰謝料むしり取るよ」

「だから、私は誘ってないって」雪見の声は空しくかき消された。

「〝まだ〟結婚してるわけね。離婚したら？」と中野。

「ご自由に」俊郎が一言で返す。

中野はふっと鼻で笑い、「ま、末長くお幸せに」と嫌味な捨て台詞を吐いて、背中を向けた。

「あんたさ」俊郎が呼び止める。

中野が振り返って首を傾げる。

「あんた、六年前、雪見をはらませた覚えあるか？」

中野は高い鼻をぽりぽりとかき、少し考えるような間を置いて答えた。

「かもね」

言って、今度は立ち止まらずに消えていった。
何が「かもね」なのだ。雪見は眼を剝いて、俊郎にかぶりを振った。
「あ、あんな冗談、真に受けないでよ」
俊郎は雪見を冷たく一瞥しただけで、何も言わなかった。
「まどか、パパと帰ろ」
雪見を無視するように、滑り台の下にいたまどかを抱き上げて公園を出ていく。
その先に……。
白いベンツが停まっていた。
俊郎が助手席のドアを開ける。
そこには武内が座っていた。
俊郎はまどかを武内の膝に乗せ、自分は運転席に回った。
俊郎はあれに乗ってきたのか。そう言えば、武内は彼にいつでも車を貸すと言っていた
……。
ゆっくりとベンツが走り去っていく。
「あの……」
いつの間にか、隣に和人君の伯母がいた。

「何かあったんですか？　何かあったんですね？」

あたかもそうであってくれと言わんばかりの懇願口調で、雪見ははっきりと異常性を感じた。

「私に話してくれませんか？　ね？　喫茶店に行きましょ」

息を荒らげながらそう言い、雪見の腕をぐいぐい引っ張る。引き離そうとすると、彼女は歯を食いしばって足を踏ん張った。

「行きましょうよ。お願いですから。ね？　ね？」

「放して下さい」

揉み合いの末に、雪見はようやく自分の腕を引き抜いた。その反動で、和人君の伯母は地面に尻もちをついてしまった。

何なんだ、この人は。

雪見は起こしてやる気にもなれず、ただ自分の気を静めるのに専念した。

「私、それどころじゃないんで。すいませんけど遠慮します」

それだけ言って、ぺこりと頭を下げる。帰ろうとする雪見の背中に、すかさず訴えかけるような声が届いた。

「あの！　じゃあ、今度はお願いね！　ね！」

雪見はもう聞こえなかった振りをして、そのまま公園を出た。

*

夕方、尋恵が庭に出ると、隣では武内が蘭の植木鉢を運んでいるところだった。庭の片隅に置いてあったものを、自作の棚に移している。

「まあ、すっかり立派なのができて」

尋恵は脇から身を乗り出して、その棚を眺めた。四段の棚には尋恵の頭くらいの高さに屋根の骨組みが取りつけられ、そこに日除けの寒冷紗《かんれいしゃ》がかけられている。武内はシンビジューム、君子蘭《くんしらん》、カトレヤと、大きな鉢を次々に棚へ載せていく。三十鉢近くあるが、全部載りそうだ。

「これで何とか夏も安心です」

彼はやれやれというような言い方をしたが、自慢げな様子がその笑顔に出ていた。

「どうせなら向こうに作って頂きたかったわ。そしたら、うちからも観賞できるのに」

尋恵が冗談めかして言うと、武内は声を立てて笑った。

「どうぞいつでも自由にこちらに入ってきてご覧下さい。向こうは花壇を作ろうと思って土を入れちゃいましたから」

「本当にまめですこと」

「おばあさんの介護がなくなってから、私も時間が余っちゃいまして。こういうのでもずいぶん気が紛れますからね」

「そうですね」尋恵もしみじみと頷いた。

「小さなやつでよかったら、これと同じように日除けをつけて一つ作りましょうか」

「いいんですか？　小さいっていっても、手がかかるものでしょうに」

「お安いご用ですよ。材料も余ってますし」

言いながら、武内は笑顔の向きを変え、「こんにちは」と優しい声を出した。

まどかが庭に出てこようと、靴を一生懸命履いている。かかとを踏んで出てきたので、尋恵が直してやった。

「ヤクルト飲む？」

武内が訊くと、まどかはこくりと頷いた。

「もう、この子ったら、もらい癖がついちゃって」

この頃はこうして尋恵と武内が庭で話しているのを見逃さず、ヤクルト目当てにまどかが顔を出してくるようになった。

尋恵は武内からヤクルトをもらい、ふたを開けてまどかに渡してやった。まどかは澄まし顔でぐびぐびと飲んだ。その抜け目のなさが何となくユーモラスで、尋恵は武内と顔を見合わせて笑った。

「美味しかったかな」

武内は空の容器を受け取ると、まどかに手を振ってぴょんぴょんと縄跳びのような動作をしてみせた。すると、まどかも喜んでその真似を始めた。

「変なの」

何だか知らないが、この二人もすっかり仲よくなってしまった。

それから尋恵はしばらく、熊手を片手に庭の細かい草を抜いた。まどかも真似をするようにしゃがみ込んで、土をいじっていた。

「あれ……」

草取りに没頭していたところに、武内の怪訝そうな声が聞こえ、尋恵は頭を上げた。

「まどかちゃん、さっきから足のへん気にしてるね」彼は顎をさすりながらそんなことを言う。

尋恵は何だろうと思い、まどかの顔を覗いた。

「どうかしたの？」

まどかは首を横に振る。

「いや、今ちょっと痛そうな顔に見えたんで、虫にでも刺されたのかなって思ったんですけどね」と武内。

「ちょっと見せてごらん」

尋恵はまどかのスカートをめくってみた。

「あ……」

左足の太腿の外側に五百円玉くらいの大きさの青痣があった。思わず触ろうとする尋恵を、

「そういうの、あんまり触らないほうがいいですよ」と武内が制した。

「これ痛くない？」

痣の周囲を撫でて訊く。しかし、まどかはうつむき加減に首を振るだけだ。どこで打ったのか訊いても、首を振ったり傾げたりするだけで、はっきりとは答えてくれなかった。

「まあ、痛くないのなら大丈夫でしょう。二、三日もしたら消えますよ」

武内はそう言ってくれたが、それだけでは払拭《ふっしょく》しがたい不審の念が尋恵の中に残ってしまった。

雪見を問い詰めるべきなのだろうか。けれど、何かの間違いだと思いたい気持ちも強い。どこでできた痣なのかそれとなく雪見に訊いてみればいいのだろうが、問題の深刻さを考えるとためらってしまう。そんな訊き方で雪見が答えたとして、今度はそれを信用できるかと

いう話になる。

もう少しだけ様子を見ようか。

どれも最善策とは言えず、尋恵は判断を先延ばしにすることしかできなかった。

＊

夕暮れ時になって雪見は夕食の仕込みをあらかた終え、一人遊びをしているまどかの様子を見に二階へ上がった。

ふすまを開けると、まどかがあすかの手を持ってぶんぶんと振り回している姿が目に飛び込んできた。

「何してんの！」

一喝すると、まどかの動きが止まった。止まらなかったら手を上げているところだった。

「お人形さんをそういうふうにいじめたら可哀想でしょ」

まどかは何か言いたそうにして何も言えない顔をしている。分かったのか分からないのか。やっぱり痛みで教えたほうがよかったかなとも思った。

「ママ、これ、隣のおじちゃんにもらったの？」

口を開いたまどかはそんなことを訊いてきた。

「違うよ。これはママのだよ。まどかが遊びたいって言うから貸してあげてるんでしょ。だから大事にしてくれないと」

ふと、顔を上げて、窓の向こうを見る。ちょうど隣の家の窓で人影が動いたように見えた。雪見が凝視したときには、それは消えていた。

雪見はサッシを閉めて施錠した。遮光カーテンもぴっちりと閉めた。

夕食後、二階で雪見が自分とまどかの着替えを用意していると、俊郎が気だるそうな様子で部屋に入ってきた。

「あのさ、お前、今日から下で寝てくれよな」

出し抜けに言われて、雪見は俊郎を見返した。彼は重心が傾いているような立ち方で腰に手を当て、苦々しげな顔をしている。表情と態度によって、人はこんなに遠くに見えるものかと思った。どんな感情も透過させない煙幕が二人の間に張られているような寒々しさがあった。

「別にいいよ。どうせここんとこ、下で寝てるほうが多いんだし。けど、中野君の言うことを本気にするのだけはやめてくれない？　私と彼とどっちを信用するの？」

「じゃあ、何か？　中野が今日あそこに来たのも、手紙を持ってたのも、全部やつの自作自演だって言うのか？」

「決まってるでしょ。彼が私の実家に忍び込んで、いろいろ調べてやったのよ」

「へえ。実家の机にああいう手紙が入ってたわけか？　だいたい、あんなふうにやってきて、お前が手紙を書いたんじゃないかって事実無根の因縁つけたとして、やつに何のメリットがあるの？　それでやつはお前を口説けると思ってたってこと？　何で今頃になってそんなことをやるの？」

「知らないわよ、そんなこと。彼に訊いてよ」

そうとしか返せず、雪見は自分の立場の悪さを再認識した。俊郎の中では、この疑惑は限りなく黒に染まっていることだろう。

「俺もさ、論文式試験を前にして大事な時期なんだよ。気が散るようなごたごたは勘弁してほしいんだよ」

言われなくても下で寝るし、言われなくても大事な時期だと分かっている。口答えくらいしてやりたかったが、それもごたごたの一つに取られてしまうなら空しいだけだと思い、自分を制した。

「本当は追い出したいとこだけどな。まどかがいるからしょうがないよ」

俊郎は吐き捨てるように言って、隣の部屋に引っ込んだ。

なぜ追い出されねばならないのだろう……雪見は現実感なく聞いていた。

今日、あのあと一人遅れて公園から帰ってみると、俊郎が荒れていた。正確に言うなら、雪見が二階に上がったときには終わっていたのだが、彼の部屋の床に本の類が散乱していたのでそうと分かった。まどかも怒ったときにはおもちゃ箱をぶちまける。それと似ていた。

これって夫婦の危機なんだろうな……雪見は思いながらも、やはりピンとこなかった。自分が何をやったわけでもないのに、危機だけが勝手に押し寄せてくる。間が悪いというだけでは片づけられない。まるで悪魔の手引きがあるかのようだ。

人の心など簡単に離れてしまうのだなと雪見は思った。離れていくものにすがりつくのも違うような気がして、どうしたらいいのか分からなかった。

暗い気持ちのまま一階に下りて、まどかと風呂に入った。

「ねえ、今日はちゃんと寝られるかな？」

まどかにシャワーをかけながら話しかける。

「分かんない」まどかが首を左右に傾げる。

「まどかが大人しく寝てくれないと、ママも疲れちゃうんだから」子供相手に愚痴っている自分に気づきながら雪見は続けた。この子に手がかからなければ、もう少し俊郎と向き合う余裕が出てくる気もするのだ。「まどかがいい子にしててくれないと、ママ、おうちを出てっちゃうかもしれないよ」

「どうして？」

「だからあ、まどかが言うこと聞いてくれないから」

そんな理由はあり得ないのに。

ただ、ちょっとばかりまどかを困らせてみたかった。子育てに何かの報いを求めるのは筋違いかもしれないが、これだけつきっきりになって頑張っているのだから、その評価が欲しくなるときもある。この子だけには味方になってほしい。ママがいないと嫌だと思ってくれれば、それでいい。そんなことで雪見は自分を慰めたかった。

「ママ、そしたらどこ行くの？」ちょっと不安そうにまどかが訊く。

「まどかの知らないとこだよ」

「公園のお兄ちゃんのとこ？」

中野のことらしい。この子、よく見てるなと雪見は苦笑した。

さて洗おうかと思ったところで、雪見はまどかの足に目を留めてぎょっとした。

何だ、これ？

まどかの左太腿に青い染みがついている。ぎょっとしたのは、一瞬それが打ち身の痣に見えたからだった。触ってみても痛そうではない。

ボディソープをつけてタオルでごしごしとこすってみる。皮膚にしっかり染みついていて、なかなか落ちない。だが、こすったタオルにも青色が移っているから、痣でないことは確かだ。

塗料か染料か知らないが、どこでこんなのをつけてきたのだろう。滑り台にでもついていたのか。

こすってはお湯で流し、こすってはお湯で流しと、三回洗ったところ、ようやく半分程度の薄さになった。これは二、三日かけて取らないと駄目だと気づき、雪見はそのへんでやめておくことにした。

やはり、もう一度中野に会って、発言を撤回してもらおう。不法侵入で警察に訴えるなどと言って強気に出れば、向こうも態度を変えるのではないか。それで一筆書かせて俊郎に見せれば、多少なりとも事態が好転するのではないか。うまくいく保証はどこにもないが、濡れ衣を着せられたままでは嫌だし、まどかのためにも何もしないわけにはいかない。

次の日の日曜日、雪見は思い立つと、まどかが寝ている間に外に出て、駅前の公衆電話から中野に連絡を取った。手紙が届いたと言い張るくらいだから住所は変わっていないのだろう。自慢にも何もならないが、彼の電話番号は記憶の片隅にこびりついていた。

電話では「昨日の件で話がある」とだけ言っておいた。攻撃口調も控えた。中野は何を期待しているのか大いに乗り気で、町田の駅前にある喫茶店を指定してきた。時間は二時。

連絡を終えたあと、雪見は寄り道をして公園に顔を出した。公園には五組ほどのママと子供が遊びに来ていた。

「関根《せきね》さん、今日午後からお出かけとかする？」

雪見は同じ新興住宅街に住む梓《あずさ》ちゃんのママに声をかけた。

「ううん。うちの人が休日出勤だし、特には考えてないけど」

梓ちゃんのママは一日中家の中にいてもストレスがたまらないのではないかと思えるくらい穏やかな人だ。

「そう。できたらさ、午後から二、三時間、まどかを梓ちゃんと遊ばせてほしいっていうか、ちょっと預かってもらえないかな」

「いいよ、いいよ。お出かけ？」

「うん。ちょっとね」

中野に会ってもどうなるか分からない以上、俊郎には事前に話さないほうがいいだろうし、話せば、行くなと言うに決まっている。それでは何も進まないのだから、ここは家族には黙って、まどかと出かける振りをして行くしかない。

梓ちゃんはまだよちよち歩きの一歳児だが、まどかと一緒に砂場で遊ぶこともある。子供同士の相性より、雪見としては自分と同い年の梓ちゃんのママが、この公園に遊びに来るママの中で一番話しやすい相手だったので彼女に頼んだ。

十一時からの法要を終え、昼食を済ますと、義母にはアニメ映画でも見に行ってくると言って家を出た。そのまま梓ちゃんの家に寄り、まどかを預けた。

中野の指定した町田の喫茶店には二時十分前に着いた。中野が昔、ポニーテールを気に入っていたのを思い出し、雪見は店に入る前に髪留めのゴムを外した。

入ってみると、中野はすでに窓側のテーブルでアイスコーヒーを口にしていた。彼と会うにはそぐわないような、洒落た喫茶店だった。ビルの二階にあって、下の通りが窓から見える。街は薄着の若者たちであふれ返っている。

「ごめんなさいね、休みの日に」

雪見は挨拶代わりにそう言って、向かいに座った。今日は冷静に話をするという意思を込めたつもりだ。

「いやいや」中野は含み笑いをして返す。その気障りな表情に雪見は顔をしかめたくなったが、何とか我慢した。

「あのさ」アイスティーを注文したところで早速切り出した。「昨日のこと、事実と違うってはっきりさせてほしいんだけど」

「事実と違うっていうのは？」彼は人を食ったような顔をして訊く。

「私があなたに手紙を送ったってことよ。それに……百パーセントあり得ないことを『かもね』なんて思わせ振りに言われると困るのよ」

「何だ、そんなことか」中野は肩をすくめる。「俺はてっきり、今日が俺たちの第二のスタートになるのかと思ってたよ」

「やめてよ」気持ち悪い、とまで言いかけて、その言葉は呑み込んだ。

「それをどうするの？　俺が梶間君に電話して謝罪するの？」

「そこまでしなくてもいいけど。ここで一筆書いてくれればいいの」

「まあ、ほかならぬ雪見の頼みだから、そりゃ聞いてやってもいいけど」

言い方はともかく、要求をあっさりと受け入れてくれ、雪見は内心ほっとした。

しかし、雪見が注文した飲み物が運ばれてきたあと、中野の言葉が続いた。

「で、俺への見返りは何なの？」

「見返り？」雪見はかちんときたが、アイスティーを飲む間に気を静めた。「ないわよ。そんなのあるわけないじゃない」

「それは虫が良過ぎないかな」中野が上目遣いに雪見を見る。「もちろん、こういう一筆なら今すぐ書いてやるよ。『はらませた覚えはないが、手紙をもらったのは事実である』ってね。お前、手紙を送っといてさ、あとから後悔して、なかったことにしたいって言って、しかも俺の奇行のせいにして丸く収めようとするわけでしょ。俺の立場を考えてよ。そんな理不尽な頼みを聞くんだから、見返りがあってしかるべきじゃないかな。言葉が悪いなら雪見の誠意って言ってもいいか。それは見せてもらわないとね」

「あなた、あくまで手紙が送られてきたって言い張るの？」

「雪見も言い張るよな」中野は呆れたような笑い方をして、セカンドバッグからおもむろに封筒を出した。「まあ、またこんな話になるかもと思って持ってきたけど……この消印、雪見が住んでる街だろ？　俺はこの手紙が来るまでお前がこんなところに引っ越してたなんて知らなかったからな」

　雪見はそれを一瞥しただけで、中野を睨みつけた。

「知らないっていったって、あなたの自己申告じゃない」

　こんなのを出してきたところで、事の真偽ははっきりしているのだ。どういうつもりで虚言を押し通そうとしているのか。

　要は〝見返り〟とやらを要求するためのマッチポンプ式の脅しというわけか。それなら俊郎が口にしていた〝そんなやり方でやつはお前を口説けると思ってたのか〟という疑問にも答えが出る。最初から口説くのが目的ではなく、脅すのが目的なのだから。

「あなた、私の実家に忍び込んだでしょ。訴えられたくなかったら、先に謝ったほうがいいわよ」

「それこそ身に覚えがないもんな。『かもね』とは言えないね」

証拠がないのを見透かされているのだろうか。平然としたものだ。

「昨日の手紙の現物を見せてよ」

いくら筆跡を似せても、よく見れば細かいところが違っているはずだ。こんな書き方はしないというのを指摘してやろうと思った。

「昨日のが現物だよ。梶間君が持ってっただろ。彼、離婚の裁判で使おうと思ってるのかもしれないけど、俺の記念なんだから返してもらってよ」

「あれ、コピーじゃないの？」

「あれが入ってたんだよ。雪見、コピーを取ってそっちを入れちゃったんじゃないの。現物はお前が持ってるよ」

「何それ……見え見えじゃない」

コピーしかないと言い張るのは、何らかの工作がなされていると言っているようなものではないか。ただ、中野がシラを切る以上、残念ながらそれを明らかにする手段は見つからない。

まったくらちがあかない。

結局、中野に一筆書かせることはできなかった。向こうも言葉を変え、態度を変え、しつこく〝見返り〟を求めてくるので、しまいには吐き気を催してきて、雪見から席を立った。

中野が奢《おご》るというのを断って、別々に支払い、喫茶店を出る。

「もう帰るの？」階段を下りながら中野が訊いてくる。

「帰るわよ。これ以上時間取ったって意味ないんだもの」

「今度はいつ会えるのかな？」

「もう一生会わない」

素っ気なく返した瞬間、中野に顎を摑まれ、顔の向きを変えさせられた。彼の顔が視界を埋めた。

「やめてよっ！」

顔を逸らすと、湿った感触が唇から頰へと走った。それを引き離し、中野をきっと睨んだ。全身から嫌悪感を発散させた。

「ここに来ただけでも、これくらいの見返りは当然だろ」中野は悪びれずに言った。「別に梶間君に言ってもいいぜ。雪見のためなら闘ってやる。今度は勝算ありそうだしな」

してやったりという彼の表情にたまらなく腹が立ち、雪見は無理やり侮蔑するような眼つきを作った。そして追いすがる彼のすべてを無視して、駅までを早足で戻った。

たかがキスぐらいのことで……そう思いながらも、憤怒の感情があとからあとから湧いてきた。はらわたが煮えくり返るとはこのことだ。自分がひどく汚された気がして、悔しくて仕方がない。

駅の手洗いで唇をすすいだ。口紅を完全に落として、もう一度引き直した。まったく。何しに来たんだろう。

雪見はもやもやしたものを大きくしただけで帰路についた。梓ちゃんの家にまどかを迎えに行ったのは、三時半を少し回った頃だった。

「あら、早かったのね」

玄関に出てきた梓ちゃんのママは雪見を見て微笑んだ。彼女の口調からして特に問題はなかったようだなと感じたが、一応形だけでもと思い、訊いてみることにした。

「大人しくしてたかな？」

「う……うん……」とたんに彼女の歯切れが悪くなった。部屋の奥を気にする素振りを見せて、雪見を玄関の外に押し出す。

「何かあった？」雪見は少し不安になった。

「ううん。全然大したことじゃないんだけどね」梓ちゃんのママは作り笑いを浮かべ、声のトーンを少し落とした。「私がまどかちゃんに『梓と仲よく遊んであげてね』って言ったもんだから、まどかちゃん、張り切って遊んでくれてね。梓も楽しそうにしてて、本当いいお姉ちゃんになってくれてたんだけど」だんだんと言いにくそうになり、作り笑いも歪みを帯びてきた。「お遊戯みたいな感じで、梓と手をつないではしゃいでたのね。で、ちょっと私が目を離してる間に梓が泣き出しちゃって。どうも、まどかちゃんが梓の手をぐいぐい引っ張り過ぎて痛がっちゃったみたいなのよね」

「ありゃりゃ。ごめんなさいね」

実際の場を見ていないから、どんな様子だったかは分からないが、まどかが乱暴なことをしたというのはピンとこなかった。遊びの延長でのことではないだろうか。もちろんそんなことは言えず、とりあえずという感じで謝った。

「でね、大丈夫だと思ったんだけど、梓が結構長い間痛がり続けてたもんだから、うちのお義母さんが脱臼《だっきゅう》でもしてるんじゃないかって言い出しちゃって」

「ええっ？」驚きがそのまま口を衝いた。

「いや、大丈夫なのよ。梓も泣き止んだし、腕も動くし。でもうちのお義母さんが心配性なもんだから、もしものことがあったらって言って、さっき休日診療に梓を連れてっちゃって」

「そうなの？」笑って済まされる話じゃないなと思い、雪見は悄然《しょうぜん》となった。一歳の子供ならちょっとしたことでも心配だろう。

「本当、大丈夫だから気にしないで。何でもないことを大事《おおごと》にしちゃってごめんなさいって言いたかったの」彼女は困ったような笑みを浮かべて、逆に謝ってきた。「だからまどかちゃんも怒らないであげて。ちょっとこっちがバタバタして元気なくしちゃったみたいだし」

優しい気遣いまでされて、雪見はぺこぺこと頭を下げた。

「まさかこんなことになるとは……すいませんでした」

「違うのよ。こっちが謝らなきゃいけないの。うちのお義母さんが大げさなもんだから」梓ちゃんのママは申し訳なさそうに続ける。「それで、ご存じかどうか知らないけど、ああいう人でしょ。もしかしたらお宅に一言、言いに行くかもしれないのよ。だからそれも形だけみたいなものだから、気にしないでほしいの」

うわあ、困ったことになったなと思った。

「私のほうから改めて謝りに行くから」

そう言っても、梓ちゃんのママは首を振る。

「だから形なのよ。自分がこの家庭を切り盛りしてると思ってる人だから、相手もそちらのお義母さんじゃないと駄目なのよ。私じゃ、そこまで口出しできないの。ごめんね」

「そうなんだ……」

一気に気が重くなってしまった。しかし、ここで粘っていてもどうにもならず、雪見はまどかを引き取って梓ちゃんの家を出た。

まどかも梓ちゃんのママに言われた通り、元気がない。一、二分の距離なので抱っこしてやると、コアラのようにしがみついてきた。

「梓ちゃん、痛い痛いって言ってたらしいよ。ちっちゃい子には優しくしてあげないと駄目なんだよ」

話しかけてもまどかは応えず、雪見の肩に顔を伏せてしまった。

偶然であってほしいけどなと雪見は思う。公園遊びでもほかの子供に危害を加えたりしたことはない。おもちゃも貸してあげられるし、順番待ちもできる。そのあたりはしっかりしつけてきた自負がある。

念のため、もう一度教え込んでおくか。

家に帰ると、義母は浴室の掃除の最中だった。

「どうだった。面白かった？」

映画のことを訊いてくる。

「うん……行こうと思ったんだけど、ちょっと予定変更で関根さんとこお邪魔してて……」

今のうちに報告したほうがいいかなとも思ったが、向こうが必ず来るとも限らず、ここは曖昧な返事で流しておくことにした。

まどかに用を足させて、二階に上がり、講習を始める。

「いい？ ちっちゃい子にはこうするんだよ」

あすかをまどかの前に置き、頭を撫でてみせる。

「可愛い、可愛いって。ね？ やってごらん」

「お菓子食べたい」

家に帰ってきたら元気が出てきた。

「あとであげるから。ママの通りにやってごらん」

もう一度やってみせると、まどかも真似してくれた。

「そう。可愛い、可愛いってね。優しくしないと駄目なの。分かった？」

「お菓子食べたいの」

「うん。じゃあ、下で食べよ。赤ちゃんにも食べさせてあげるのよ」

あすかを抱いたまどかを連れて、一階に下りる。クッキーとオレンジジュースをリビングに運ぶ。

「はい、赤ちゃんにあーんってあげてごらん」

「あーん」

「そうそう。優しくしてあげると喜ぶんだよ」

おやつの途中で、玄関のチャイムが鳴った。飛んで出ようとしたが、わずかに義母のほうが早かった。

「こんにちは。関根と申しますが」

やはり来たか。梓ちゃんの家のお義母さんだった。大きな色つき眼鏡をかけて、いかにもねちねち言いそうな人だ。梓ちゃんのママもこの人と同居なんて大変だなと、余計な同情までしたくなった。

「あの、今日は本当に申し訳ありませんでした。何とお詫びしていいか……」

機先を制して謝った。義母は何事かというように、ぽかんとしている。

「ああ、いいの、いいの。奥さんとお話するからね。お嫁さんは退がっててもらっていいですよ」

丁重に拒絶され、雪見はすごすごとリビングに引き上げた。

子供を知り合いに預けることは珍しくないし、子供同士のトラブルも日常茶飯事のはずだ。文句を言いに来たとはいえ、それほど大した話であるはずはない。しかし、そう思い込もうとしても、後ろめたい思いがつきまとう。今日一日、何とかしようと動いた結果がこれだ。昨日より好転するどころか、また一つ悩みの種が増えてしまっている。

気疲れが重なっていて、ソファに身体を預けていると、身体の中から疲労がじわじわと染み出してくるのが分かる。まどかに付き合って二時頃まで夜更かししても、七時には起きている。睡眠五時間。それが続くと、結構身体にこたえる。

一度本当に、まどかに煩わされることなく、二、三日羽を伸ばしてみたいな……空想気味にそんなことを思う。

しばらくして玄関のドアが開閉する音がした。帰ったのかなと立ち上がりかけると、「どうも」という俊郎の声が聞こえた。予備校の模試から帰ってきたらしい。

ところが廊下のほうを見ていても、俊郎は一向に姿を見せなかった。玄関で一緒に話を聞いているのだと気づき、雪見は気分が滅入った。

二、三分して、俊郎が廊下に現れ、雪見を手招きした。雪見は大人しく二階についていった。

「お前、何？　おふくろに黙って、人の家にまどか預けて、昼から一人でどこか行ってたのか？」俊郎はのっけからむっとしている。「どこ行ってた？」

「どこって……」

どう答えようかという一瞬の躊躇があった。梓ちゃんの問題でまどかを預けていたことは早晩ばれると覚悟していたが、ではどこに行っていたかということまで本当のことを話していいのか。収穫がなかっただけに口が重くなる。

雪見の躊躇を衝いて、俊郎のほうが先回りした。

「中野のとこか？」

言われてしまい、妙にばつの悪い気分を味わった。もちろん俊郎は頭の中にそれがあったからこそ、こんなふうに詰問しているのだろう。

じたばたしてもしょうがないなと思った。

「昨日のこと、事実じゃないって一筆書いてもらおうと思って行ったのよ」

「へえ」俊郎は鼻で笑うような言い方をした。「で、書いてもらったわけ？」

「もらえなかった。簡単に言うこと聞く相手じゃないのよ、あれは」

彼は冷たく首を振る。「よく分かんないな。そんな理由で黙って会いに行くのも分かんないし、その結果が書いてもらえなかったんじゃ、余計に昨日の疑いが深まるばっかじゃないか。何で、昨日の今日に会いに行くんだよ？　そんなのおかしいだろ。もういい加減、本当のこと言えよ」

「私は事実を言ってるだけよ。分からないじゃなくて、分かろうとしてないんでしょ」

雪見は憤慨し、それ以上の話を勝手に打ち切って一階に戻った。もうこんなありもしない疑惑は、うやむやでいいから終わらせてほしいと思った。

玄関を見ると、義母が一人で靴の整頓をしている。梓ちゃんの家のお義母さんは帰ったようだ。

「何て言ってた？」それとなく訊いてみる。

「雪見さん、出かける用事があるなら、わざわざ人の家に頼まなくても、うちに置いていけばいいのに」

「うん……ちょっと成り行きで」不明瞭な言い回しでごまかした。

「あのお母さん、着付けの先生やってらっしゃるんですって。雪見さんもよかったら習いにどうぞって」

「あ、そう」

察するに、梓ちゃんは問題なかったらしい。

それでも、あえて乗り込んでくるくらいだから、ちくりとした言葉の一つや二つはあったはずである。どうやら義母が胸の内に仕舞ってくれたようだ。

雪見は一息ついて、リビングに戻った。

そして、リビングの奥にいるまどかの姿が目に入ったところで立ち止まった。

まどかはあすかの手を持って、ぶんぶんと振り回していた。

雪見は愕然と立ち尽くした。

そして、くらくらとした怒りを覚えた。

いつからこの子はこんなに乱暴になったのだろう。

あれだけ駄目だと言っているのに聞いてくれないのか。

人が見ているのも知らず、いい気になって人形を振り回している。その小さな背中に雪見は悪魔的な歪みを感じてしまった。

人形をこんなふうに扱うようでは、今後も梓ちゃんのようなトラブルが起こってしまう。あれは偶然ではなかった。いずれまた起こる。

今、食い止めなければ、手遅れになってしまう。

叱りつける言葉は出てこなかった。思わず絶句したということもあるが、一瞬のうちにその手段は捨てていた。言葉では、この大きな失望をまどかに伝え切れない。

雪見はまどかのいるテラス側まで歩いていき、感情の爆発力を充填《じゅうてん》しながら手を振りかぶった。まどかは外のほうを向いていて、まったく気づいていない。いきなり叩かれれば、おそらくびっくりして泣き出すだろうが、それくらいでないと困る。

片手でまどかの肩を摑まえる。そして間髪を容《い》れず、もう一方の手で彼女の足を鋭く引っぱたいた。今までで一番強く叩いた。弾けるような音が鳴った。

言うことを聞かないからだ。

「雪見さんっ!!」

突然、雷鳴のような声が後ろから雪見の心臓を射抜いた。

はっとして振り返ると、リビングの入口に義母が立っていた。

険しい顔つきで雪見を見ている。

こんなに怒った義母を見るのは初めてだった。雪見は訳が分からず、頭が真っ白になり、膝ががくがくと震えた。

義母は火がついたように泣き始めたまどかを抱き上げ、再び雪見から離れた。唇をぎゅっと締めた厳しい表情で、雪見を強く見据える。先ほどまでとは人が違ってしまったかのようだ。

何事かと俊郎が階段を下りてきた。義父も自室から出てきた。それも当然と思えるくらい、義母の一喝は強烈で衝撃に満ちていた。

雪見一人で、三人の視線を受ける格好になった。

「あなた、いったいどうしちゃったのっ!?」義母の口調はなおも激しかった。「あなたがまどかを虐待してるんじゃないかって、児童相談所の人も心配して来てるのよっ」

頭が揺れるような感覚があった。

虐待?

これが虐待だって？

これは虐待なんかじゃない。虐待なら知っている。自分が子供の頃、母に散々受けてきたからだ。こんなもんじゃない。これは虐待とは言わない。

じゃあ、何だ。しつけ……そう、しつけだ。

しつけと虐待とは違う。

まどかのためを思って、やっているのだから……。

いや……。

捻り出した答えを自分自身で肯定できず、雪見は慄然《りつぜん》とした。まどかのためというより、腹立たしさや、その場を早く収めたいという安易な気持ちから選んだ行為であることをその都度自覚していて、小さくとも確かな罪悪感を持っていたからだ。

「あなたがそんなふうだから、まどかがおかしくなるんでしょっ。どうしてそれに気づかないのっ？」

雪見は怒りに眼を潤ませた義母を見た。

やはりこれは虐待だったのではないか……雪見にはそう思えてきた。義母が言うのだからそうなのではないか。ほかのママたちも口では共感するようなことを言っていたが、実際にはこんなことまではやっていないのではないか。

　ならば、最近のまどかの奇行ぶりも原因は明白だ。その場の効果などまやかしに過ぎない。ひたすらストレスを加え続けていただけなのだから、悪くなる一方で当たり前だということだ。

「お前、もう駄目だ」俊郎が雪見を全否定するようになじった。「出てけ。まどかも任せられないんじゃ、いる意味ないよ」

　それに異論を差し挟む者はいなかった。雪見も含めていなかった。

　限界があったのだ……その結論に達して、雪見は打ちひしがれた。まどかを優しく育てようとしていたはずだったのに、そういう育てられ方をしていない自分では限界があったのだ。どうしていいか分からず、気づくと、子供の頃に受けていた苦痛をまどかにも与えてしまっていた。

　愛し愛されることを自分は教えられてこなかった……そんなコンプレックスを抱えて生きている。子供を育てるのに向いている人間ではないのだ。

「雪見さん……」義母の声が少し優しくなった。「あなた疲れてるのよ。まどかのことはいいから、しばらく実家で頭を冷やしてきなさい」

　引導を渡されて、雪見は力なく頷いた。義母の顔が哀しげになる。自分がそんな顔をしているから、義母の顔もそうなっていくのだなと気づいた。

「じゃあ……まどかをお願いね……」

最後は無理に笑ってリビングを出た。

二階に上がって、服や身の回りの物を適当に旅行かばんへ詰める。

小さな頃、母がこうやって家を出ていったところを何度も見たなと思い出した。あんな母でも最初に出ていかれたときには、この家はどうなってしまうのかと夜も眠れなかった。そのうちに慣れてしまい、あげくにはいないほうがいいと思うまでになった。あの母にして、この子ありだ。

俊郎が様子を見に上がってきたが、口を開いたのは一言だけだった。

「車の鍵、置いてけよ」

わざとなのか、あまりに冷淡な口調だ。

「ここに入れとくから」

雪見も独り言のように言って、たんすの引き出しに車の鍵を入れた。

今日洗った服も持っていこうと思い、ベランダに出る。

隣の窓から武内が見ていた。

彼はかすかに微笑んだ。

それを見て、雪見は愛想なのだろうと思った。しかし、部屋に戻り、今のは本当に愛想の笑みだったのかということが変に引っかかった。

もう一度窓越しに見ると、武内は消えていた。

どうでもいいことだと思い直し、服を詰め終わった旅行かばんを手にする。

「じゃあ……試験頑張って」

俊郎は何も応えなかった。雪見も彼の眼を見て言ったわけではなかった。

玄関では義母に見送られた。いつもの優しげな顔に戻っているが、ほんの少し影が差している。

「携帯電話、持った？」

何日かで呼び戻すような言い方をする。

でも、本当に戻ってこられるのだろうかと雪見は思う。

この家には、もはや自分の居場所などないというのに。

つらいから、まどかの顔は見ない。

家を出る。

少し歩いたところで、後ろを振り返った。

この家に来てから、四カ月も経っていない。

立派な家だけれど……。

自分とは相性が合わなかったか。

帽子を持ってくるんだった。

仕方なく、ハンカチを出して涙を拭いながら歩く。

なだらかな坂を下りながら梓ちゃんの家の前を過ぎ、石段の脇を過ぎ、四つ角を曲がる。

四つ角の向こうに停まっていた黒い車がゆっくりと走り去っていった。

〈13〉 妄想

「あの……あの……」

駅前通りに入ったところで、背後から声がかかった。ちょうど旅行かばんが重くなっていたので、雪見はそれをいったん下に置いて首を回した。

呼びかけてきたのは和人君の伯母だった。霞でも摑もうとするように手を伸ばし、ゆらゆらと近づいてくる。

「な、何かあったんですか？　そんなに眼を赤くして……何かあったんですね？」

公園ならともかく、こんなところで会うとは思ってもいなかったので、雪見はびっくりした。

「いや、あのね、今そこで偶然お見かけして……ちょっと普通に見えなかったから……」彼女は喘ぐように説明する。

どこにいたのだ？　雪見の目には入らなかった。

「お、お話しましょう。ちょっとだけでも、ね？」

いつもの調子で迫ってくる。こちらは相手になっていられない心境だし、困ったなと思った。

「今日はね、妹が近くにいるの。呼ぶから、ね？」

保母をやっていたという妹さんがいるらしい。それなら覚悟を決めて、少し相談に乗ってもらうか。下手に断って昨日のような摑み合いにはなりたくない。まどかもいないし、何かに追われている人間でもなくなった。

「あの……私、今日友達の家に泊めてもらわなきゃいけないんで、今から電話して目処《めど》が立ったらということで」

実家に帰るつもりはさらさらない。昔、スポーツ用品店でアルバイトをしていたときに知り合った友人がいるので、できたらそこに泊めてもらおうと思っている。

「な、何だったら私の家に泊まって」

「いや、結構です」

きっぱり断って、携帯電話を出す。かけてみれば、夜ならいつでも来ていいという話だった。

「じゃあ、ちょっとの間、お付き合いさせて頂きます」

そう返事をすると、彼女は小刻みに何度も頷いて、歪んだ笑みを浮かべた。

それから彼女は落ち着かない素振りで雪見を先導し、地下にある薄暗い喫茶店に入っていった。奥の席の壁側に雪見を押し込め、「何でもいいから。何でも注文して」とメニューを突き出してくる。その一方で携帯電話を出していかにも慣れない手つきでボタンを押し、焦ったように髪をかき上げて、立ち上がったり座ったりを繰り返した。

「あれ、電波が届かないかな……ちょっと外に出て……あ、大丈夫、大丈夫」

一人で言っていたかと思うと、やがてそれを耳に持っていった。

「あ、私。い、今、喫茶店なの。ここは……ええと、〈サンセット〉っていうとこ……違う、違う。成功、成功。一緒にいるの。早く、早く来て」

興奮して声が上ずっている。

何だろう、この人……雪見は改めて彼女を薄気味悪く思った。やはりこれだけしつこく誘ってくるのを考えても、単に話し友達が欲しいということではなさそうだ。何かを売りつけようとしているのだろうか。そうならさっさと引き上げるだけだ。

携帯電話を切った和人君の伯母は雪見に作り笑いを向けた。

「何でも食べてね。飲み物だけじゃなくてね」

無理にサンドイッチやスパゲッティやケーキを注文し、あとは突如として無言になった。

「あの、もうすぐ来ますからね」

そんな言葉だけで間を持たせようとする。すっかり妹さんへの橋渡し役を決め込んでいるようで、彼女の真意がまったく読めない。

アイスカフェオレが来て一口すすった頃、喫茶店のドアがからんと開いた。しかし、入ってきたのは男性だったので、雪見は一瞥しただけで目を戻した。

なのに、和人君の伯母は入口に向かって手を振っている。

雪見はもう一度、入ってきた男を見た。

寺西とかいう記者じゃないか。

寺西は充血した眼を見開いて、大股で奥までやってきた。

「どうも、どうも」怒ったように言いながら、和人君の伯母の隣に座る。

「あの……妹がちょっと急用で……その代わりに主人を」

和人君の伯母は苦しげに取り繕った。寺西は彼女のおしぼりを取って、汗だくの首を拭いている。

「どういうことですか？」

雪見は露骨に不快感を示した。どんな意図があるのか知らないが、騙されてここに来ていることだけは分かる。

「落ち着いて、落ち着いてね」彼女はおどおどとした様子で言う。

「私、すいませんけど、これで」

雪見が立とうとするところを、寺西が覆いかぶさるように肩を押さえつけてきた。

「すべて話しますから。何もかも話します」

二人の病的とも思える気迫に雪見は圧倒された。

寺西は出されたお冷やを一気に飲み干して、ウェイトレスに構わず雪見を見据えた。

「私、池本と申します」

雪見は開いた口がふさがらなかった。

「この前の名刺では……」

「あれは嘘です。記者じゃないんです」

「お父さん」和人君の伯母がウェイトレスを気にしてオーダーを促した。

どうやらこの二人が夫婦だというのは本当のことのようだ。寺西改め池本はウェイトレスを睨みつけ、「アイスコーヒーで」と気張った声を出した。

「どうして記者だなんて嘘を？」

池本はテーブルに手をつき、慙愧《ざんき》に耐えぬという顔をした。

「申し訳ない。本当に申し訳ない。あなたに近づく手段がまったく分からなかった。私は今まで何度もマスコミの強引な取材攻勢にさらされてきました。だから、記者と名乗れば多少無理にでも近づけるんじゃないかと思った。あれは私のところに来た記者の名刺です。自分たちが嫌な目に遭わされた相手を騙《かた》ろうとするなんて、まったく最低なことをしてしまった。あなたにも警戒されて大失敗でした。それで今度は女房に任せることにしたんです」

「じゃあ、和人君は？」池本夫人に目を向ける。

「あ、あの子は本当に私の妹の子です。お昼の前後だけ借りてきて、あそこの公園に向かう途中の車の中で待ってたんです。あなたとまどかちゃんが公園に遊びに行ってほかに誰もいないときだけ、ぐるっと回って公園から少し離れたところで車を降りてたんです」

あの黒いセダンに三人とも乗っていたのか。半ば呆れながらも疑問は深まる。

「どうしてそんなことまでして？」

「あなた方一家の誰が武内の味方で、誰が我々の味方になってくれるのか、それが分からなかったために、回りくどいやり方をせざるを得なかったんです。我々はあなた方に拒絶されたら終わりだ。それに、武内が我々の動きを察知して自分の敵になる者を排除してしまう可能性もある」

よく分からない話だ。

「記者でないのなら、お二人は武内さんとどういう関係なんですか？」

池本は答える前に、運ばれてきたアイスコーヒーをこれまた一気飲みした。口元からたらたらとこぼれるのを手で拭う。壊れかかったような危うさがこの人にはある。

彼は飲み終わると、膝に手をついて肩を張った。

「私たちは武内が起こした事件の被害者の親族です」

「あ……そうなんですか」

思わぬ深刻な立場を明かされて戸惑った。

「殺された夫婦の妻が私の妹なんです。私たちは母と一緒に彼らの隣に家を持って住んでました。夫の的場さんが地方の出だったもので、そんなふうに」

「でも、あの事件、武内さんは無罪が決まったんですよね」

「やつはやってます」

「そういう確証でもあるんですか？」あれば無罪にはならないんじゃないかと思いつつ訊いてみる。

「確証も何も、やつはあの現場にいたんだから」

「でも、あの人も被害者の一人だったんでしょう」ニュースの記憶を頼りに雪見は確かめてみた。

「あれは自作自演です」

「ああ」記憶がだんだんはっきりしてきた。「けれど、自作自演では作れない傷だったと言われてましたよね」

とたんに池本は声を詰まらせた。「まあ、そうなんだけど……何せ、やつはずる賢いから」

結構、根拠の乏しい恨みを引きずっているきらいがあるなと思った。

「あの……うちの義父《ちち》のことはご存じなんですか？」

「もちろん。あの事件の裁判長だったことは知ってます」

「義父に恨みでも？」

「私らが？　とんでもない。確かに無罪判決が出たときはあまりの理不尽さに取り乱したこともありましたが、もともとそんな逆恨みはしてません。それに、今度はあなた方が被害者になり得る立場だ。いや、すでになってるのかもしれない」

気持ちの悪いことを言う。

雪見自身、武内にはあまりいい印象を持っていないが、それは過剰な親切心が鼻についたり、時折見せる眼つきが生理的に好きになれなかったりするだけのことで、振る舞いそのものは紳士的な人間だと認めている。すでに被害者になっていると言われても困る。

「彼があなた方の隣に引っ越してきたということ自体、あなた方に狙いをつけてる証拠なんだ」

「それは偶然だったようなことを言ってたみたいですけど」

「馬鹿な」池本は顔を紅潮させる。「どこの世の中に判事と被告人が隣同士になるなんて偶然があるんですか。彼は自分に無罪判決を下してくれた梶間裁判長に親しみを感じて、あなた方家族に近づいていってるんだ。自分の味方だと思ってるんだ」

「ちょっと待って下さい。親しみを感じてる相手が被害者になり得るっていうのはどういうことですか？」

「それが武内なんですよ。彼はこれと思った人にはとことん尽くすんだ。いろんなプレゼントをしたり労力を捧げたりして、気に入られようとする。しかし、それをする上で相手の周囲に邪魔だと思う人間がいれば、徹底的に排除していくんです。その結果、元あった人たちの関係、家族なら家族は、無残にも崩壊していく。武内はそこに自分を加え、居心地のいい、味方ばかりの環境を作り上げるんです」

　いくら何でも武内がそんな極端な企《たくら》みを持った人間だとはにわかに信じられないが、いちいち思い当たる節があって、雪見は聞いているだけで薄ら寒くなった。

「私のところも気がつくと、隣の的場家と修復不能な関係に陥ってました。彼はうちの母にあることないこと吹き込んで、母のほうから妹夫婦を突き放すように仕向けたんです。一方で妹夫婦には、私が母を操縦して妹夫婦から遠ざけ、母が死んだ場合の遺産を独り占めにしようと目論んでると思わせた。そんなことを実に狡猾《こうかつ》にやり遂げるやつなんですよ」

池本夫人も「そうそうそう」と懸命に相槌を打っている。

池本はさらに身を乗り出した。

「それだけじゃない。彼が本当に危険なのは、尽くした相手が彼を避けようとしたときなんです。彼と付き合っていけば、遅かれ早かれ彼の親切振りが疎ましく思えてくるし、何となく変な男だと気づくようになる。もういい加減にしてくれということになる。それは彼にとって、裏切り以外の何物でもないんです。あの男は狡猾なだけじゃない。裏切りを知った瞬間、衝動的な凶行に走るんだ。妹夫婦と彼らの息子はそうやって犠牲になったんですよ」

喫茶店でするような話ではなくなってきたが、幸い、周りにほかの客はいない。

「そんな危険な人物だってことは警察の方に話されたんですか？」

「我々も当時は気づいてなかったんです。まったく訳の分からないうちに、あれよあれよと両家の関係がこじれていった。あの事件があって、武内が犯行を認めて逮捕されても、まさかという思いのほうが強かった。プレゼントしたネクタイを使う使わないで一家殺人にエスカレートするなんて、どうかと思ってました。でも今なら、それこそ武内らしいと言い切れる。あれは強要された自白でなく、真実を語ったんだ。私が彼の性向の異常性と企みの存在に思い当たり、その考えでいけば両家の不和とその後の事件まで説明がつくと気づいたときには、裁判はおおかた進んでしまってました。控訴審も彼の傷の自作自演が証明できるかどうかが焦点で、私の考えは証拠のない被害妄想として片づけられてしまったんです」

「証拠はないんですね？」

雪見は意識して突き放した訊き方をした。彼らの挙動にはどうしても胡散《うさん》くささが拭えず、ペースに巻き込まれて妄信するのは危ない気がしたからだった。

「証拠がないからってそのまま放置してたら手遅れになるだけだ」池本は強引に押し切った。

「お宅のおばあさんが亡くなられた件。あれもやつのせいなんですよ」

「どうしてそんなことが分かるんですか？」

「武内が隣に越してきて三週間も経たないうちに亡くなってる。あいつのせいに決まってます」

「そんな……」無茶苦茶だ。

「武内とおばあさんの間には何か接点があったはずだ。絶対関わってる」

「確かに彼はおばあさんの介護を手伝ってくれてたっていう接点はありますけど」

「ほらほらほら」夫婦そろって、鬼の首でも取ったかのように雪見を指差した。

「でも、あれは食べた雑炊を戻して、喉に詰まらせたのが死因なんです」

「それを作ったのは誰ですか？」

「伯母です。おばあさんの娘です」

「それを食べさせたのは？」

「それも伯母です」

「伯母さんと武内の関係は？」

「あの日が初対面です」

池本は頭を働かせているらしく、握りこぶしを閉じたり開いたりしながら苦しそうな表情を見せ始めた。

「でも、武内も当時その場にいたんでしょ？」

雪見は仕方なく、当時の状況を話してやった。何となく気にかかっていたことがあり、それをまた思い出したからだ。つまり、満喜子が電話でこぼしたように、祖母が喉を詰まらせた直前、武内が一人で祖母の部屋にいたということである。

それを聞いた池本は眼をぎらつかせて手を打った。そしてまた意味不明の手つきとともに唸り始めた。池本夫人も苦しみを分かつように見守っている。

池本の動きが止まった。「武内が伯母さんの作った雑炊に近づくチャンスはあったんですよね？」

「いや、あれは伯母が作って、自分で持っていって食べさせてましたから」

池本は顔を歪め、身をよじらせた。「馬鹿な。それでも隙はあったはずだ」

雪見の頭の中に、あのときの一場面がふと甦《よみがえ》ってきた。

「食べたあとなら、武内さんが台所に返しに来ましたけど」

池本がかっと眼を見開く。

「食べ残しがあったんですか？」

「ええ……少々」

「それだ！　見えた！」池本は電気が走ったように背筋を張った。「彼は食器を返しに行くのを買って出て、廊下で雑炊の米や具を手ですくってポリ袋か自分のポケットかどこかに入れたんだ。食べ残しはもっと多かったんですよ。そしておばあさんと二人きりになったときに、彼女の口をこじ開けて押し込んだ。そんなことをされれば寝たきりの老人なら嘔吐もするし窒息もする。これは間違いなく彼の仕業です」

雪見は突拍子もない話に、感想が思い浮かばなかった。ただあのとき、祖母の部屋を出た武内は洗面所で手を洗っていたなと、妙なことを思い出していた。

「おばあさんの介護はあなた方の重荷になっていた。少なくとも武内はそう判断した。だから排除したんだ」

確かに介護そのものや満喜子とのやり取りで義母は神経をすり減らしていたし、それで身体を壊し、武内が手伝うことになったわけだが……。

「こんな恐ろしいこと、早くご家族に話さないとね。今のうちにね」池本夫人が恐怖におののいた顔で雪見に勧めた。

「そんな、証拠もないのに」

好意で介護に手を貸し、香典に三十万包んできた男を、可能性だけで殺人者だと指摘できるだろうか。とてもできない。家族もそんな話を聞くとは思えない。

「あと、公園に男の人が来て、ご主人とトラブルになってたわよね。あのとき武内も車に乗ってたでしょ。あれも武内のせいよ。話してみて」池本夫人が雪見に迫る。

気が進まなかったが、彼らの尋常でない気負い方に雪見は抗《あらが》い切れなかった。中絶にまつわる墓地の件まで聞き出されてしまった。

「それは簡単ですよ」しばらく苦悶して考え込んでいた池本が壊れた笑みを見せた。「もちろんあなたの実家に侵入したのは武内だ。やつのことだから新居のほうにもたびたび侵入して、あなた方一家に付け入る手がかりを物色してるはず。それらの行為であなたの中絶が結婚前であることを知った彼は、まず勝手に水子地蔵を注文して揺さぶりをかけてきたんです。それからあなたが保管していた中野さんからの手紙などで、以前、あなたが彼に付きまとわれてた事実を知り、中野さんに向けてあなたを装った手紙を出したんです。ノート類もなくなってるということは、文字を一字一字切り貼りして文面を作り、それをコピーしたんでしょう。それから武内は事前に中野さんを当たって風貌を調べておいた。土曜の昼過ぎにあなたが公園に出かけたところで、武内は図書館の駐車場で中野さんが来るのを張り込んだわけだ。もちろんご主人がそこにいるからだし、あそこは駅から公園に向かう途中にある。中野さんはそこを通る。通ったところで、武内は図書館に入ってご主人と偶然出会ったように芝居し、気晴らしにドライブでもと誘い、奥さんとまどかちゃんを公園で見かけたからついでに乗せてあげましょうと提案するわけです。中野さんを問い詰めたって会話が嚙み合わないのは当たり前なんだ。もうすべて武内を絡ませて考えれば辻褄が合うんだ」

「どうして武内さんがそんなことを？」

すべて中野がやったとするには疑問が残る。それは雪見も感じていたことだ。しかし池本の話にしても、なぜ武内がそんな綱渡りのような真似をしてまで工作せねばならないのかと考えると、どうしても眉唾に取らざるを得ない。

「あなたを排除しようとしてるんですよ。武内はあなたを自分の味方にならない人間であると判断したんだ。我々と接触したのを見たからか、それともあなたから警戒心を感じ取ったのか。やつは敏感ですよ。とにかくあなたは邪魔だと見なされた」

「まどかちゃんの様子もおかしいのよね？」池本夫人が次々に疑惑を持ち出す。「あれも武内だからね。彼がまどかちゃんに何か飲ませてるはず」

「お菓子はもらったりしてるけど、飲み物は……」

「やってるはずだ」池本は決めつけた。「育児に神経をすり減らさせて、トラブルに結びつけようとしてる。やつならやる。それをあなたに教えたかったんです。分かっていれば対処できる」

「それが……もうトラブルになっちゃいまして」

「ああ⁉」池本は大げさに驚き、声を震わせた。「どうしたんです？　どうなったんです？」

「いや、武内さんとは関係ないんですよ。家の中の話ですし。私がまどかをしつけるとき、手を上げる癖がついちゃって。そんなやり方してたから、まどかも言うこと聞くどころかどんどん乱暴になってきちゃったんです。人形を振り回すようになって、その延長で小さな子の腕も引っ張り回して……」

「まどかちゃんに手を上げたところを武内に見られませんでしたか？」

「それは……隣の二階から見られたようなときも」

「あったんですね？　じゃあ武内だ。あなたはあいつに弱みを見せてしまった。そういうところにやつは必ず付け込んでくるんだ。で、それから？」

「だから関係ないんですよ。まどかがまた人形を振り回してたんで、私が足を叩いてやったんです。そしたらちょうど義母がそれを見てて、すごく怒り出しちゃって」

「それは、その場は自然の流れに思えるかもしれませんが、いつそうなってもおかしくないように武内は布石を打ってるんです。やつはお義母さんに、あなたが子供を陰で虐待してると吹き込むくらいはやっている」

「違いますよ。義母は児童相談所の人から……」

言いながら、誰が通報したのだろうかと疑問が湧いた。それには間髪を容れず池本が答えた。

「武内が通報したんだ。分かるでしょう」

「いや、でも私、公園で会う人たちにもそんな話をしてましたし……」

「武内よ、武内。人形を振り回すのも武内が教えてるんだからね」池本夫人が見てきたようなことを言う。

「無理ですよ。あの人形はいつも二階に置いてあって、外には出しませんから」

「お、お父さん、考えてあげて」

夫人に頼まれて、池本は再び唸り始めた。

「その人形というのはどんな？」

「さっきの話に出た赤ちゃんの人形です」

「そうか、それをまどかちゃんに手荒に扱わせて、あなたを怒らせようという魂胆だ。ちょっと待って下さい」

まるでいかがわしい超能力者が透視をするように、天を仰ぎ地を見つめ、手をさまよわせて身もだえする。

「武内が似たような人形を持ってるのを見たことはありませんか？」

「え、いや……でも……」

「でも、何です？」

「まどかがその人形のこと、隣のおじちゃんにもらったのかって訊いてきたんで、変なこと言うなと思ったことはありましたけど」

「ああ、やっぱり。武内も赤ちゃんの人形を買ったんだ……それで、お宅の二階の部屋に面して、武内の家にも窓があるわけですね？」

「ええ」

「分かりましたよ。武内はその窓からお宅を見ていて、人形で一人遊びをしてるまどかちゃんと目が合うのを待ったわけです。目が合ったところで、武内はまどかちゃんに自分の人形を見せて、同じものを持ってるよとアピールする。菓子をあげたりしてるから警戒されることはない。そして、人形を抱っこしたり揺らしたりして遊んでみせるんです。楽しそうだからまどかちゃんも真似をする。武内は次第にエスカレートして、人形を振り回してみせる。でも、子供にとっては何かを振り回すのは楽しいんです。まどかちゃんは喜んで真似をする。そうやって彼は悪魔的な遊びを教えたんだ。まどかちゃんに悪いことをしてる感覚はない。ただ、楽しいことをしてるだけなんです」

「そ、そういうことだったのよ。これでお義母さんも分かってくれるはずよ」

「そんな簡単にはいきませんよ」

自分でも半信半疑で聞いているのに、義母がこれをこのまま真に受けるとは思えない。まどかに手を上げたのは事実なのだから、責任転嫁していると取られるのがオチだ。

「我々がお宅に伺って話をしましょう」池本が鼻息を荒らげる。「あなたはその橋渡しをしてくれればいい」

「ちょっと待って下さい。私は今のことで、しばらく頭を冷やすように言われて、家を出たばかりなんです」

そう言うと、池本は顔を歪めた。「遅かったか」呻くように言い、こぶしでテーブルを叩く。「じゃあ、どうするんです？　我々はどうしたらいい？　どうやって武内に立ち向かえばいいんだっ？」

そんなこと言われても……悔しげに頭を抱える池本を前にして、雪見は対応に困った。

「我々は武内が引っ越してから断続的にあの付近を張って、何とか彼の尻尾を摑みたいと狙ってたんです。それ以上踏み込むには、彼が接近しようとしてる梶間家の誰かと通じなければならない。だから我々は、毎日公園に出かけて一番近づきやすいあなたに懸けてたんですよ」

「あの……お仕事のほうは？」

「できるわけないでしょう。仕事なんて手につきませんよ。的場だけでなく、我々の家庭も無残なもんです。母はあの事件のあと、心労から寿命を縮めてしまった。皮肉なことに、我々にはその遺産だけがある。それで生活できている。しかし、あとは何もかも失ってしまった。〝何もかも〟というのは〝幸せ〟ということです。生活はできても生きてる意味はない。唯一、遺恨だけが我々を生かしてるんです。そんなのが生き甲斐になってる人間の気持ち、あなたに分かりますか？　いや、分からなくていい。けれど、ぜひあの男を追い詰めるのに手を貸して頂きたいんです。

我々には彼に対抗する手立ても力も才能もない。もともと人付き合いも苦手で地味に生きていくしか能のない人間が、無理やり被害者遺族の役を押しつけられて、いったいどうしろと言うんですか。私はこのままでは、武内を殺すしかないという結論に行き着くほかなくなる。しかし、私にも高校生の子供がいます。殺人犯の娘にしたくはない。そのジレンマに苦しみ抜いてるんです。
毎日のように目算なく車で張り込んだり、記者の名を騙ったり、女房や甥を公園に送り込んだりして、そんなことナンセンスだ、見苦しいと思うかもしれない。でも私には自分の行いを笑うことはできない。考えて迷って練った結果の行動です。私にはこんなふうにしかできないんだっ」

雪見は池本の訴えを聞いていて震撼した。彼らに抱いていた印象が今はっきりとしたからだ。

池本の血走った異常な眼。池本夫人の虚ろで病的な眼。一見正反対に見えて、どちらも同じだった。

この人たち……。

廃人の一歩手前なのだ。

何が二人をここまで追い込んでしまったのだ？

被害者家族とはこんなに悲惨なものなのか？

軽はずみに同情することさえできない。

それに……実際のところ、今の時点で彼らに何をしてやれるのか思いつかない。

もっと言えば、こんな状態の彼らが正しい方向を向いているのかも……本当に武内を疑うべきなのかも、慎重に考える必要がある気がする。

「あの……事情はよく分かりましたけど、私も今日は家を出てきて頭が混乱してますし、自分に何ができるのか少し考えさせて下さい。当時の事件のことも勉強してみます」

「そうですか」思いのたけを言い切ったためか、池本は若干落ち着きを取り戻した。「ただ一つ、言っておかなきゃいけないのは、妹一家の事件では、もう武内を裁けないということです。一事不再理といって、新しい事実が明らかになっても、無罪を確定させた武内を裁くことはできません」

「ああ、そうなんですか」

とはいえ、その裁判を義父が担当していた以上、無罪をくつがえすような事実を見つけないと、家族を動かすのは難しいだろう。

「だから、今のところ一番有望な手段は、おばあさんの殺人を立証することです」

「いや、それは無理だと思います」

期待をかけられても困るので、雪見ははっきりと言った。

池本は気落ちしたような吐息をつき、首を振る。

「じゃあ、あとは彼をじわじわ追い詰めて、馬脚を現すのを待つしかない。しかも、被害者が出る前に正体を暴かなきゃいけない。難しいけど、これをやるしかないでしょう。ほっといても、犯罪責任を免れた彼は必ず第二、第三の事件を起こすはずです」

「あの……だからといって、車で張り込んだりするのは無意味だと思いますから。そういうことで疲労をため込まないで下さい」

「そうですね。そうかもしれません」

池本は言われて初めて意識したように、背中を丸めて疲れをあらわにした。

それから携帯電話の番号を交換したところで、雪見はやっと二人から解放された。

それにしても……と一人になって途方に暮れる。

こんなことを聞かされたって、どうすればいいんだろう。

もしかしたら、以前の生活を取り戻す道につながるかもしれないのだが……。

少し前まではごく普通の生活を送っていたのに。

〈14〉 参戦

それからの三日間、雪見は川崎の多摩区に住む女友達のアパートに泊めてもらい、最寄りの図書館や日比谷の図書館などに通い詰めた。女友達は夕飯さえ作れば喜んで泊まらせてくれたので大いに助かった。夜も図書館でコピーしてきた事件当時の新聞や雑誌の記事に目を通した。

四日目になると、もはやその手の記事から得る新しい情報はなくなった。事件の一通りのあらましは雪見の頭にインプットされた。

事件報道は幼い子供まで巻き込んだ冷酷無比な犯行という形で提示され、当初は唯一の生き残り被害者と見られていた武内の目撃証言が重視されていた。しかし、それに見合う付近の目撃情報や物証の乏しさから捜査は難航する。

ある雑誌が先走る形で、生き残り人物に捜査幹部が重大な興味を示しているとの記事が飛び出し、報道は大きく動いた。実際にはその頃すでに武内に対しては連日任意での事情聴取が続いていたようで、間もなく彼はあっさりと自供を始めた。〝自作自演〟や〝希薄な動機〟という特異性にマスコミは飛びついて書き立てている。

池本亨の証言も出ていて、彼自身が言っていたように、当時は武内のことを「まったくそんなことをする人に見えなかった」と話している。それが今は「あいつならやる」と言っているのだから、変われば変わるものである。当初そんなコメントを残してしまっていては、途中から逆の意見を唱え始めても周囲に違和感を残すだけだっただろう。

池本が仕事から帰宅したときに、ちょうどパトカーのサイレンが聞こえてきたという。パトカーが隣で停まったときの胸騒ぎはどれほどだったろうか。もうあと二十分、三十分早く帰宅していれば、異変に気づいたかもしれず、犯人を取り押さえていたかもしれない。そう悔やんだのではないか。彼がこの事件を引きずる一因となっているようにも思う。

池本夫人……池本杏子にしても、庭で隣からの声や物音を聞いたとき、自分がもっとそれを深刻に捉えていれば事態は変わっていたのではと後悔の念を吐露している。しかし、平凡な暮らしの中で隣の家から悲鳴の一つや二つ上がったところで、ゴキブリがいたとかコップを落としたとか、その程度のものだろうと思い込んでしまうのを責めることができるだろうか。親類とはいえ別家族のことなのだ。

災いというものは、確実に目の前にあってもなかなか気づかないものなのかもしれない。

武内の過去を少年期に遡《さかのぼ》って取材した記事もあったが、友人は少なかったらしく、彼に近い人間からの話はない。遠目に見た少年期の彼は、「周りをまとめる優等生タイプ」の子であった。父親は村会議員で信望も厚かったという。武内は父親が五十五歳のときにできた子供で、彼が中学生の頃は父親もすでに七十。大病に捕まると、床を出ることも叶わぬまま死亡し、残った母親は武内と血のつながりのない後妻だった。その彼女も武内が高校生のときに不慮の事故で他界したらしい。

武内はその後、東京の大学を出て中堅の貿易会社に就職した。人物評は人当たりがよくこつこつと仕事をこなすタイプ。やがて独立し、十五年ほど前にはイギリス人の女性と結婚したが、事件の三、四年前に離婚している。この離婚を機に、彼は友人との交際に人の温《ぬく》もりを求めるように変わっていったのだろうか。

一通り事件の概要を摑んだ中で雪見が気になったのは、武内と的場夫妻は飛行機の国際便の中で知り合って交際を始めたという仲にもかかわらず、両者の自宅の距離は歩いて五分程度という近さにあったことである。

これはどういうことだろうか？　偶然とは思えない。もちろん可能性の話しかできないが、的場夫妻と知り合ったあと、武内のほうが調布に移ってきたということではないか。調布あたりの住宅街だと、目当ての家の隣近所を探しても、歩いて五分くらいは離れてしまう……

そういうことではないか。

この点に言及している記事はない。それはそうかもしれない。お互いの自宅が近いということは、仲がよい者同士である限り、たとえ偶然でなくとも何らおかしいものではない。知った人のいる街に住みたいと思う気持ちを異常とは言えないだろう。この事件自体、その仲のよさがこじれた末の悲劇というものでしかない。

しかし、彼は今また、知り合いの近くに引っ越してきている。これが二度目で、しかも前回の知り合いが殺されているとなれば、その意味合いは変わってくる。偶然でないならこれほど気味の悪いこともない。池本は「狙いをつけた」と言ったが、まさしくその言い方が似合うような行動ではないか。

武内が真犯人であることを疑っていない頃の記事を立て続けに読んだせいか、想像が悪いほうへばかりふくらんでいく。特に、六歳の子供までが凶行の的になっているという事実には、まどかを持つ身としては強烈な不安をかき立てられる。にここにことまどかに菓子を与える武内を見ているだけにまさかとは思うが、楽観していい問題ではない。

無罪判決後の記事は、どこも当局の杜撰《ずさん》な捜査を追及する論調に一転している。無罪の決め手はやはり、武内の背中の傷について、自分で故意につけられるものではないとした弁護側の鑑定結果が重視されたことにあった。ほかには、自白が捜査当局側に強要された疑いが強く、本人が供述した動機に説得力がないという点なども挙がっている。

動機に説得力がないというのは、どうしようもない問題だ。ネクタイ云々に納得するかどうかは主観にも左右される。池本はあれこそが武内らしい動機だと言っている。もちろんネクタイ一つの話ではなく、それまで尽くしてきた積み重ねが利いているのだろうし、加えて武内の人格的な異常性が証明されれば、池本の説は成り立つのではないだろうか。

背中の負傷は裁判長である義父が一番疑問を呈していた点であるようだ。これを引っくり返せば一気に武内の犯行を立証できることになる大きな問題でもある。

金属バットを後ろ手に持って自分の背中を打つことは難しくないし、相応の打ち身もできるだろう。しかし、武内の背中の傷はその程度の弱い殴打を何十回か繰り返してできる類のものではなく、強い衝撃を十回から二十回与えられたようなものらしい。

とはいうものの、曲がりなりにも自分で傷をつけられる以上、それを重傷に持っていくことの壁はそれほど高いものではない気もする。検察側に有効な立証ができなかったのだから、普通の考え方でクリアできる問題ではないにしても、何か見方を変えればこの壁は乗り越えられるのではないか。そんなふうにも感じる。

祖母の死を武内の犯行として立証するのは、どう考えても不可能だ。そうすると、あれ以来の不可解な出来事の中で相手の尻尾を摑めるものがあるとすれば、墓地の件だけである。

ちょうど家を離れてから三日目の夜に池本から様子を尋ねる連絡が入ったので、雪見は都内の石材店に片っ端から当たってもらうよう頼んでおいた。この件だけでも武内の仕業と証明できれば、家族に彼の異常性を理解させる材料としては十分である。

家を出てから四日を過ぎ、雪見は武内を危険人物と見なす気持ちに大きく傾いた。自分が再び家に戻ることができるかどうかという問題を別にしても、家族に彼の危険性を伝えるべきなのではと思うようになった。

ただ、その方法は慎重に考えねばならない。義父は武内に無罪を言い渡した当人であるし、義母は武内と打ち解けていて、信用もしている。そして、少なくとも俊郎の論文式試験が終わるまでは家の中をいたずらにかき回すべきではない。

五日目になって、雪見の携帯電話に義母から連絡が入った。向ヶ丘遊園に住む友人のアパートに身を寄せていると話すと、じゃあ、そこで会おうと言う。四時に約束し、仕事に出ている友人には買い物に行くと書き置きしてアパートを出た。

義母はまどかの手を引いて駅から出てきた。考えてみれば義母しか面倒を見る者がいないのだから、連れてきて当然だった。しかし、虐待を咎められて家を出てきた身にしてみれば、まさか会えるとは思っていなかった。まったく期待していなかっただけに、涙腺《るいせん》の緩む嬉しさがあった。

もっとも、涙のほうはまどかの専売特許だ。目が合った瞬間こそどうしていいか分からない顔をしていたが、雪見が座っておいでおいでをしてやると、泣きじゃくりながら抱きついてきた。

「そんなに泣かないの」

抱き上げて、頭を撫でてやる。久し振りに腕の中で我が子の柔らかな身体の感触を確かめて、雪見はたまらない気持ちになった。離したくないと思った。耳元で泣かれても、うんざりするような気分は湧いてこない。泣いてくれるのかという喜びだけがあった。

「もう、毎日毎日、ママ、ママって大変なんだから」そう言って義母が笑う。

「会わせに来てくれたの？」

あんな理由で家を出たのに。

「そりゃそうよ。雪見さんだって私一人で来たら、がっかりしたでしょう」

五日前のことなど忘れたように義母は優しかった。

何か飲もうと義母が言い、三人で駅前通りにある喫茶店に入った。

雪見は泣き止んだまどかを自分の膝の上に座らせた。愛しくて仕方なく、片時も離したくない思いだった。まどかにはパフェを注文し、一口一口食べさせてやった。

「てっきり実家に戻ってると思ってたのに」

紅茶を飲みながら、義母は心配するような口調になった。

「何か帰りづらくて」

雪見は言葉を濁したが、義母は事情を汲んだように頷いた。

「そんなふうなら早く戻してあげたいんだけど、俊郎のほうがだいぶへそを曲げててね」

あの様子ならそうだろうなと思った。やり直すつもりはもうないのかもしれない。

「お義母さんは許してくれるんだ」

「許すも何も、私は言った通り、ちょっと頭を冷やしてほしかっただけよ。あなたの悩みが分からないなんて言ってないわよ。私だって俊郎を育ててきてるんだもの。まどかを見てれば本当の意味での虐待を受けてたんじゃないことくらい分かるし。あなた頑張り過ぎちゃう人だから、こうするのが一番いいと思ったのよ」

「そうなんだ……」

見切られたのでないと分かっただけで、雪見は嬉しかった。

「あなたが一生懸命やってるのはちゃんと見てるから、報われないなんて思わないで。そりゃ、そのやり方が間違ってたら怒るし、直そうともするけど、それもあなたに応えてるってことだから。俊郎のお嫁さんになってくれてありがたいと思ってるし、いてもらわなきゃ困る人よ」

「うん……分かった……」雪見は気持ちが一杯になって、それだけ言うのがやっとだった。

「俊郎のほうは何とかするわ。でも、今はあの子も試験が迫ってて余裕がないのよ。だから雪見さんももう少し我慢して。私もまたまどかを連れて会いに来るから」

「うん。ありがと」雪見はしんみりとした笑顔で応えながら、クリームがついたまどかの口をティッシュで拭いた。「この子の様子どう？　夜とか」

「心配しなくていいわよ。そりゃ、ママじゃないから気に入らないことも多いだろうし、ずいぶんとてこずらせてくれるけど、前みたいなことはなくなったから。夜も普通に寝てくれるようになったしね」

「そう……まどか、偉いねえ」

正直、ほっとするより複雑な心境だった。自分の手を離れてから、まどかは生活サイクルや情緒が安定したのだ。やはり自分のしつけは過度のストレスを与えていたのだろうか。それとも……。

「お義母さん、ちょっと変なこと訊くけど……」

「ん？」

「まどか、武内さんに何か飲み物もらったりしてたことある？」

まったく唐突な質問だったが、さりげない口調で訊いたためか、義母は特に表情を変えなかった。

「ああ、あるわよ。いつもヤクルトもらってるわね」

「え？」自分で質問しておきながら、雪見は予想もしなかった答えを聞いて衝撃を受けた。

「いつから？」

「いつからって言われても困るけど。夕方、庭で顔を合わせるともらえるもんだから、ここんとこ、まどかが味を占めちゃって……何、それがどうかしたの？」

「いや……ある人にまどかが夜寝てくれないことを相談したら、誰かが飲み物に薬を混ぜて飲ませてるんじゃないかって言われたことがあって……」

「ええっ……」

「でも、家族の誰かがそんなことするわけないし、もしかしたらと思って」

義母は一気に顔を曇らせた。

「そんな他人様のせいにしちゃ駄目よ。誰が言ったか知らないけど、あなたが自分を責め過ぎないように思いつきを口にしたのよ」

「うん、そうかも。けど、もう一つだけ聞かせて。そのヤクルト、ふたは開いてるの？」

「私が開けるのよ。それに今だってもらってるけど、まどかは何にもおかしくないわよ」

「そう……」

かといって、武内への疑惑が消えた感覚はなかった。飲み物を与えているという事実の衝撃が大きかったせいかもしれない。

「雪見さん、あなた大丈夫？」義母は眉をひそめる。「まだ、あなたらしくないわね」

「大丈夫よ。ちょっと訊いてみただけ」

義母の反応は予想通りだった。これ以上武内との対決姿勢を明らかにすれば、義母をも敵に回すことになるだろう。

でも、いつかはそれを避けられないときが来るのではないか。

お茶を飲み終わるとダイエーに寄り、そろって食料品を見て回った。雪見の分も義母が払ってくれた。今夜は場所を離れて、我が家と同じシチューだ。

帰りは駅まで見送った。切符を買った義母が改札の前で立ち止まったところで、雪見は抱っこしていたまどかを下ろした。

「早く元通りになればいいけど、どっちにしろ四十九日は出てもらうから、ちゃんと空けといて」

「うん、分かってる」応えてから、雪見は名残惜しい思いでまどかの頭を撫でた。「じゃあね。またいい子にしてるんだよ」

「ママは帰らないの？」

　まどかが心細そうに雪見を見上げる。

「うん。ママはね、まだ帰れないから。おばあちゃんと仲よくやって。ね？」

「じゃあ、まどか、行こうか？」

　義母がそう言ってまどかの手を引こうとする。

　しかし、まどかは雪見を見つめたまま動こうとしない。口をへの字に曲げて、眼から涙をあふれさせた。

「ごべんでぇ」

　頰に伝う涙を拭いながら、雪見を見上げて謝ってくる。

「ごべんでぇ、ママ」

　何がごめんねなのだろうと思った。

　そして、ああ、そうだったと気がついた。

　いい子になってくれないとママ出ていくよって、私、この子を脅かしてたんだ……雪見は胸がきゅんと痛み、座ってそっとまどかを抱き寄せた。

「まどかは謝らなくていいのよ。まどかが悪くて、ママ、家を出てるんじゃないの」

しゃくり上げる肩の震えが胸に伝わってきて、切なくなる。

あどけないなあ。

この子、私が必要なんだ。

いい子にしていればママが帰ってくると思って頑張ってたんだ。

私もこの子が必要だ。

ついこの間までずっと一緒にいたのに。一日中一緒にいたのに。どうして離れなきゃならないんだろう。

「ママ、もうすぐ帰るから。あと少しだけ待っててね」

必ず帰るから……まどかの背中を撫でながら、心で繰り返し誓う。

そして、そのときはね……。

もう、絶対にぶったりなんかしないよ。

次の日、雪見は調布へ足を運んだ。最寄り駅は国領《こくりょう》だった。北口に池本杏子が出迎えに来てくれ、いつものおどおどした調子で自宅まで案内してくれた。

梅雨明けした暑気の中、駅から十五分ほど歩いた。駅から遠ざかるにつれ、ところどころに畑も顔を覗かせる郊外の雰囲気がたっぷり漂ってくる。垣根でぐるりと囲った中に何本もの大きな木が伸びている大地主のような家があるかと思えば、猫の額ほどの庭と、気をつけないとすぐにボディをこすってしまいそうなガレージを持った、こぢんまりとした造りの家が軒を連ねていたりもする。

池本の家は後者のタイプだった。築十年ほどだろうか。雪見の実家に比べればはるかに清潔で、それなりの手入れがされていると分かる家ではあるものの、外壁はそろそろくすみ始めていて、どことはなしに寂しげな佇まいだった。小さな庭にも咲いている花はない。

「どうぞどうぞ、遠慮なく入ってね」

杏子に従い、雪見は玄関に靴をそろえて、家に上がらせてもらった。

「お父さん、お父さん」

杏子は早口で呼びかけながら、短い廊下の先にある引き戸を開けた。その向こうはリビングらしい。

「やっぱり飲ませてたって。ヤクルト飲ませてたんだって」

来る道すがら、雪見がヤクルトの話をすると、杏子は一気に色めき立ってしまった。「やっぱりね。やっぱりね」とうなされるように言い続けて歩いてきた。その興奮のまま池本に報告している。

「こんにちは」

雪見が挨拶しても池本はそれに反応せず、「そうだろ、そうだろ」とこちらも顔を上気させている。

「あの……でも、ふたは開いてないし、今ももらってるけど、まどかは落ち着いてるんです」

雪見が言っても、池本は意に介さない。

「当たり前ですよ。雪見さんが出ていったから薬を入れるのをやめただけのことです。それにヤクルトのふたなんて、半分くらい開けてから元に戻したって、ぱっと見には分からないでしょ」

それはそうかもなと雪見は頷かされた。そう思うと、武内がますます怪しく感じられる。

「石材店のほうはどうですか？」

「ああ。今、電話帳を広げて当たってるんですが、もう少し待って下さい」池本はその電話帳に目を落として頭をかく。「どうも、私も女房も人に電話をするのが苦手なたちで。汗を拭き拭きやってますけど、なかなか進まないんです」

「ああ、じゃあ、あとは私が……」

「いやいや、我々に任せて下さい。それによく考えたら、埼玉や神奈川の店もあるなと思ってるんで、一人じゃ無理です。武内のことだから、むしろ突き止めにくいように少し離れたところに頼んでる可能性が高い」

そういうことならまだまだ時間がかかりそうだ。あまり期待はできないかなと思った。

麦茶を淹れてもらい、冷房の利いたリビングでしばらく涼むことにする。

「あの……お隣は当時のままなんですか？」

汗が引いたところで雪見は話を変えた。

「ええ、そのままです。的場さんのご両親も、何もおっしゃってこないんで。女房がときどき掃除をして管理してます」

「よろしければ、ちょっと見せて頂けませんか？」

「どうぞ、どうぞ」

三人で外に出る。

隣の的場邸は、外観上は池本邸とまるで双子のように似た造りをしている。さすがに車は処分したのか、それとも元から持っていなかったのか、ガレージはがらんとなっている。

よく見れば、池本邸の庭は的場邸とは反対側にある。池本邸の庭があり、池本邸があり、的場邸の庭があり、的場邸があるという位置関係だ。庭自体は花木に水をやるのに歩き回る必要のないくらいの広さでしかないが、この並びでは杏子が庭にいて、的場邸の不審な物音や声に胸騒ぎを覚えなかったのも無理はないなと思えた。実際には杏子の耳に届いた以上の物音や叫び声が上がっていたのかもしれない。反対隣の家はたいそう堅牢な塀を巡らせているし、奥には斜めに停める狭い駐車場を挿んでのっぺりしたマンションが建っている。家が密集しているように見えて、意外に人の耳から離れている。

「どうぞ、入って」

ドアを押さえる杏子の横を、雪見は中へと進み入った。

主のいない家は沈黙していた。電気もガスも切れていることが空気を通して分かるような、そんな生命感のなさが感じられた。

入って左側にあるドアがトイレで、その奥が洗面所と風呂場になっている。右側はキッチンとリビング……いわゆるＬＤＫだ。和室もそちら側にある。二階に上がる階段は中央の廊下から伸びている。

リビングはＬ字型をしていて、そこに和室が嵌まるような間取りになっている。和室は六畳。ふすまが閉まっていたが、開けてみると中央にこたつ台が置かれ、たんすやテレビなどがあった。団欒《だんらん》の部屋だったのだろう。

リビングはダイニングテーブルや応接セットのほか、本棚や飾り棚が壁に沿って並んでいる。

「武内から買ったりもらったりしたものは、私のほうで捨てちゃいました」

そのためか、実にシンプルな部屋に見え、それが逆に若い一家であったことを窺わせる。

かけ時計やカーテンのデザインも凝っているし、ぬいぐるみやアートクラフトなどが棚に入っていて、池本邸にない華やかさを感じさせる。

本当にここで惨劇があったのか信じられない気分だ。まったくこの家に相応しくない。

「ここに」池本がソファの手前あたりを指した。「ここに久美子が倒れてました」

それから、リビングの入口付近に目を向ける。

「ここに的場さんが」

すぐ横には階段がある。

「上から二、三段目くらいのところに健太君が」

そして武内は電話のある廊下の中央で倒れていたらしい。

現場を見てみると、何とも狭いところに死屍《しし》累々《るいるい》の様相を呈していたのだなと分かる。駆けつけた警官が玄関のドアを開けると、目の前に瀕死の武内がいて、リビングからは洋輔の身体も半分覗いている。そこに寄って見上げれば、階段に引っかかるように健太君の小さな身体が横たわっている。そしてさらにリビングの奥を見れば久美子も……想像するだに惨《むご》たらしい光景だ。

「だからね」池本が犯行の一部始終を説明し始めた。「彼らは最初リビングで普通に話してたわけですよ。それで、プレゼントしたネクタイを的場さんが気に入らなくて使っていないということが分かって、武内は激高したんです。武内は怒って帰ろうとし、玄関に来たところで傘立てに差してあった金属バットに目を留めた。そして衝動的な殺意が一気にふくらみ、それを手に取った。後ろには武内をなだめようとして追ってきた的場さんがいました。武内は彼の頭をいきなりバットで殴り、階段脇まで後退した彼に致命傷を与えた。それを見た久美子が悲鳴を上げた。その声に逆上した武内はリビングの中に入って、恐怖に立ち尽くしてた久美子をあっという間に仕留めた。

そこまでやったところで、武内は我に返ってこの状況をどうするか考えた。で、これは何者かが侵入して暴行に及んだということにするほかないとの結論になる。このまま逃げてしまうと自分に疑いがかかるおそれがある。それよりは自分も被害者の一人になったほうが騙せるのではないか……そう判断して、武内は偽装工作に踏み切ったんです。それと前後して、健太君が二階から下りてきた。自分の犯行が見つかり、この子も生かしておけないと考えた武内は、二階に逃げるあの子を追い、プレゼントのネクタイを使ってあの子を絞殺した……」

それはおおむね、武内が当初自白した通りの経過だ。目で現場を追いながら聞くその話には真実味が増して感じられる。あり得ると思う。なぜそれに疑問の声が差し挿まれるのかが不思議なほどだ。

　確かに不可解な点は依然残っている。武内の背中の負傷の問題だ。現場に立てば何か閃《ひらめ》くものがあるかとも思ったが、そんな簡単なものではなかった。リビングにしても、本棚や飾り棚などが壁伝いに置かれてあり、L字型という独特の間取りもあって、右に左にバットをぶんぶん振り回せる広さではない。振りかぶって振り下ろすのなら分かる。リビングも廊下も天井は高い。特に廊下は階段の上が吹き抜けになっている。的場夫妻はそうして頭を殴打されたのだろう。

　それでは武内の場合はどうか。やはり、うずくまって後頭部を手でかばったところにバットを振り下ろされたという状況は、この現場を見る限り、一番自然な説明だと認めざるを得ない。的場夫妻はそんな防御体勢を取る前に襲われた。とすれば、防御した武内だけが背中中心の負傷だったのもおかしくはない。

　それをどうやってくつがえせばいいのだろうか。武内が何かの工作を施したと見るべきか。その何かは漠然としていて、これ以上頭を使ってもはっきりしたシルエットは浮かんでこない。

「ありがとうございました」

　雪見は考えるのをあきらめて、池本たちに礼を言った。やはり矛盾をきれいに引っくり返して義父に突きつけてみせるのは難しいなと思った。疑惑を集めて、武内が危険人物であることに気づいてもらう方法しかないようだ。

「あの、できたら今度うちに……梶間の家にいらして話をして頂けませんか。私が段取りをつけますから」

池本夫妻の発する独特な雰囲気が家族に受け入れられるかどうかは心配だが、当事者の訴えに勝るものはない。

「そ、それはぜひ喜んで」池本は勢い込んで応えた。

今度の土日に俊郎の司法試験があるので、それが済んでから動きたいと雪見は告げておいた。駅まで送るという申し出を丁重に断って家を出た。

来た道順は忘れてしまったが、駅の方向はだいたい見当がついているので適当に歩いた。的場邸のことなどを思い返しながら漫然と甲州街道を越えた。やがて、旧甲州街道に出た。

国領駅はもうすぐのはずだが、この街道を右に行くのか左に行くのか、そこで少し迷った。たぶん左だろうと自分の方向感覚を信じて進んでみる。少し歩いたところに黒いペンキで手書きされた街の案内板が金網のフェンスにかかっていた。それで見てみると、やはり正しかった。前方、目に見えるところに駅へ曲がる交差点がある。

視線を案内板から離しかけて……。

ふと何かが引っかかった。

雪見は歩道に佇んだまま、案内板を凝視した。

そして気づいた。

岡井石材という店が街道沿いにある。駅とは反対の方角だ。振り返ってみたものの、もう少し先にあるのか看板は見えない。

こんなところに石材店があるのも意外な気がするが、まあ、石材店などどこで店を構えようと勝手なものなのかもしれない。確かにこの通りは旧道だけあって、米屋や作業服屋や釣具屋など、土地に合っているというよりは昔ながらの商店街の名残を感じさせるような店が多い。岡井石材も代々そこで店を構えてきたのだろう。

普段ならまったく気にならない石材店も今日ばかりは無視できない。というのも、武内の元の家がどこかは知らないが、池本の家からここまで歩いてこられる以上、武内もこのあたりの土地勘はあるはずだからだ。

きびすを返して調布方向へ歩いてみる。三分も行くと、その店が現れた。石を運ぶ重機を載せたトラックが停まっている。在庫か見本か、屋根つきのスペースに墓石がいくつか並んでいる。水子地蔵も何体か置いてある。それを見て、雪見はいよいよこの店が気になってきた。

ガレージの横に事務所があり、中年の男が一人、机に向かっているのが窓越しに見える。

「あの、すいません」

ドアを開けると、男は眼鏡の上から雪見を見た。

「ちょっとお尋ねしたいんですけど」客だと思われないうちに切り出す。「お宅で最近、多摩野霊園にある梶間という墓の仕事はされませんでしたか？」

「ああ、はい」

店の主人はあっさりそんなふうに答えた。ただの相槌かもしれないと思ってもう一度訊き直すと、今度ははっきり肯定した。

「確かにうちで受けましたね」

何と……。

「それ、あの……」雪見は次の質問を探すのに手間取った。「注文しに来た人は憶えていらっしゃいますか？」

「梶間さんですよ」主人がとぼけた答えを返す。

「そう名乗ったかもしれませんけど……あの、私、その梶間なんですが」

「はあ……」

「その人の外見とかは？」

「ああ、電話でした」

「電話？」

「そう。仕事が忙しくて昼間は伺えないからって。戒名や墓地の区画番号なんかは夜中にポストへ入れておくって。その通り入ってましたけど」

「水子地蔵の注文も？」

「そう。外に置いてある中の一番小さなやつでいいからって」

「お金はどうやって払ってます？」

「銀行振り込みです」

せっかく突き止めたというのに、これではお手上げだ。

「何？　誰が注文したのか分からないの？」主人は逆に尋ねてきた。

「ええ」雪見は力の抜けた声で返事をした。「あの、声の特徴とかは？」

「うーん。そう言えば、くぐもったような鼻をつまんだような、変な声だったなあ」

駄目だ。相手も抜かりない。

「でも、自宅の電話番号なら聞いてますよ。向こうからその都度連絡があったんで、こちらからはかけてませんけど」

どうせでたらめの番号だろうと思ったが、主人が電話を貸してくれるというので、ためしにその番号にかけてみた。

呼び出し音が鳴る。どこかにつながる番号なのだと分かり、ほのかに緊張した。

呼び出し音が途切れる。

「もしもし」一息分の間を置いて、声が届いた。女の声だ。まずそのことに意表を衝かれ、次に、聞いた声だと思い当たって絶句した。

「もしもし？」もう一度向こうの声が聞こえる。

「あの……もしもし……」

「あれっ、雪見さん……？」

「はい……先ほどはどうも」

やはり杏子だ。それがはっきりして、雪見の思考は空転した。

「あ、ええと……何でした？」

「あの……例の石材店が見つかったんです」

「え？　ちょ、ちょっと待って下さい」杏子は慌てて早口になった。遠い声で「お父さん！」と呼ぶのが聞こえる。

「もしもし、代わりました」と池本の声。

「あの、石材店が見つかったんです。お宅の近くというか、旧甲州街道沿いに一軒あって」

「ああ、そんなところに……で、武内でしたか？」

「いや、あの、電話で注文したらしくて、今その客が言い残した電話番号にかけてみたんです」

「どこにつながりました？　武内じゃないんですか？」

「だから、これです。お宅に」

「なっ」池本は小さく呻き、それから「やつだ、やつ」と声を荒らげた。「やつはうちの電話番号くらい知ってます。突き止められるのを見越して使ったんだ。畜生、あいつらしい手だ」

なるほど、武内なら池本の電話番号を使っておかしくない。まったく、周到に嫌な網を張り巡らせている男だ……。

「これで中野さんがやったんじゃないってことがはっきりしたでしょう」

「……ああ、そうですね」

確かに中野の仕業でないということは明らかになった。

しかし、そんなことでは何も気が晴れない。不快感が新たになったと言ってもいい。

とにかく嫌な気分だ。

週が明けて、雪見は多摩文化大学に義父を訪ねた。池本夫妻を家に呼ぶからには義母や俊郎はともかく、あの裁判に関わった義父には事前に話を通しておく必要があると思ったからだ。

高卒の雪見にとって大学というのは何となく気後れする場所だった。悠々と闊歩する学生たちに混じって構内を進み、守衛に教えられた義父の研究室に向かった。構内の中心に建つ棟の五階だ。

覗いてみると、研究室といっても何かの設備があるわけでもない、ずらりと本に囲まれた狭い一室だった。四十代の痩せた男が机に向かっている。もう一つの机が義父のものらしい。二人の教員で一室を分け合っているようだ。

訊けば、義父は講義に出ているということなので、隣の、楕円形の机が入ったゼミ室という部屋で待たせてもらうことにした。

静かな部屋の中、三十分ほどじっと座っていたところ、隣の研究室から義父の声が聞こえた。あまり家では聞かれない人当たりのよさそうな声で何事かを話している。しばらくしてゼミ室のドアが開いた。義父が首をぽりぽりかきながら入ってくる。

「ごめんなさい、こんなところに来て」

義父はかすかに頷き、「どうした?」と、淡々とした口調で訊いてきた。

義父と膝を突き合わせて話をする機会はあまりない。共通の話題が特にあるわけでもなく、義父はテレビもニュース以外は見ない人だし、子供にも興味がなさそうなのだ。

それでも、外で会う彼はいつもより話しやすそうな雰囲気があった。

「あのね、隣の武内さんのことでお義父さんにちょっと訊きたいことがあるんだけど」

「武内さん？」義父は片眉を動かした。「俊郎のことじゃないのか？」

「うん。関係ないことはないけど……あの人が来てから何かおかしなことばかり起こってる気がして。お義母さんはあの人と仲がいいから話せないのよ」

怪訝な表情を決め込んだ義父に、雪見は墓地のことや中野に届いた手紙のこと、まどかの変調とヤクルトの話などをした。池本らの存在にはとりあえず触れなかった。

「ね、変でしょう？」

雪見が反応を求めると、義父は首を傾げた。

「それが武内さんと関係あるのか？」

仕方なく、今度は池本の推理の触りだけを持ち出した。

「うーん」義父は困ったように唸る。らちがあかないので次に話を進めることにした。

「お義父さんさあ、的場さんの事件の裁判やってるけど、本当のところ、どう思ってあの人を無罪にしたの？」

「というと？」

「つまり、シロと思って無罪にしたのか、怪しいけど立証できないから無罪にしたのか」

「同じだよ。無罪は無罪だ。シロもグレーもない」

「そりゃそうだけど……」

建て前で返され、雪見は拍子抜けした。

「武内さん、最初に自白してるでしょ。あれ、大筋で通ってるように思うんだけど」

「あれがか。それはちょっと見方がうがち過ぎだな」

「でもさあ、相手のためを思ってやってるのに報われないと、悔しかったりするじゃない」

「だからって、ネクタイ一つで逆上するものか？」

「それは、それなりの積み重ねがあったからかもしれないし。キレやすい人だったらあり得るんじゃないのかな」

義父は小さく首を捻っただけだった。もともと献身的に何かをするような立場にいる人ではないだけに、その行き違いがどういう感情を生むのかはピンとこないのかもしれない。もちろん、ネクタイ一つでというのが尖鋭《せんえい》的過ぎることもある。可能性としては認めたいのだが、それを人に説くとなると難題だ。

「だいたい、あれは警察に強要され、誘導された供述だしな」義父が言う。

「強要されたからって、やってもいないことを簡単に認めるものなの？」

「冤罪に無知な人はそういう疑問を持つんだよ。実際の取り調べは並みの人では耐えられないほど過酷なんだ。彼から体験談を聞かせてもらったけど、典型的な冤罪のパターンを踏んでる」

法律の専門家に初歩的な疑問を投げても、どうも分が悪い。

「お義父さんさあ、武内さんって偶然、隣に引っ越してきたんだと思う？」

「うん？」義父は少し戸惑ったような声を洩らした。

「武内さんと的場さんって、国際便の飛行機の中で出会ってるのに、家が歩いて五分くらいの近さなのよね。あれって、武内さんが的場さんの近くに引っ越してきたってこと？」

「どうだったか……あれは的場家のほうが昔から住んでた場所だったと思うが……武内さんが越したのが、的場さんと出会う前かあとかはちょっと憶えがないな」

義父も今初めて梶間家との符合に気づいたのか、かすかな狼狽《ろうばい》を見せた。

もっと危機感を煽ってみる。

「あの人が介護を手伝ってくれるようになってから十日足らずでおばあさん死んじゃったけど、これも偶然だと思う？」

「何？」義父は眉間に皺を寄せ、声を上ずらせた。

「別に根拠があって言ってるわけじゃないけど」脅かすことができただけでいいだろう。雪見は自分から話を引っ込めた。

「悪い冗談はよしなさい」義父は不機嫌な声で雪見をたしなめた。

「でも、お義父さんは意識的に武内さんとの距離を取って、お義母さんに付き合いを任せてるように見えるけど、本当はあの人のこと、何となく怪しいと思ってるんじゃないの？」

「馬鹿なこと言っちゃいけないよ。私は彼の味わった苦難に同情してるし、その闘いに敬意を払ってる。だからこそ、学生にその体験を話してもらうようにも頼んだんだ。でも、近所付き合いや友達付き合いとなれば話が違う。見る人が見れば、元判事と被告人なんだ。お互いに節度を保って付き合う必要がある。尋恵にもちゃんとそう話してあるんだよ」

「じゃあ、あの人のことはまったく疑ってないってこと？」

「当たり前じゃないか」

　自分の判決に足元をからめとられているのは分かるが、信念というよりは、意地を張って自分を正当化しているようにしか聞こえない。これだけ警戒信号を発しているのに駄目か。

「お義父さんはそれでいいのね」雪見は呟いた。「私、みんなを敵に回すかもしれない。私はあの人、怪しいと思うから」

「何をする気だ？」

「的場久美子さんのお兄さん夫婦と会ってるの。お義父さん、知ってる？」

「ああ……判決に怒ってたな」

「そう……お義父さんに恨みはないんだって。裁判が終わってから気づいたこともあるから、一度話を聞いてほしいそうよ。私、みんながそろってるときに連れてくる。俊君の試験も終わったし、今度の日曜日あたりに」

「ふむ……そんなことしてどうするんだ？」歯切れ悪く、苦そうな顔をする。

「分からない。話を聞いてもらうだけよ」

義父はいつものように曖昧な態度で唸った。こういう姿を見るとき、雪見はいつも、この人本当に裁判官だったのかと思ってしまう。

「そんなことより俊郎との仲を修復するほうが大事じゃないのか？　私はそのほうが心配だな」

心配してくれてるんだ……雪見は皮肉混じりに思った。

「私はこのことで身の潔白を証明するつもりだから。お義父さんもちゃんと家のこと見てないと、そのうち居場所がなくなっちゃうわよ」

捨て台詞気味に言い残し、雪見はその場をあとにした。

〈15〉 対決

日曜日の午後、雪見は多摩野台の駅前で池本夫婦と待ち合わせた。約束の三時に姿を見せた彼らは、和人君と一緒だった。

「まどかちゃんの遊び相手になればと思って」

そんな気配りを見せる二人は、服装もぱりっとしたスーツ姿で、いつもの荒廃的な印象がずいぶん消えていた。勝負の日だという意気込みが窺える。

「和人君、まどかと遊んでくれるの？」

「うん。おもちゃ持ってきたの」

和人君は肩にかけたバッグの口を開けて、中を見せてくれた。親の教育方針なのか、でんでん太鼓やお手玉など、昔ながらのおもちゃが入っている。

「へえ、珍しいの持ってるねえ。まどかにも貸してあげてね」

雪見は和人君に向けた笑顔を少し引き締めて、池本夫妻に移した。

「じゃあ、行きましょうか」

梶間家に向かう間、池本夫妻は緊張の面持ちで口数が少なかった。昨日連絡したときには、とにかく冷静に話してくれとだけ頼んでおいたが、この分だと感情的に暴走してしまう心配はなさそうだ。

久し振りの我が家に到着する。

何を言って入っていいか分からず、チャイムを鳴らすのも変なので、雪見は池本夫妻を外に待たせ、黙って家に上がっていった。一応、午前中に連絡は入れてある。そのときは俊郎が出たので、話があるからとだけ言っておいた。

義父母の部屋には誰もいない。リビングを覗くと、義母が隅のほうでアイロンをかけていた。

「あら、暑かったでしょう。冷蔵庫にお中元でもらったジュース入れてあるわよ」

「ありがと……お義父さんは？」

「今日、ほら、大学の司法試験の勉強会。あれの慰労会があるからって」

「出てったの？」

「雪見さんによろしく言っといてくれって」

用事があるならこちらで合わせたのに。本当にこんな時間から出ていく必要があったのか。

逃げたとまでは思いたくないが、明らかに回避されてしまっている。

　十分危機感を煽ったつもりだったが、あれでも足らなかったようだ。もう義父のことは放っておくしかない。

「今日ちょっと、お義母さんと俊君に会わせたい人を連れてきてるんだけど」

「え……誰？」義母はきょとんとして雪見を見る。義父からは聞いていないらしい。

「あとで紹介するから。とりあえず中に入ってもらうね」

　雪見は池本夫妻と和人君を招き入れた。そのままリビングまで通す。

「初めまして、池本と申します。こちらは家内です」

　義母は池本に合わせて深々とお辞儀をしたものの、表情には戸惑いの色があった。

「こんにちは」和人君が例によってはきはきと挨拶する。

「まあ、こんにちは。おりこうさんね」

　義母もこれには相好《そうごう》を崩した。まったくいい話のない池本一族の中でも、この子だけは希望の星だなと雪見は改めて感心した。

「彼、二階だよね？」

　雪見は義母に確かめ、和人君を連れて階段を上がった。

　二階では俊郎とまどかがじゃれ合って遊んでいた。

「ママ！」

雪見を見たまどかは、そのままの勢いで抱きついてきた。今日は涙がない。少しの間にまどかが大人になったような気がした。

「ねえ、どうして和人君がいるの？」

「今日はねえ、和人君、まどかと一緒に遊びたいんだって。仲よく遊べる？」

「うん」

この様子なら三十分や一時間は大丈夫だなと思った。和人君が早速バッグからおもちゃを出す。まどかが「わあ」と喜んでいる。

「話って？」まどかとじゃれていたときとは打って変わり、俊郎が醒めた眼を雪見に向けてきた。

「会わせたい人がいるの。下に来てもらってるから」

「弁護士か？」

「違うわよ」

何の話だと思っているのか。笑う気にもなれない。

一階に下りると、ちょうど義母が池本夫妻にお茶を出したところだった。

「そっちに座って。お義母さんも」

二人を池本夫妻の向かいに座らせ、雪見はソファのない下座にクッションを敷いて正座した。

「こちら池本さん。隣の武内さんが被告人になった事件の被害者の親族の方なの」

雪見は彼らの具体的な関係と両家が隣同士だったことなどを説明した。

義母も俊郎も彼らがここに来た意図がまだ呑み込めないようだったが、先回りしてそれを訊くようなことはしなかった。凄惨な事件の被害者側という立場は、それだけ人の心を躊躇させる空気をまとっている。

二人がじっと耳を傾けてくれているうちに話を進めていく。

「それでね、この方々は武内さんをよくご存じなんだけど、あの事件については武内さんのことを決して無実だとは思ってらっしゃらないの」

雪見の話を受け、池本がハンカチで汗を拭き拭き、自説を披露した。武内が過剰な親切ぶりで近づいてくること。気に入った相手には尽くして見返りは求めず、どんどん恩を売っていくこと。そして、邪魔な相手は狡猾な手段でとことん排除すること。気に入った相手が武内を疎んじるようになったとき、彼はそれを重大な裏切りと受け取って、逆上するおそれがあること……。

さらに池本はまた、的場一家殺害事件の経過を説明しながら、武内が自白した動機や行動が彼の性質と照らし合わせて、極めて相応なものに思えるのだと付け加えた。

池本の話し振りはいつもの泡を飛ばすような気負いが抑えられ、ほどよい熱弁となっていた。杏子は横で大人しく頷いているだけだ。

それでも話の途中からは、俊郎が落ち着かない素振りを見せ始めた。義母の表情には同情と困惑が半分ずつ内在している感じだったが、俊郎はむっつりと感情を顔から消し、腕を組んで何度も足を組み替えた。残念ながら二人とも、池本の話をそのまま受け取っているようには見えなかった。

「あの……」池本の長い話に区切りがついたところで俊郎が口を開いた。池本にではなく、雪見に言う。「これ、被害者のご親族ってことで聞かせてもらってるけど、要するにどういうことなの？　親父に聞かせたい話じゃないの？」

「そりゃ、お義父さんにも聞いてもらいたかったけど」

「あのね、こういうのってあんまり意味ないんだよね。そりゃ池本さんのお立場には同情しますよ。でも親父の判決が間違ってるって言われてもね。親父自身、肺肝《はいかん》を砕いて下した判決だろうし、それを俺や母さんがどうこう言えるもんじゃないよ。家族ならそうじゃない、雪見？」

冷ややかに向けられて、雪見は言葉に詰まった。

「それにさ、一度判決が確定した事件についてあれこれ言っても始まらないでしょ。我々、法治国家に生きてるわけで。もう武内さんも調布を離れてこっちに移ってるんだしさ、俺たちも隣人として友好的に付き合ってて、これからも十年、二十年と顔を合わせていくのに、そんな話をされても力の貸しようがないじゃない」

「力を貸してほしいんじゃないんです。私たちは警戒を呼びかけに来たんです」

池本はあくまで丁寧な言葉遣いながら、語気を強めた。

「警戒？」俊郎はそう口にしたあと、かすかに笑いをこぼした。「じゃあ、何、武内さんは今度うちに近づいて、狡猾に誰かを排除し、快適な環境を作り上げようとしているとでも言うの？」

「私がすでに排除されてるじゃない」

「お前が？」俊郎はぽかんと雪見を見る。

「中野君のこととか、私は身に覚えがないって言ってるでしょ。だったら誰があんな手紙を出したり、お墓にいたずらしたりしたのかってことよ。それを池本さんたちは自分たちの経験から武内さんが怪しいと言ってるの。私もそう思うの」

「どういうことだよ。何であれが武内さんにつながるの？」俊郎が真剣な眼差しになる。

再び池本が、雪見を巡る一連の不可解な出来事について自説を語った。ヤクルトのふたの細工にも触れ、墓の件についても自分たちの電話番号を使うのは武内以外にないと力説した。

俊郎は初め、頭の中を整理するように眼を閉じてその話に聞き入っていた。しかし、池本が次々に推理を展開させるにつれ、眉を寄せて首を傾げながら池本を見るようになってしまった。

「はいはい、だいたい分かりました」

池本が九割方話し終え、いかに武内が狡猾な人間かという話を繰り返し始めたところで俊郎はさえぎった。

「で、さっきから聞いてても証拠の類の話が出てこないんですけど、もちろんこれだけのことをおっしゃるからには、その証拠があるんでしょうね？」

「証拠のあるなしにとらわれてたら、手遅れになっちゃいますよ」

強引にかわそうとする池本に代わり、雪見が話を受ける。「ヤクルトは証拠みたいなものよ。私、武内さんがまどかにあげてるなんて知らなかったけど、実際あげてたんだもの」

「冗談よせよ。そのヤクルトから薬を検出して初めて証拠って言うんだよ」

雪見は引き退がらない。「中野君が公園に来たときはどうなの？　武内さんが図書館に来てあなたを誘ったんでしょ？」

「図書館で会ったのは確かだけど、ベンツに乗せてほしいって頼んだのは俺のほうからだぜ」

　池本が身を乗り出す。「それは俊郎さんがたまたま先に言っただけのことであって、彼がその言葉を引き出すようなシチュエーションを作ったんですよ。あなたが言い出さなければ、いずれ武内が言ってたんです」

「だからそんなの可能性としてはどうとでも言えるわけであって、証拠にはならないんですよ。水子地蔵の注文の連絡先があなたの電話番号だったということにしても、それだけでは武内さんの仕業ということにはなりませんよ。彼である可能性以上に、あなたの可能性だってあるわけでしょ」

「馬鹿な！　私が何のために!?」池本が眼を剝く。

「でしょ。そう思うでしょ。あなたが武内さんに言ってることだって同じレベルですよ」

「全然違う。私は彼の人間性を踏まえて話してるんです。あなた方はあいつの隠された顔を知らない。これだけ言って気づいてもらえないなら、もう一つ話します。雪見さんから事情を聞いて私は確信してます。武内は梶間曜子さんを殺しています」

　場が凍りついた。そこに池本の荒い息が拡散していく。

　この件だけは慎重に切り出さなければならないと雪見は思っていた。池本にもそう言い含めておいたのだが、なかなか思い通りにはいかない。

義母の顔にも険が入ったように見えた。

「彼は曜子さんの食べ残した雑炊を隠し持って、曜子さんと二人きりになったときに彼女の口へそれを押し込んだんです。そうやって彼女を窒息させたんですよ」

「いい加減にして下さい！」義母が憤りをそのまま言葉に乗せた。「言っていいことと悪いことがありますよ。いくら何でもあれだけ力になってくれた人にそんなでたらめな疑いをかけるなんて許せません」

義母は雪見をきっと睨んだ。「あなたもどうしてこんな話を真に受けるの？」

残念ながら、義母の拒絶反応を抑え込むだけの手札は雪見になかった。かといって、義母や俊郎を敵に回してでもとの覚悟で臨んでいる以上、ここに来て池本らを突き放すわけにもいかない。

「申し訳ないですけど、これ以上は聞けませんから、お引き取り願えませんか」義母が厳しく言い放った。

「ちょっと待ってよ。これで終わったら気持ち悪いな」俊郎が場にいる者に視線を巡らす。「何か全部一方的な話でさ。こんなこと聞かされて、これから武内さんとどう顔を合わせていったらいいのか分かんないよ」

「今まで通りでいいのよ」

義母はもう相手にするなという感じで言ったが、俊郎は領かなかった。

「武内さんの意見も聞きたいね。これじゃあ欠席裁判だよ。アンフェアじゃん。今から呼ぼうよ」

「変なことに巻き込んじゃ駄目よ」

義母がたしなめても彼は引かない。「いやいや。武内さんのためにもそうするべきでしょ。どうです、池本さん？　もちろん冷静に対面してもらわないと困るけど」

「構いません。我々は大丈夫ですから、呼んで下さい」池本も受けて立つ。

「じゃあ問題ない。俺が呼んでくるよ」

「あ……」雪見は俊郎に引っ張られるように腰を浮かせた。「おばあさんの件は言わないでおいて。簡単に口にできる問題じゃないから」

俊郎は雪見を横目で一瞥し、早足で出ていった。

「どうもすいませんでした。思わず口に出してしまって」池本が小声で恐縮した。

雪見は責める気にもなれず、小さくかぶりを振った。

義母が所在なげに立ち、武内の分も含めてお茶を淹れ直したところに俊郎が戻ってきた。

後ろから武内も続いて現れる。

「どうもすいませんねえ。変なことに呼んじゃって」

義母が部屋の空気にそぐわない高い声を作って頭を下げた。

「いえいえ」武内はそれだけ返して、表情を少し硬くした。「これはこれは……お久し振りですね」独り言のように言い、先ほどまで俊郎が座っていたソファに着く。

俊郎はそのかたわらであぐらをかいた。

武内が一つため息のようなものをついて話し始めた。

「今、俊郎さんから簡単にはお聞きしました。まあ、こういう話に加わるのにやぶさかではありませんけど、的場さんの事件については何度やっても水かけ論になるばかりでしてね。梶間さんのご家族をそれに巻き込むのも変な話ですし、ちょっとこの場ではご勘弁願いたいですね。ただ、私がいろんな手を使って雪見さんをこの家から追い出したということはね、いくら何でも聞き捨てならないですし、一つどういう話になっているのかお伺いしたいと思います」

こうやって見てみると、武内のほうがあらゆる面で池本より紳士然としている。それが家族にどんな印象をもたらすのか、雪見は一人で気を揉んだ。

「まあ、池本さんに繰り返させるのも何だから、聞いた話を俺がまとめるよ。付け加えることがあれば、また池本さんのほうから言ってもらえばいいし」

俊郎がそう買って出て、池本の話を要領よくまとめ直してくれた。弁護士志望はだてではなく、時間も半分ほどで済み、池本に任せてやきもきすることを思えば雪見も大いに助かった気分だった。

俊郎の説明が終わって、池本が言い足すことはなかった。俊郎は「あいつならやる」「あいつらしいやり方」など、池本が口にした台詞も説明の中に取り入れていったので、ニュアンスまで含めて、彼の説はほぼそのまま武内に突きつけられた。

「そうですか……」武内は目を伏せた。「困りましたね」呟くように言ってから、顔を上げる。「池本さんも今日は落ち着いておられるようだからと思って、私も真面目にお聞きしたつもりですが、こんな突拍子もない話だとは」

「素直に認めたらどうなんだ⁉」池本が眼光鋭く迫る。

雪見はそれを小声でたしなめた。

「もちろん、偶然とはいえ、当たってることもあります」武内は淡々と言う。

「それはどんな？」俊郎が訊く。

「私はヨーロッパの雑貨を扱う仕事をしてたんで、フランスで買った赤ちゃんの人形をたまたま持ってます。それを二階の窓越しに、まどかちゃんに見せたのは事実です。でも、それでもって、人形を手荒く扱うことをあの子に教えたと言われても困りますね。決して子供のせいにするわけじゃないですけど、私は逆に、まどかちゃんの動きを真似て、抱っこしたり揺らしたりしてみせただけなんですよ。そうするとまどかちゃんは喜んで、いろんな動きを考えてくれる。それであの子の人形の扱いがだんだん大胆になったということはあったかもしれない。調子に乗せてしまった点は私も反省します。けれど、元はたわいない遊びに付き合ってただけで、それでまどかちゃんを荒っぽい子供に変えようなんてことは夢にも思ってないし、ましてやそんなことで雪見さんを追い出すことができるなんて考えるわけがない」

「あんたなら考える。まどかちゃんを扱いにくい子供にして、雪見さんにストレスを加えようとしたんだ」

「やめて下さいよ」武内は穏やかにかわした。「雪見さん、こんなことを信用したらいけませんよ」

「でも、当たってたってことですよ、これ」杏子が興奮を隠せないように口を開いた。

「いや、やっぱりこんなことで雪見を追い詰められるなんて、普通考えないよ」俊郎が武内に加担する。

「けど、結果として私は追い詰められたじゃない」

それは雪見にとって、武内に対する反撃ののろしでもあった。とうとう対決姿勢を明らかにしてしまった。

「雪見さん」武内が哀しそうな顔をする。「言ったでしょう。この人たちを相手にしてはいけない」

「武内さん。あなた、私がまどかの足を叩くとこ見てましたよね。あなたが児童相談所に通報したんじゃないんですか？」

「雪見さん！」今度は義母が感情的になった。「あなた、自分のことを棚に上げて、何を言ってるの？」

「だって、許せないなら一言、言ってくれればいいのに。そんなやり方、悪意があるとしか思えないじゃない」

「私は、通報などしてませんよ」武内は真剣な眼差しを見せた。「もちろんそれを証明することはできません。けれど、証拠のない言いがかりに対して、私は証拠を示して潔白を証明しなければいけないんですか？」

「必要ないですよ。違うと言って首を振ってりゃいい」俊郎が挑発するように雪見を見た。

雪見は一層熱くなって続ける。「池本さんの電話番号を連絡先にして、水子地蔵の注文をすることは中野君にはできません。必然的に、手紙を作ったのも誰かということになるんです。一つ一つはただの嫌がらせに過ぎないけれど、これらすべては同じ意思によって積み重ねられてるんです。私を追い詰めて、この家から排除しようという意思です」

「たとえそういう意思があったとしても、それは私の意思ではない。そんなこと、証明するまでもなく、はっきりしてることですよ」

「あなた以外に誰がいるんですか？　こんなおかしなことが起こり始めたのは、武内さんが隣に来てからじゃないですか」

「だから、そうじゃない。雪見さん、冷静になって下さい」

「私は冷静です！」

どうしてここまで平然と受け流せるのか。証拠という矢じりが一つでもあれば、この男の心臓を射抜いてやれるのに。

「やっぱり雪見さん、言わせて下さい」池本が興奮で声を震わせる。

「池本さん」

「いや、言います。武内、お前、ここのおばあさんを殺《あや》めただろ。雑炊の残りを彼女の口に押し込んだ。それだけ言えば分かるはずだ。いったいお前は何人殺せば気が済むんだ⁉」

「池本さん、私にも我慢の限界がありますよ」武内もさすがに気色ばんだ。

「これ、名誉毀損になるよ。武内さん、訴えてもいいよ」俊郎が憤然とする。

「望むところだ。法廷ではっきりさせよう」

池本が応じても、武内は首を振るだけだ。

「そんなことはしません。この人たち相手にそんなことをしても仕方ない」

「武内さん、あなたあのとき、おばあさんの部屋から出てきて手を洗いましたね。そのあと伯母が部屋に入っていくと、すでにおばあさんは喉を詰まらせてた……」

「雪見さん、あなたはこんなことまで信じ込まされてるんですか。そりゃ介護であちこち触れば手も洗うでしょう。私はそのとき手を洗ったかどうかさえ憶えてないから、そんなことには答えようがない。私は少しでも力になれればと思ってやってただけですよ。それが不慮の事故の現場に居合わせた外部の人間ということだけで、そんな疑いをかけられるわけですか？　それはあまりにも理不尽というものです。たぶんあなたは、私が的場家の事件に関わってたという偏見にとらわれ過ぎている。私は梶間先生に無実だと認められてるんですよ。あなたと同じ普通の一般市民です。偏見さえのけてもらえば、こんな疑いを私に向けられるはずがない」

「それは無理です。的場さんの事件でも、私はあなたが潔白だとは思えない。あの事件は単に立証できなかっただけです」

「潔白なんだから、立証できなくて当然なんですよ」

「あなたがどう否定しようと私は疑います。あなたに危険を感じてるから。あなたに近づかれた家がどうなるのかは、的場家を見れば分かる。今、それと同じ道をこの家が歩もうとしてるんです。私は身体を張ってでも阻止します」

「同じ道も何もない。そんな関連性など最初からありはしないんだ」

「しらばっくれるな！」池本が怒鳴る。

「言葉を慎んで下さい」俊郎が冷ややかに注意する。

「私たちは闘ってるのよ！」雪見は啖呵《たんか》を切った。

そのまま、煮え立った感情を武内にぶつける。

「武内さん、今どう取り繕おうと、義母もこの人もいずれあなたの異常性に気づきます。私が気づかせます。そうなったとき、いや、そうなる前に、もうあなたのほうから大人しく身を引いて下さい。私は絶対、まどかを的場健太君のようにはさせない。そのためならあなたと刺し違えて、この家にいられなくなってもいいと思ってます」

「雪見さん！」武内が堪え切れなくなったというように、苛立った声を上げた。「いい加減、真実に気づいて下さい！」

「もう気づいてます！」

「そうじゃないんだ、雪見さん！」

「何がですか!?」

武内は悲痛な表情から鋭い視線を繰り出して雪見を見据えた。そして言った。

「あなたの周りでおかしなことが起こるようになったのは、私が隣に来てからじゃない。池本さんがこの付近をうろつき始めてからでしょう」

雪見は時間が止まったように絶句した。武内の一言は雪見の思考回路を直撃した。その衝撃波で頭が揺れる錯覚さえ感じた。

「お、お前、ふざけるなっ！」池本が血相を変えて叫ぶ。

しかし雪見は、武内のカウンターパンチをただの言い逃れだとして切って捨てることはできなかった。その言葉を発したタイミング、彼の口調、そして表情から、それがにわかに出てきた思いつきなのか、あるいはずっと胸奥《きようおう》に収めてあったものなのか……雪見の心証ははっきりしていた。そうでなければ、これほどの衝撃は感じていない。

「私は冤罪の被害を受けた人間として、他人の罪を告発するようなことはしたくないんです。いくら確たる証拠があるように見えても、冤罪の可能性がゼロという事件はあり得ないと思ってるからです。でも、今日のこの話、このままでは、また私は濡れ衣を着せられてしまう。私も闘わなきゃいけない。それから、雪見さんのことも心配です。目を覚ましてほしい。今まで聞いた話はこの場限りのものとして受け止めておきますから、私が今から話すこともこの場限りのものとして聞いて下さい」

「でたらめな話は許さんぞ！」

池本の罵声も心なしか浮いて聞こえた。

「話して下さい」雪見は促した。

「明快なことなんですよ、雪見さん。なぜ石材店への注文の連絡先が池本さんの電話番号だったのか。それは彼が注文したからです」

「この野郎、嘘をつくな！」

「池本さん、異議があるなら、あとにして下さい」雪見は乾いた声で彼を制した。

武内は冷静さを取り戻して続けた。「身元を偽るのは、この方の常套手段なんです。少し前には、新聞記者などの名前を騙って、私の以前の家の隣近所に根も葉もない話を吹き込み、私を孤立させようとしました。そんな手を使って、私の神経が参るように工作する。私のところには手紙も繰り返し届いてます。それが何と、亡くなった的場洋輔さんからの手紙なんです。『俺を殺したのはお前だ。素直に認めろ』なんて書いてある。的場さんの字を切り抜いて貼りつけ、コピーを取ったんでしょう。そんなのが何十通と来てます。何だったらお見せしてもいい。それに、以前住んでた私の家は何度も不法侵入されている。二階から入られていて、最初は気づかなかった。戸締りをするようにしたらガラスを割られたこともありました。ですから私は番犬を飼った。雪見さんには申し訳ないことをしましたが、あの犬が最初に噛みついた相手は池本さんでした」

雪見と目が合った池本は、頬を小刻みに痙攣させていた。

「だ、だから、私はどうしていいか分からなかったんだ。その方法が間違ってたとはあとから言えることで、そのときは必死にやってただけなんだ」

「雪見さんは池本さんとお話してて、何も気づきませんでしたか？」

「え……？」

「この方は妄想にとらわれてるんですよ。私が的場一家を殺害した犯人でないと困ると思ってるんです」

「お前がやったんだ！」

「池本さん、あなた、お母さんが肝臓の病気を患われてから、〈幸求祈禱会〉というところにいくら注ぎ込んだんですか？」

「あ、あれは……」池本は何秒かののち、ようやく次の言葉を吐き出した。「お前が裏で仕向けたんだ！　俺がのめり込むように画策したんだ！」

「また、そんな妄想じみた答えで逃げるんですか。あなたの意思でやったことでしょう。それも百万や二百万じゃないはずだ。あの頃、あなたは的場さん夫婦が何を言おうと聞かなかった。遺産狙いだと決めつけて、耳を貸さなかった。私は的場さんがその悩みをこぼすのを何度も耳にしてます。的場さんご夫婦が亡くなられて、あなたはお母さんのお金が自由に使えるようになった。違いますか？」

「馬鹿な！　何を言いやがる！　あんなインチキ宗教なんか関係ない。お前が悪いんだ！」

「インチキ宗教だと気づいたのは、結局お母さんが亡くなられてからでしょう。それもあの事件の心労がたたって命を縮めたのは間違いない。あなたはお母さんを救うどころか死に追いやってしまったんだ。目が覚めて、あなたは自分の犯した罪に責め苛まれた。神経が病んだ。あなたの魂は救いを求めてた。そしてあなたは、無実の罪を着せられていた私を心から真犯人だと信じることで、自分を救おうとしたんです」

「何だと！　よりによって俺に罪をかぶせる気か!?」

池本は唇を歪めて怒りをあらわにした。

「私だってこんなことは言いたくない。あの暴漢が覆面をかぶってた以上、私は断言できないし、疑念がいくら増しても胸の内に留めておくつもりでした。けれどあなたが私を陥れようとするなら、私は私の説でもって自分を守らなきゃならない。少なくとも、あなたの説よりは真実に近い自信はあります。

あの事件、杏子さんが隣からの物音を聞いたとした時間の証言から、私は暴漢に襲われた時間を五時四十五分頃から五時三十分頃に訂正した。杏子さんが言うならそうだろうと思ったんです。襲われてから一一〇番通報できる状態に立ち直るまで、気づかないうちに三十分くらいは経ってたかもしれないと。それによって、私は供述の不確かな男だと警察に見られてしまった。

しかし、重要なのは、そんなことではなかったんです。ここで見落としてならないのは、杏子さんがそんな証言をして、私が疑いもなくそれを認めてしまったために、あなたのアリバイが成立してしまったということですよ」

「アリバイもくそもあるか。俺が帰ってすぐにパトカーのサイレンが聞こえたんだ」

「あなたはそう思い込もうとしてるだけだ。いいですか。あなたは憶えてないかもしれませんが、私は憶えてます。以前、〈幸求祈禱会〉のことであなたが的場さんの家に勢い込んでやってきたとき、私もたまたま商用で来てました。平日で、時間は五時半をいくらか過ぎた頃だった。四十分か四十五分か。つまり、あなたは定時で仕事を終えて帰宅を急げば、それくらいの時間には帰れるということです」

「ちょ、ちょっと待ってよ。わ、私は嘘なんかついてないわよ」杏子が舌をもつれさせながら否定する。

「杏子さん」武内は首を振る。「あなたもご主人の妄想に付き合って身を滅ぼすつもりですか」

「妄想とは何だ!?」

「そうじゃないですか。あなたは私があの事件の犯人でないと困るんだ。そうしないとあなたの世界が調和しないんだ。だからそのための妄想をいくつも作り上げて、私を無理やり追い詰めようとしている。嫌がらせをして世間から孤立させようとしている。私が梶間家と親しくしてるのを知れば、また新たな妄想をふくらませてそれを邪魔しようとする。手始めに雪見さんを梶間家から引き離して自分たちの仲間に入れ、この家と私の間に力ずくで亀裂を入れようとする」

武内は厳しい顔を雪見に向けた。

「雪見さんも彼の妄想に踊らされてるんですよ。彼は異常なほどの情熱を込めて説得にかかってきますから、世間ずれしてない女性などは呑み込まれてしまう。私や的場さんにはさすがに通用しなかった。だから彼は暴力という強硬手段に出たんです。彼は危険だから関わらないようにと注意したのはそういうことなんですよ。

おばあさんの死は不慮の事故以外の何物でもない。それなのにあなたは彼の妄想に触れ、あたかも殺人事件であるかのように思ってしまった。ヤクルトの件もそうです。残念ながら、まどかちゃんの変調はやはり、あなたの不安定さが最大の原因だったと思いますよ。子供は敏感なんです。おばあさんの不幸もあって、なおさらだったでしょう。おそらく池本さんは私がまどかちゃんにヤクルトをあげているのを見てたんですよ。庭であっても、フェンスの付近なら道路側からでも見通せる。そして、彼はまた妄想を作り上げた。まどかちゃんの様子をそれとなく訊き、何がしかの問題があると分かれば、何か重大なことが起こってるように匂わせる。実際には何も起こってないんです」

武内は言葉を切り、頭の中で何かを確かめるように一人で頷いた。

「そう、今こんな話になって思い当たることがあります。尋恵さんも一緒に見てましたが、まどかちゃんの足に打ち身ができてました。あの日の昼間、雪見さんは公園で俊郎さんやその中野さんという方と取り込んでいた。私は車の中で俊郎さんを待ってましたが、あのときまどかちゃんを見てたのは杏子さんでしたね」

「や、やだ、私がまどかちゃんに何かしたって言うの?」杏子がうろたえる。「そんなことできるわけないじゃない。まどかちゃんだって人形じゃないんだから、そんなことすれば泣いたりするに決まってるじゃない。ねえ、雪見さん? ねえ?」

そう言って、雪見に同意を求めてきた。

「あれ、打ち身じゃありません。青い塗料が付いてただけです」雪見は杏子のほうを見ずに答えた。

「ああ……そういうことですか」武内は義母と視線を交わし、肩をすくめた。「そんなのが付いてたら、まどかちゃんも肌が荒れてかゆかったのかもしれませんね。まどかちゃんが気にしてたんで、見てみたらあれが付いてた。てっきり青痣かと思ってました。塗料なら打ち身なんかより簡単に付けられる」

杏子はただしきりに首を振っている。助けを求めるように池本を見るものの、彼も放心してしまっている。

「この人を」雪見は俊郎を目で指した。「この人を公園に連れてきたのは、あなたじゃないですか」

「おいおい、お前はいつから弁護士になったんだ!?」俊郎がうんざりしたように言う。

雪見自身、自分はいつまで池本側に立つつもりなのかという冷めた思いがあった。しかし今さら離れるタイミングも摑めず、戻る場所もなく、道化を承知で悪あがきするしかなかった。

「雪見さん」武内が口重そうに呼びかける。「残念ながら偶然なんです。俊郎さんの勉強の都合があるのに、そんな画策をしたとしてもうまく運ぶわけがない。第一、我々はこの家に、尋恵さんを含めてあなた方をドライブに誘いに行こうとしてたんです。公園はたまたま図書館からの道の途中にあっただけです。

池本さんたちの実際の目的は、中野さんを連れてきてあなたに揺さぶりをかけることだけだったはずですよ。俊郎さんに目撃されれば大きな騒ぎにはなりますが、彼らは最初からそれを望んでたわけではなかったでしょう。現実問題こうなったように、あなたが家を追われる可能性もある。私に対抗する力としてあなたを味方に引き込むなら、あなたにこの家を出てもらうのは困る。だから俊郎さんと私があの現場に来たのは、彼らにとって計算外だったんです。しかし、そういう偶然を彼らは巧みに妄想の中へ組み入れていく。それに惑わされてはいけませんよ」

「妄想はお前のほうだっ！」

池本はソファの肘かけをこぶしで叩き、突如として立ち上がった。猛然と武内に飛びかかる。

武内はまるで予期していたようにそれをかわした。

しかし、大きくかわすまでもなく、池本は飛びかかろうとした瞬間に足をローテーブルに引っかけ、前のめりに激しく転倒した。コップが割れ、騒々しい音が上がった。

「やめろ！」

一瞬遅れて俊郎が怒鳴り、池本の背中に乗っかるようにして彼を押さえつけた。

「母さん！　警察に電話！」

俊郎の声に、義母が慌てて立ち上がる。

「ああ……ああ……」池本が俊郎の下で呻いた。

「俊郎さん、放してあげて下さい」武内が憐れんだ声で言う。

「十分に暴行未遂だよ！」

なおもいきり立つ俊郎に、武内は首を振った。

「もう大丈夫ですよ。放してあげて下さい」

俊郎がゆっくりと慎重に身体を浮かせた。

「お父さん！」杏子が泣きそうな声を出して、池本にすがりついた。

「ああ……」顔を上げた池本は口の中を切ったのか、口元から血を滴らせていた。割れたコップの破片で腕も切っている。

電話に手を伸ばそうとしていた義母は、代わりにキッチンへ入り、救急箱を手にして戻ってきた。

池本の傷は深くなかったようで、杏子が手当てをし、血はすぐに止まった。その間、雪見は義母と一緒に割れたコップを片づけた。誰も喋らず、しんとしたやるせない空気が部屋に流れていた。

惨敗だな……片づけ終わった雪見はクッションの上にへたり込んだ。武内の話で不可解な出来事の真実が明らかになったという、霧が晴れたような思いはどこにもなかった。ただ、自分の愚かさを呪いたい気分だった。

「たぶん……池本さんに悪気はないんだと思いますよ」武内が静かに言う。「池本さん。あなたは神経が病んでるんです。悪いことは言わない。どこかで一度カウンセリングを受けたほうがいいですよ」

「そんなことをとっくにやってる！」

池本は悲痛な叫びに似た声を上げた。それから、周りの沈黙に視線を回して反応した。

「何だ……被害者の遺族がカウンセリングを受けて何がおかしいんだ？」

「そんなこと誰も言ってませんよ」武内が静かに声をかけた。

雪見はやり切れなくなった。「池本さん、今日はもう終わりにしましょう」

その一言で池本は完全に虚脱したようだった。口を半開きにしたまま、力なく雪見を見る。

そして小さく頷いた。

こんなふうになるとは……雪見も身体から力が抜けてしまった。

重い足取りで二階に上がる。まどかと和人君は仲よく遊んでいた。

「和人君、伯母さんたちが帰ろうって」

「まだ遊ぶぅ」まどかが駄々をこねる。

「和人君、また今度一緒に遊んであげてね」

今度などあるはずないのに……自分の言葉の嘘くささに嫌気が差しながらも、雪見は硬い笑顔を作った。

和人君は素直におもちゃをバッグに仕舞い、「バイバーイ」とまどかに手を振った。この健気さも今の雪見の胸にはちくりと刺さる。

雪見は三人を駅まで送った。ゆっくり歩いたが、会話は何もなかった。

「あの……もう連絡することもないと思いますから」

駅に着いたところで二人にそれだけ言い、彼らの反応を待たぬまま頭を下げて道を引き返した。

家に戻ると、義母がすかさず寄ってきて、寝室に呼び入れた。

「あなた、武内さんに謝りなさいよ。あんなに失礼な口利いて」義母は声を低くして言う。

「それでもう、俊郎の疑いも晴れたと思うから戻ってらっしゃい」

義母の気遣いはありがたかったが、どちらも聞けない話だった。

自分は負けたのだ。目が覚めたという気持ち以上に、敗北感にまみれた思いが強い。この打ちひしがれた状態の中、さらに自分の非を認めて謝るなどという行為はつら過ぎる。まどかには、泣かせた上に謝らせていたくせに。まどかにさえできることなのに、今の自分にはできない。

だから、このまま家に戻れるとも思っていない。居場所がないし、どんな顔をみんなに見せればいいのか分からない。

雪見は首を振っただけで義母の部屋を出た。

リビングでは俊郎と武内が、試験が終わったのでぱっと一杯飲ろうという話を明るく交わしていた。俊郎と目が合ったので予感はしたが、階段を上がるあとを彼が追ってきた。

「お前、何？　これでなし崩し的に戻ってくるつもり？」

傷あとに泥を塗るような言い方をする。

「そんなこと思ってないわよ」

「お前、本当に馬鹿だな。あんな連中に騙されてよ。親父の仕事を否定して、冤罪の人を色眼鏡で見て、家の中に波風立てて、まったく最低だよ。もう、お前と中野の関係がどうとかそういう問題じゃないよ。お前、俺たちに喧嘩売ってきたんだぜ」

「言われなくたって分かってるわよ。そのつもりだったんだから」

「また逆ギレだよ」呆れたように言う。「俺が腹立つのはさ、何でお前、馬鹿なくせに自分一人で何でも判断しちゃうのかってことだよ。中絶のことでもそうだろ。お前がそんなふうだと俺が恥ずかしいんだよ。馬鹿なら人の意見くらい聞けよ」

出会ってからたくさんの時間を一緒に過ごしてきたが、こんな言い方をする人ではなかった。一度できてしまった溝はどんどん広がるものなんだなと思った。自分がまいた種とはいえ、ここまで罵倒されると投げやりな気分にもなる。

「分かったから、もうついてこないで。まどかと二人にさせて」

そう返すと、俊郎は蔑《さげす》んだように鼻から息を抜き、くるりと背中を向けた。

一人でまどかのいる部屋に入る。

すぐにまどかが駆け寄ってきた。

「ママ、見て」

そう言って、イヤイヤをするように肩を前後に回して、手をぶらぶらと振る。

「これ、なーんだ？」

「何かなあ？」

「でんでん！」

「そっか。上手だねえ」

「ねえ、ママも一緒にやって」

まどかが言うので、雪見も手をぶらぶら振り回した。

「はい、でーんでーん」

雪見がでんでん太鼓の真似をやってみせると、まどかのほうはやめてしまった。雪見をじっと見ている。

「ママ……ママはどうして泣いてるの？」

「ん……？　どうしてだろうね」

「パパに怒られたの？」

「よく知ってるねえ」

雪見は無理に笑って、まどかの頭を撫でた。

しかし、まどかはそのまま黙り込んでしまい、やがて眼をうるうるさせて手でこすり始めた。

「何でまどかまで泣くのよぉ？」

雪見は泣き笑いしながらまどかを抱き締めた。

＊

その晩、十一時近くに帰宅した勲が玄関のドアを開けると、リビングのほうから賑やかな話し声が聞こえてきた。

雪見が戻ってきているのだろうか……そう思いながら廊下を進んだ勲が目にしたのは武内の姿だった。普段は勲が新聞を読むのに使っているテラスを背にした一人がけのソファに座り、大きく足を組んでいる。

「あ、どうも。お邪魔してます」

武内は上機嫌に言い、手にしたワイングラスを掲げてみせた。

彼の左右には尋恵と俊郎が座っていた。二人ともワイングラスを持ち、会話の笑顔を引きずったまま、勲に「お帰り」と声をかけた。

「親父も一杯どう？　上等のワインだよ。シャトーマルゴーだってさ」

どうやら武内が持ってきたものらしい。ワイングラスもうちでは見たことがないから、彼が持ってきたものだろう。テーブルには尋恵が作ったと思われるつまみが皿に盛られて並んでいる。

勲はそれらを観察しながら、その場に加わることを辞退した。

「いや、いい。私は外で飲んできたから」

何となく、その酔いも醒めるような光景を見た思いだった。三人が楽しげに語らう姿は、まるでそこに理想の家族が存在しているようでさえあった。そこに入り込むことは、この家の主である自分でもためらわれる気がした。

「さて、もうこんな時間ですか。そろそろおいとましないと」武内が言って、組んだ足を解く。

「何だよ。まだワインが残ってるじゃない」

「じゃあ、私の家に場所を移しますか？」

「いいねえ、母さんも行く？」

俊郎に水を向けられた尋恵は、かろうじて自制が利いているような笑みを浮かべた。「もう私は十分頂いたから」そう言って、ちらりと勲を見る。その素振りも、勲がいなければ違った答えを口にしていたというような意味合いに感じられた。

俊郎と武内が出ていき、勲が寝室で着替えをしているところに尋恵が入ってきた。

「ああ、久し振りに酔っちゃったわ」

決まりの悪さをごまかすような笑顔を見せる。

「今日、雪見さんが来たんじゃないのか？」

「ええ、来たわよ。何だかもう、変なことになっちゃって」

「変なこと？」

聞き咎めると、尋恵は「ううん」と慌てた。「変なことっていう言い方はおかしいわね。誤解があって、それが解けただけのことよ」

よく分からない。大学の司法試験勉強会〈学法会〉の集まりで席を外した形にはなったが、何となく気にはなっていた。先日の雪見の思わせ振りな様子から、波乱めいたことが起こりそうだという予感があった。決してそれを望んでいたわけではないが、何もあるわけがないと高を括《くく》っていたのでもない。

　帰ってきたときに見た三人の陽気な姿からは、何かがあったという雰囲気は感じ取れない。いや、三人で飲んでいるところなどは見たことがないから、やはり、いつもと様子が違うことは確かであるのだが。

「雪見さん、何を言ってたんだ？」

「何てことないのよ。根はいい子なんだけど、いろいろ考え過ぎて思い込んじゃうところがあるから。今日は俊郎とも言いたいこと言って、お互い誤解が解けただろうし、もうすぐけろっとして戻ってくると思うわよ」

「でも、また出てったわけだろ」

「そりゃ少しは元通りになる猶予が欲しいのよ」

　尋恵は雪見の立場が悪くならないように気遣ってか、遠回しの言葉を選んでいる。勲は仕方なく、その言葉の裏を読んでみる。

　雪見は的場一家殺害事件で武内が無罪だったことに異議を唱えていた。被害者の親族、池本を連れてくると言っていた。そしてここに武内が来ていたということは、昼間にも池本と武内が対決した一幕があったということか。しかし確たる証拠などないようなことを言っていたから、あの調子でいっても武内に自分たちの説を突きつけたところでどうなるものでもない。知らぬ存ぜぬでらちがあかず、気まずい空気だけが残って雪見たちはすごすごと退散した……そんなところかもしれない。

それにしては武内の上機嫌ぶりは何だろう。昼間に嫌な思いをした鬱憤を晴らしているという感じでもない。あれはまるで祝杯を上げているように見えた。

詳しい話を聞きたい思いはあるが、尋恵が自分のところで止めようとしている前で、必要以上にそわそわと気にかける素振りを見せるのもおかしい。家のことに関しては尋恵に任せてきただけに、今回に限ってそれを崩すのも具合が悪い。ましてや、武内に無罪を言い渡した当人が、そのことに対して誰が何を言おうといちいち頓着してはならないというものだ。

しかし……。

気にはかかる。

〈16〉 偽証

「おい、雪見さんはまだ帰ってこないのか？」

朝刊を横にしてのんびりと味噌汁をすすっていた勲が不意に顔を上げて訊く。いつもと同じ朝だと思っていたのに、彼の口調と表情は妙に険しく、何かあったのかなと尋恵は思い巡らせた。

何も思い当たることはない。

「あれから一週間以上経ってるだろ」

「心配しなくても大丈夫よ。四十九日には出てくるから、そのときにあの子と話をするわ」

「おいおい、俺を抜きにしてそんな話を勝手に進めないでよ」まどかをトイレに連れていっていた俊郎が戻ってきた。「だいたい、一言の詫《わ》びも入れず、ほとぼりが冷めるのを待とうっていう魂胆が嫌だね」

「そりゃ褒められたことじゃないけど、あの子もそうしかできないのよ。十分懲りてるだろうし、あなただっていつまでも冷たいこと言ってちゃ駄目よ」

「そんな簡単に許していい話じゃないでしょ。俺は今戻ってこられても、元通りに付き合える自信はないよ」

「この前、何があったんだ?」勲が眉をひそめ、重い口を開くように訊いた。

「ほら、あなたが意地張ってるから、お父さんまで気にしちゃうじゃない」

「俺のせい?」俊郎がおどけるように口をすぼめた。

俊郎に責任を押しつけ損ない、尋恵は勲を盗み見た。

「解決した問題なんだから。お父さんは心配しなくていいのよ」

「いや、話せばいいんじゃないの。別に隠す必要ないと思うけど」

「隠すなんて変な言い方よしなさい」尋恵は言葉を選ばない俊郎をたしなめた。

「でも、あいつがあの夫婦にそそのかされて武内さんに言いがかりをつけたのは事実であってさ、それはうやむやに済ませていい問題じゃないと思うよ」

「武内さんは全然気にしてないの」

「それに親父の顔を潰そうとしたわけだし」

「そんなつもりじゃないわよ、雪見さんは」尋恵は勲と視線がかち合ってしまい、慌ててそれを引っ込めた。「変なふうに取らないの」

「まあ、男にしか分かんないかな。要は沽券《こけん》に関わる問題だよ」

「話してみろ」勲が俊郎を促す。

「もう……お父さん、朝にする話じゃないわよ。時間がないでしょ」

「いや」勲はためらいがちに言う。「あの日の前に雪見さんからだいたいのことは聞いてるんだ。どうなったかだけ教えてくれればいい」

「何だ、そんな根回しがあったの」

俊郎が拍子抜けしたような声を出した。尋恵も同じ思いだった。

「なのに父さん、よく好きにさせたね」

その一言には勲もさすがにむっとした顔を見せたので、俊郎は以後余計な口を挿むことなく先日の一件を手短に説明した。

勲の感想は何もなかった。あの事件の真犯人が池本である可能性を武内が指摘したくだりでは眉をぴくりと動かし、喉の奥から小さな唸り声を絞り出したが、それについても何かのコメントを残すことはしなかった。

「さあ、もう時間よ、お父さん」

尋恵は空になった茶碗を片しながら、動こうとしない勲に声をかけた。

「あ、昨日の話、してくれた？」

俊郎も日常に戻るように、別の話を切り出してきた。

「ああ……まだ」

尋恵が答えると、俊郎は仕方ないなとでも言いたげに口を曲げ、勲のほうを向いた。

「来週だけどさ、友達のつてで山中湖のほうの別荘が使えるんだよね。四十九日も終わるし、このへんで息抜きにどうかなと思って」

「珍しいでしょう。俊郎がこんなこと誘ってくれるなんて」

俊郎が親孝行らしい計画を持ち出すことなど初めてのことだ。尋恵も最初聞いたときは耳を疑い、そして少し照れくささを感じた。よほど論文式試験に手応えがあったのだろう。

「もう大学も夏休みだし、外せない用事もないでしょ」

俊郎は言葉を継ぎ足して勲の反応を窺ったが、勲の様子は相変わらずだった。

「うむ……そうだな……」

そのことで悩んでいるのか、あるいはまだ先ほどまでのことが頭を埋めているのか。

俊郎は尋恵に目を移し、呆れ加減にお手上げのポーズをした。

昼過ぎ、食事が終わるのを待っていたように玄関のチャイムが鳴った。

出てみると、武内が立っていた。手に自作の棚を抱えている。昨日の夕方も隣の庭で熱心に作っていたが、早くも出来上がったらしい。

「まあ、ずいぶん凝った感じになって」

棚は四段あって、上の棚ほど小さくなっている。一種のピラミッド型だ。

「一番上は一つしか載りませんけど、その下が二つ、そして三つ、四つと全部で十個載せられるようにしました」

「へえ、ちょうどいい大きさね」

早速二人で庭に回った。姑が逝ったあと、尋恵も暇を見て蘭の鉢を買い求めている。十個には足らないが、それでも寂しくない程度には棚が埋まった。

「あと二個は載るのね」

「よかったらうちのを持ってきましょうか？」武内が屋根枠に寒冷紗をかけながら言う。

「とんでもない。これだけでもどうお礼したらいいかと思ってるのに」

「いやいや、お礼なんて。また奥さんの手料理でもご馳走になりたいところですが、そう甘えてばかりもいられない」

「そんな、こっちの言う台詞だわ。よかったら今晩、冷しゃぶをしようと思ってるから、ご一緒にどうかしら？」

「いや、本当に結構です。というか、今日はちょっと気分がすぐれないものですから」

「はあ……お身体の具合でも？」

普段と変わりなく見えていた武内の表情も、気づくと彼の言葉を裏づけるように曇っていた。

「そういうわけじゃないんですが、知り合いに不幸がありましてね」

「あら」武内は独り身ということもあり、孤独な人という印象が何となくあったので、死なれて落ち込むような知り合いがいるのは意外だった。

「私が例の裁判で大変お世話になった弁護士さんなんです」

「ああ、そうなんですか」相槌を打ちながら、勲とも付き合いのある人かなと気になった。

「何とおっしゃる方で？」

「関孝之《こうの》助《すけ》先生です。七十を超えてらっしゃいますけど人情に厚い人で、私がこうしていられるのも、あの方の力があればこそでした。拘置所にいる間も蘭の世話までして下さって、本当に優しい先生だったんです。まだまだご恩返しの途中だったんですが」

「そうですか。じゃあ、今日あたりがお通夜か何かで？」

「いえ、私も今日の新聞を見て知りましてね」

「新聞……？」一瞬、訃報記事のことを言っているのかと思ったが、彼の口調はそんなニュアンスではなかった。

武内がひそめたような声で続ける。

「事件らしいんです。自宅で殺されたとか」

「ええっ……？」

「あの方も二年ほど前に奥さんに先立たれて一人暮らしだったんですね。ちょうど夜に娘さん夫婦が一緒に食事をしようと訪ねてきて発見されたそうです」

「じゃあ、その……犯人は？」

武内はかぶりを振った。「まだ見つかってないそうです」

「そうですか。何だか物騒な話ですね。そんなことなら通夜も何も予定は立たないでしょう」

「ええ、私も新聞を読んですぐ事務所に問い合わせてみましたけど、向こうも何をどうしていいのか分からないような感じでした」

弁護士というのはいろんな事件のトラブルを抱えているから恨みを買いやすいものなのかなと、尋恵は俊郎の将来を案じながら思った。

「奥さん……」武内は作り上げた棚に視線を向けて、口重そうに尋恵を呼んだ。「昨日……私が庭でこれを作ってたとき、奥さんもここに出てこられましたよね？」

「ええ……そうでしたね」

「あれは何時頃でしたか？」

尋恵は彼の質問の意図するところが分からぬままに記憶を手繰《たぐ》り寄せた。

「確か五時頃に買い物から帰ってきて、家の中で何だかんだ動いてましたから、五時半頃ですか」

「ああ、そうか……」武内は悔しげに言い、片頬を歪ませた。「その前は庭のほうをご覧になってなかった？」

「ええ……」

「そうですね。私があの作業を始めてから一時間以上は経ってましたからね」独り言のように呟き、小さく舌を打つ。

「あの……それがどうかしました？」

「いや、まったく、こんなことで気を揉むのは馬鹿馬鹿しいんですが」武内は少々苛立たしげに頭をかいた。「事務所の人から聞いた話ですと、関先生の家……これは私もお邪魔したことがあって、こぎれいなマンションなんですが……そこの通路を男が逃げていくのを同じ階の入居者が目撃してるそうなんです。男は顔を隠すようにして通り過ぎたらしくて人相までは分かってないみたいなんですけど、その時間が四時半過ぎだったと……そのことを聞いたとき、正直言って困ったなと思いました。私、その時間にはそこで作業していて誰とも会ってないんですね」

「でも、そんな……」

尋恵は笑い流そうとしたが、武内は深刻な面持ちで目を伏せた。

「奥さんの言いたいことは分かってます。先生が亡くなられただけでも気がふさぐのに、その上こんなことを心配しなきゃいけないなんて馬鹿げてますよ。けれど、私はあの事件以来、何かあれば真っ先に疑われる人間になってしまったんです。ほら、この前の雪見さんたちの話でもそうだったでしょう。冤罪というのは、世間の人たちにとってはシロではなく灰色なんだなとつくづく思い知らされました」

「そんなことありませんよ」

雪見のことを持ち出されては、尋恵もそれ以上のことは言いようがない。自分の家族の一方的な思い込みによってこの人を傷つけてしまったのだと改めて気づかされ、胸がちくりと痛んだ。

「奥さんに元気づけてもらえるのは何より嬉しいです。でもね、現実問題、たぶん警察は私に目をつけるでしょう。関先生の顧問先や弁護相手を一人一人当たって、いずれ私のところにも来るはずです。それがね、私にはたまらなく憂鬱なんです。警察は恐ろしいですよ。これは実際、私のような目に遭った者しか分からないと思います。これと睨んだ人間であれば徹底的に陥れようとするんですから。私も二度とあんなことには巻き込まれないようにと思って、小体《こてい》に暮らしてきたつもりなんですが……」

あんな経験をすれば、こんなに神経質になるのも無理はないのか。可哀想だなと思った。

武内は少し潤みかけた眼で尋恵を見る。

「奥さん……決して迷惑はかけませんから、聞くだけ聞いて下さい」意味深に断りを入れ、さらに言い訳するように早口で続けた。「奥さんしか相談できる人がいないんで……ですから、ここだけの話にして下さい。間違ってるのは承知です。でも、やむを得ないということを分かって下さい」

「はあ……」尋恵は首を傾げて、続く話を待った。

「私、警察が来たら、昨日は四時頃から庭で棚作りの作業をしていたと答えます。まあ、これは本当のことだからいいですけど……それで、庭に出てきた奥さんと話を交わしたと言います。たぶん四時半頃だったと……」

え？　と上げそうになった声をかろうじて呑み込んだ。

武内は落ち着かない様子で眼をしばたたかせる。

「ごめんなさい。でも、警察に睨まれるのはもうたくさんなんです。あんなことはもう耐えられませんよ。奥さんと話をしたことは事実ですし、今奥さんに確認するまで、もしかしたら昨日会ったのは四時半頃じゃなかったかとも思ってたんです。ああいう作業をしてると時間の感覚がなくなるもんですから。だから、私は思った通りに言うだけです」

武内は自分に言い聞かせるように頷いて、尋恵をちらりと見た。

「たぶん警察は奥さんのところにも確認を取りに来るでしょう。確かに四時半頃だったたって言ってもらえればありがたいですし、それで奥さんに何か迷惑がかかることはないんです。いや、でも、そこまで無理にお願いするつもりもありません。警察には話したいように話して下さい。結局は私という人間の運のなさが招いてることですし、それを奥さんに助けてもらおうとするのは虫が良過ぎる。聞いてもらえただけでありがたいと思います。変な話をしてすいません」

「ああ……いえ……」

最後に武内は硬い笑みを見せて自分の家に戻っていった。こんなにナイーブに振る舞う彼を見るのは初めてで、その姿は痛々しくもあった。

しかし……尋恵が彼に笑顔を返せなかったのは、それを気の毒に感じたからではなかった。当惑が心の中にあった。

＊

その日の夕方、勲は学法会の仕事を片づけたところで大学を辞し、セドリックで八王子の京王プラザホテルへ向かった。

今日一日もやもやとしたものを持て余していた勲は、思い切って東京地検の野見山に連絡を取ってみた。意外な人物からの電話だとそんな反応をするものなのか、野見山は「ほう」と笑いの混じった感嘆の声で勲に応じた。話があるから会いたいと申し出ると、彼は五時半に京王プラザのカフェラウンジと指定してきたのだった。

野見山は時間ちょうどに姿を見せた。ラウンジの隅に席を取った勲のもとには、すでにコーヒーが運ばれてきていた。

「これはこれは」口の端を歪めた独特の笑顔で野見山が近づいてくる。この暑い中でも三つぞろいに結び目の大きなタイ。それでも汗はかいていない。

野見山は勲の斜向かいに腰かけて、煙草に火をつけた。ウェイターにはアイスティーを頼んだ。

「お母様はお変わりなく？」

「いや、もうすぐ四十九日になる」

仕事の関係では敬語を使っていたが、それを引きずるのはやめた。当時からぎすぎすしたやり取りが多く、心の中では敬意を捨てていたためか、彼に限ってはそのほうが自然のような気がした。

「それはお寂しい限りですな」彼は感情のこもらない口調で言う。「職をなげうつほど大事にされていたのに。まったく残念だ」

彼はしばらく悔やみの言葉を並べていたが、アイスティーが運ばれてくると、世間話は終わりとばかりに醒めた眼つきになった。

「で、今日は何の用で？」

「武内真伍のことについて教えてほしいんだ」

「武内……というと、あの無罪になった？」

「そうだ。あの武内真伍」

「彼の何を？」

「法廷に出なかった話なら何でもいい。裏づけの取れなかった噂とかでも」

「どうしてまたそんなことを？」

野見山はもどかしいほどゆっくりした喋り方で訊く。ただ、その眼つきに油断は感じられない。

「今、うちの隣に住んでるんだ」

野見山は人差し指を鼻に当て、眉をぴくりと動かした。

「武内が？」

　勲は頷く。

「あなた、武内と知り合いだった？」

「違う」下種《げす》の勘繰りを受けて、勲は顔をしかめた。「二カ月くらい前に越してきたんだ」

　勲は、大学のオープンキャンパスで彼と再会し、ゼミのゲストに招いた成り行きと、その三週間後に彼が突然隣に引っ越してきた事情を話した。

「ほおう」野見山は鼻の中に笑いをこもらせた。「まるで鶴の恩返しですな」

「笑い事じゃない。彼が来てから、うちがおかしくなったんだ」

「例えば？」

「ばあさんが死んだ」

　野見山が眼を細める。「殺されたということですか？」

「いや、表向きはそうじゃない。だが、何か変なんだ」

「梶間さん」野見山は呆れたように言う。「それじゃあ素人の相談と一緒ですよ。具体的な根拠を言って下さいよ」

「彼のせいだと言ってるんじゃない。彼が来てからおかしなことが起こっていると言ってるんだ」

「同じことでしょう」

「関さんが昨日殺されたのは知ってるね？　武内の弁護をしてた……」

野見山は瞬きもせず、勲をじっと見た。

「それの証拠は？」

「ない」

野見山は力が抜けたような吐息をついた。

「何ですか。関弁護士の事件で武内をマークするよう警察に指導しろということですか。そんな訳の分からない話だけで、できるわけがないでしょう。捜査当局にとって冤罪者である彼はジョーカーですよ。我々は一度お手つきをしてしまった。二度目は許されない。確たる証拠がなければこのカードはめくれないんです。しかし、我々が二の足を踏むことについて、あなたにとやかく言われる筋合いはありませんよ。あなたが彼をジョーカーにしたんだ」

「勘違いしないでほしい。私は彼を無罪にしたことを間違っていたと言ってるんじゃない」

野見山は首を突き出した。

「武内が無実なのは間違いないけれど、彼の周りでは次々とおかしなことが起こる。あなたは現実を本気でそのように捉えてるわけですか？」

「池本亨をマークしてた時期はあったのか？」

「池本？」彼は声を裏返した。「コロコロといろんな名前が出てきますね。そんな近い人間を我々が見逃すはずがないでしょう。確か退社時刻がアリバイになってたと思いましたよ」

「そうか……いや、ちょっと言ってみただけだ」

勲自身、池本が的場一家殺害事件の真犯人であるという武内の言い分には素直に頷くことはできなかった。なぜそんなことを今まで誰にも言わずにいたのか。弁護士に言えば、裁判で池本杏子の証言に疑いを挟むことだってできたはずだ。あとになって武内の頭の中で作られた感が強く、腑に落ちない。

だから、武内をストレートに怪しいと言い切ることができないのは、池本の存在があるからではない。勲自身が自己矛盾に陥っているからだ。その原因を池本にすり替えようとしたが、やはり無理だと気づき、引っ込めざるを得なかった。

「ずいぶんと頭が混乱してるようですね。こんな梶間さんは見たことがない」彼は薄笑いを浮かべて言い、一転して無表情になった。煙草で勲を指す。「つまりこういうことでしょう。あなたは今まで裁判官席という風上から、下々で起こる事件をまさに他人事として裁いていた。ところが今度、急に風向きが変わって自分のところに火の粉が降りかかってきたものだから、びっくりして慌てふためいているわけです」

「そんな子供じみた言い方はよしてくれ。私は風上で仕事をしていたつもりもなければ、今、慌てふためいているわけでもない」

「じゃあ、なぜ私のところに来るんですか？」

言われる通り、野見山などに会いに来るべきではなかったと勲は思った。なぜそうしようと考えたのか。いつからか平常心を失ってしまっている。

「あなたは私のところに来た以上、こう言うべきですよ。自分は裁判官として無難に人を裁いてきたが、死刑判決を下すことだけは怖かった。それだけの覚悟を持っていなかった。あの事件、被害者は子供を含めた三人。有罪なら死刑は動かせない。それを避けるには無罪しかない。ちょうど立証にあやふやな点があった。だからそこを突いた……」

「馬鹿馬鹿しい。私は死刑廃止論者じゃない」

「自分で下したくないということですよ。人を殺すのに自分の手は汚したくない。そういう考え方です。死刑裁判に当たる裁判官はついてないとあなたは思っていたはずだ。あなたのような事なかれ主義者はそこに限界があった。武内の裁判に続いて、あなたはもう一件、死刑確実の裁判を抱えてましたね。あなたはそれに嫌気が差したんでしょう。あなたは家の介護問題で辞めたんじゃない。そんな殊勝な人間ではない。あなたはそれを口実にして死刑裁判から逃げた、ただの臆病者だ。違いますか？」

「まったく耳を傾けるに値しない話だ」

そう言いながらも、心から憤ることはできなかった。

「介護に身体を張っていたら、腰なんか相当悪くされたでしょう。お加減はいかがですか?」

野見山は煙草を揉み消し、挑発するように訊く。

勲は答えなかった。

「私自身の話をしに来たんじゃない。武内のことを訊きに来たんだ」

「それもあまり感心しませんね」野見山は爽やかさのない笑みを浮かべた。「私は検察の人間ですが、残念ながら冤罪の存在は認めざるを得ません。過去に見込み違いの捜査で身に覚えのない罪を着せられ、苦しんできた人々が実際にいる。彼らの何人かは逆転判決の無罪を摑んで身の潔白を証明してみせた。称賛に値する人たちです。しかし梶間さん。あなたは今、その人たちをも冒瀆《ぼうとく》しようとしている」

「ほかの冤罪者の話をしてるんじゃない。武内個人の話だ」

「どこが違うんです? 武内は立派に無罪を勝ち取った。彼の背中の傷、私にあれ以上の立証はできない。悔しいけれど負けを認めるしかありません。その彼に対して、あなたは根拠のない話を探してどうしようというんですか?」

「君は私が困ってるのを見て楽しんでいるだけだな」

「話をすり替えないで下さい」野見山は上目遣いになり、勲の瞳の揺れまで見透かすような視線を寄越した。「まあ、検事が弁護士になればそれまでとは百八十度違うことを言い出すのが法曹の世界ですから、判事を辞めたあなたが何を言おうが構わないんですが……ただね、最低限、あの武内の背中の傷を説明できないことには何も始まらないでしょうな。あの傷が自分自身でつけられるのかという合理的な疑い。私はそれを超えることができなかった。あなたがもし武内のことを不審に感じ、誰かにそれを伝えたいと思うなら、すべてはその合理的疑いを超えてからでしょう。そのときにまた話を聞きますよ」

「もういい。君に話を持ってきたのが間違いだった」

野見山は肩をすくめた。「お好きなように」と含み笑いを洩らして、アイスティーに口をつける。

勲も冷めたコーヒーを喉に流し込み、この嫌な席を立つタイミングを探した。

「私、実は多摩文化大の出身でしてね」野見山が今までの話をきれいさっぱりと忘れたような口調で言う。「学法会にも在籍してました。梶間さんが我が母校に来られるとは思わなかったな」

勲は相槌を打つ必要も感じず、ただ聞き流した。

「大学のPR誌も送られてきますよ。いつの号だったかな。梶間さんがインタビューを受けていた記事も読みました。『元裁判官・異色の教授に聞く』。ふふふ……」

野見山は何がおかしいのか不快な笑い声を立てた。

「そのインタビューがまた実に面白い。『裁判官の資質に必要なものは何ですか？』。その問いにあなたは答える。『人間が好きであることです』。思わず目を疑いましたよ。私はてっきりあなたのことを人間嫌いだと思ってました」

「人間嫌いは君のほうだろう」

「確かに」野見山は悪びれもせず肯定し、語調に険をまぶした。「大嫌いですね、人間なんて。ことに人が好きなんて偽善的な台詞をしゃあしゃあと口にする人間を見ると、反吐《へど》が出る思いがしますな」

しばらく無言で視線をぶつけ合った。

勲が伝票を取ると、野見山は財布を取り出して千円札を一枚抜いた。勲はただ首を振ってそれを拒んだ。

「たぶん、本当に私のところには二度と来ないでしょうから、話しておきましょうか」野見山は千円札を財布に戻しながら言う。「武内は中学生の頃、父親を病気で亡くし、高校生の頃には育ての母親を事故で亡くして一人ぼっちとなった。たいそう可哀想な境遇であったことはあなたもご存じでしょうが……」

彼は顔を心持ち勲に近づけた。

「さて、この母親の事故。本当に事故だったんでしょうか？」

「何!?」

「武内と母親、そして知人の男、三人で山へハイキングに出かけて、二人は崖から転落。武内は一人で山を下り、駐在所に駆け込んだ。捜索隊が出て、二人の死体を崖の下から発見。表向きは完全な事故。しかし母親はきつい性格で知られていて、武内は小学生時分から虐待を加えられていたなんて話もある。その母親と知人の男は再婚間近で、武内は邪魔者扱いだったとも……」

「それは何だ……当時のことを知ってる人間から聞いたのか？」

「三十年以上も前のことですよ。誰がこんな話を温めてるっていうんです。あなたはこういう出任せを聞きに来たんでしょう」

薄ら寒い思いをさせられ、勲は苦虫を嚙み潰した。

「いくら何でも根拠がなさ過ぎる」

「そうですか。それは失礼しました。あなたの母上が亡くなられた話と同じようなレベルだと思いましたがね」野見山は唇を歪めて言い、鼻をかいた。「まあ、あなたに何かあって逆恨みされても困りますから、一人だけ名前を挙げておきます。確か、鳥越《とりごえ》何とかといった男です。少年時代からの武内の友人で、雑貨輸入の仕事でもパートナー的存在だった。武内と一番長く付き合ってる人間です。武内の過去を洗うと何回も出てくる名前でしたね」

「その男に当たったことは？」

「公判の隠し玉にでもなるかと思って探したんですが、ちょうどフランスの刑務所に入ってるということが分かりましてね。麻薬所持か何かでした。そんなことなら会いに行ったところで裁判の足しにはなるまいと思って、そこで切りましたけどね。ただ、今なら日本に戻ってきてるかもしれない。実家の連絡先ならメモを当たって、教えて差し上げても構いませんが」

もはや素直にその申し出を受ける気分ではなくなっていたが、素っ気なく断るのも大人げない気がして、勲は小さく頷いておいた。

「じゃあ、明日にでも電話して下さい」

野見山は立ち上がり、勲に背中を向けかけてまた肩を戻した。

「もう一度言っておきますが、また何かあったとしても私を逆恨みしないで下さいね。こんなふうに頼ってこられても、私には何もできないんですよ。火の粉を振り払うのはあなたの仕事です」

「まだ火の粉だと認めたわけじゃない」

野見山はかすかに眼を細めた。

「どうもあなたは肝心なときに決断を下せないんじゃないか……そんな気がしてなりません

な。まあ、杞憂に終われば何よりですが」

彼はそれだけ言うと、今度は本当に背中を向けた。

ただの皮肉だ。言わせておけばいい。勲は不愉快な気分をかき消しながら、野見山が立ち去るのを見送った。

肝心なときとは何なのか。そんなときがやってくるような現実感はどこにもなかった。

＊

その日の夕方、尋恵は買い物の帰りに花屋に立ち寄り、明後日の四十九日法要のために何種類かの花を買った。満喜子から花を送るという連絡があったが、それを当てにして何も用意していないのでは、また何を言われるか分からない。

花は毎週の法要ごとに替えている。四十九日でもあるので、今回はいつもより多めに買った。

帰宅すると、尋恵は口の広い陶器の花瓶をダイニングテーブルに持ってきた。そこに水をため、オアシスを馴染ませる。百合や蘭などの大きな花を中心に挿し、白、黄、紫の菊をバランスよく混ぜていく。隙間をカスミソウで埋めてやると、なかなか華やかに出来上がった。

その花瓶を和室に運ぶ。満喜子の花が来たら祭壇の脇に置くことにして、これは窓側にでも置いておこうか……そう考えながら、花瓶を台の上に下ろした。

　そのとき……。

何やら怒号のような男の声と、地に響くような重い物音が、どこかにこもって聞こえた。

何だ……？

尋恵は思わず身をすくめた。それくらい物騒な気配が神経をざわざわと刺激した。

音は数秒続いて止んだ。それからも断続的にこもった物音がしたが、やがてそれも聞こえなくなった。

隣の家からだろうか。

外に出るのは何となくためらわれた。まだ俊郎も勲も帰ってきていない。昼間のこともあって、武内とは今日のところ、あまり顔を合わせたくない気分でもある。

しかし、何かの事故があったのなら、そうは言っていられない。尋恵は二階に上がった。

ベランダ側の窓から隣の家を覗き見る。

人の気配はどこにもなかった。

窓を開けてベランダに出る。隣の庭や通りのほうにも視線を巡らせてみる。

何もない。すっかり静かになっている。

尋恵は安堵の吐息をつき、ついでにベランダの洗濯物を取り込んだ。

〈17〉　性癖

翌日、尋恵は朝から忙しかった。

勲は学法会の用事が残っているらしく、夕方まで家を空けるとのことだった。俊郎も図書館へと出かけていった。まだ論文式試験の結果が明らかでないものの、すでに次の口述試験を見越した勉強が始まっている。

彼らを送り出した尋恵は、まどかに構いながら明日の法要の準備を進めた。仏壇の掃除をし、家中から座布団を集めた。親族の人数分には二枚ほど足らないので、午後から買いに行くことにする。お墓の花も用意しなければならないし、お茶菓子も今日中に買っておいたほうがいい。そうだ、形見分けの品を出しておかねばと思い立ち、姑のたんすの中を引っくり返しているうちに午前中が過ぎていった。

昼前になって玄関のチャイムが鳴った。インターフォンに出てみると、花の配達だった。

「ピンポーン、たっきゅうびんでーす」

得意の物真似をしてはしゃぐまどかを連れて玄関に出る。

「相田満喜子様からです」

配達員が差し出してきた伝票に判子を押して、ラッピングされた花かごを受け取った。

「川越のおばちゃんからだって」

まどかに見せてやり、廊下を戻る。手にした花かごをつぶさに観察しながら、意外に小さな花だったなと思った。満喜子のことだから、弔事とは思えないような豪勢なものを想像していたが、彼女の元気のなさを象徴するような質素な花だった。昨日自分が活けた花と比べても、正直言って見劣りする。

和室に置いてみて、これはちょっとまずいかなという気になった。花瓶の花は何本か間引いて、玄関に飾ったほうがいいかもしれない。

しばらくして、またチャイムが鳴った。

「ピンポーン、たっきゅうびんでーす」まどかが調子に乗って言う。

今度はギフト会社からの届け物だった。明日、参席する満喜子や登たちに持たせる椎茸と海苔の詰め合わせだ。出かける前に届いて助かった。

それをリビングに運び、昼ご飯にしようかと思ったところに、またチャイムが鳴った。

「ピンポーン、たっきゅうびんですよー」

あとはもう法要の関係での届け物はないと思ったが……そう思いながら、インターフォンに出る。

「警察の者ですが」

尋恵の心臓を鷲掴《わしづか》みにするような声が耳に飛び込んできた。

「はい……」

尋恵は上ずった声で応え、すくんだ足を動かした。

「宅急便じゃないから、そっちで遊んでなさい」

まどかをリビングに追いやり、玄関を開ける。

アプローチにワイシャツ姿の大柄な中年男性が二人立っていた。配達員のような軽快さはなく、ゆっくりとドアに近づいてくる。二人の全身から物々しさが発散されていた。

前に立った角刈りの刑事が身分証を提示した。

「警視庁の捜査課の者です。ちょっとお尋ねしたいことがありましてね」

彼は微妙に視線を外しながら、そう切り出した。後ろの色黒の刑事はじっと尋恵を見据えている。

「実はある事件の関係でいろいろ話を聞いて回ってるんですけど……その事件の被害者の方が隣の武内さんとお知り合いでいらっしゃいましてね、そんなことでさっきまで武内さんからお話を伺ってたんです。隣の武内さんはご存じですね？」

「ええ、もちろん……」そう答えただけだったが、それでも口がうまく動かせなかった。

「時折、表で顔を合わせると世間話などされるそうで」

「ええ、まあ」

「一番最近、顔を合わされたのはいつですか？」

「え……？」尋恵は意表を衝かれて、思考が空転した。

一昨日の夕方、何時頃に武内と会ったか？　そんな言葉が来るとばかり思っていた。まるで、まず最初に口裏合わせの機会があったかどうかを確かめるような質問ではないか。どう答えていいか分からない。

「あの……」尋恵はまごついたあげくに思い切って言ってみた。「一昨日……だったんじゃないかしら」

「うーん」角刈りの刑事は無表情で尋恵を見る。それだけで異様な威圧感があった。「昨日はどうでしたか？　武内さんのお話ですと、何やら庭に置く棚を差し上げたとか」

「ああ」尋恵は大げさなほどに、はっとしてみせた。自分自身の嘘に慌ててふたをかぶせるような、反射的なものだった。「そうでしたわね。昨日でした」

「何時頃ですか？」角刈りの刑事は淡々と訊く。

「ええと……昼前だったかと……」

刑事がすっと音を立てて息を吸い込んだので、尋恵はまたおかしなことを言ってしまったかと、差し込むような不安を覚えた。しかし、それは単に癖のようなものだったらしく、彼は口調を変えずに質問を進めてきた。

「そのときですけどね……武内さん、目の下を青く腫らしてましたか？」

まったく意味不明の話だったので、尋恵は首を傾げた。

「別にそういうのは気づかれなかった？」

「はあ……」

「いや、それならいいです。武内さんの言われる通りですから」角刈りの刑事は何やら勝手に納得して、その質問を切り上げた。「で、一昨日にも会われたんですね？　何時頃でしたか？」

「ええと……」尋恵は頰に手をやり、考えるふりをして気を落ち着けた。「まだ、夕方にはなってなかったかと……」かすれた声を絞り出す。

「三時とか、四時とか？」

「四時頃はまだ買い物に出てましたから」

「五時にはなってなかった？」

「ええ……買い物から帰ってきてすぐですから……四時半頃ですかね」

自分の意思で話しているのではなく、勝手に口が動いているような嫌な感覚があった。

刑事はまた、すっと息を吸い込んだ。

「なるほど、そうですか。いや、ありがとうございました。大した質問じゃなくてすいません。何しろこっちも細かい情報を組み合わせていかなきゃならないもので」

刑事はいくぶん表情を和らげたかと思うと、一転して怪訝な眼つきで尋恵を覗き込んだ。

「大丈夫ですか？　息が上がっておられるようですが」

言われて初めて、尋恵は自分が過呼吸を起こしていることに気づいた。

「ちょっと体調が……」無理に笑みを作り、口を押さえた。

「そうですか。そんなときに申し訳ありませんでした。じゃあこれで失礼しますので」

刑事たちは頭を下げ、一度も振り返ることなく立ち去っていった。

尋恵はキッチンに戻り、ポリ袋を口に当てて、しばらく呼吸を整えた。

あれでよかったのだろうか……どこか不自然に思われたのではないかという気がして仕方がなかった。

しかし、たかが一時間程度の誤差を偽ったとして、警察がそれを見つけられるわけはない。

一昨日の買い物では見知った人には会っていないし、四時四十六分という時間が刻まれたレシートも破り捨てておいた。別に犯人をかばっているわけではないのだ。困っている人を助けただけのことだ。じきに犯人が捕まって、こんな些細な嘘は何でもなくなるはずだ。

だが、そう思い込もうとしたところで、心の中で何かがわだかまっているのを自分自身に隠すことはできなかった。昨日、武内に話を聞いてから、新聞でその事件を確認してみた。関孝之助弁護士は稲城に住んでいたらしい。言ってみれば隣町だ。車を使おうと電車を使おうと二十分とかからない。ずいぶん近くに知り合いがいたんだなという感想を裏返せば、何ともすっきりしないものが残る。関弁護士の家が千葉のほうにでもあれば抱かなかったであろう不透明な気分だった。

思い過ごしだとは思うけれど……。

尋恵は気を取り直して昼食をとった。あり合わせのものをおかずにし、まどかには雪見がやっていたように小さなおにぎりを作った。

雪見はいつ帰ってくるつもりなのだろうか。明日になるよりは、今日中に帰ってきてもらったほうが助かる。やはり用事が立て込むと、まどかの守《も》りとの兼務はきつくなる。あとで連絡してみようか……。

食事を終え、まどかの手を洗い、食器を流しに移したところでまたチャイムが鳴った。

「ピンポーン」

まどかはチャイムが鳴るのが嬉しいらしいが、尋恵にとっては鬱陶しいものでしかない。

また警察だったらどうしよう……そう思いながらインターフォンを取ってみると、花の配達だった。

満喜子からは届いているし……来るとすれば登からか……。

外に出てみる。

「武内様からです」

配達員が抱えてきたのは、ぎょっとするほど大きな花かごだった。満喜子が送ってきたやつの倍以上はある。色こそ白、黄、紫に抑えられているが、中央では蘭がたわわに花をつけ、その周りでは何本もの大菊が瑞々《みずみず》しい色を輝かせている。今の時期、これほどの菊は安くあるまい。その間を蔓《つる》がくるくると四方へ伸び、いかにも手の込んだアレンジメントになっている。満喜子の花はいいところ三千円で、五千円にしては少し寂しいように見えた。しかしこの花かごは、二万円かかっていると言われてもおかしくない。

尋恵は武内からの花を和室まで運んだものの、満喜子の花と並べてみて、改めて当惑した。まずは、武内に礼を言わねばということは一瞬頭に浮かんだだけで、すぐに後回しになった。まずは、この釣り合いをどう取るか考えねばならない。

注文するのに実物までは見ていないだろう。尋恵は自分で活けた花から菊を数本抜き、満喜子のかごに挿してみた。それでも大きさの違いはいかんともしがたい。仕方なく、自分の花と満喜子の花を並べてひとかたまりにすることとした。武内の花を独立させて置けば、大きさとしては釣り合いが取れる。

そうすると今度は、花の後ろに差された名前の札が気になった。花屋が違うのだろう、「相田家」という札より、「武内」という札のほうが断然大きくて目立つ。花の大きさには合っているとはいえ、これはあまりにも異様だった。勲たちが見る前に、小さな札に作り替えたほうがいいかもしれない。

尋恵は「武内」の札を抜いて、ダイニングテーブルへ持っていった。厚紙を押し入れから引っ張り出して、申し訳程度の大きさに切り抜き、マジックで縁取りして筆ペンで「武内」と書いた。元の棒だけ頂こうとそれを外しているところにチャイムが鳴った。

「たっきゅうびんでーす」

まどかに構っている余裕はなくなった。インターフォンを取る。

「武内です」

「ああ……はい……」

尋恵は戸惑いながらも、そのまま玄関へ出た。ドアを開ける。

まず花のお礼を言わねばと開いた口からは別の言葉が出た。

「どうしたんですか、そのお顔は？」

左眼の下がかなりの範囲で青黒く腫れ上がっている。眼が開けづらそうだ。

「いやいや」武内は口元だけで笑った。「お恥ずかしい。昨日、家の中で転んじゃいましてね。テーブルの縁にぶつかってしまったんです」

「まあ……それは災難でしたわね……」

刑事はこのことを言っていたのか。確かにこんな傷は昨日会ったときには付いていなかった。

そう言えば昨日の夕方、隣のほうから大きな物音と声がしたが、あれが転倒だったのだろうか。日暮れどきに武内が庭に出ている姿がちらりと見えたので、別に何かの事故でもなかったのだなと思っていた。まどかは庭に出ていったが、尋恵は気分的に顔を合わせたくなかったこともあって、そのときは窓から彼のシルエットを一瞥しただけだった。朝、庭に出てみると隣の蘭鉢の棚がテラスの向かいに移動してあった。昨日の夕方に移したようだ。

「確か明日が四十九日でしたね？」武内が言う。

「ええ。ああ、またあんな立派なお花を頂いちゃって……」

「いや、いいんですよ」武内はさらりと受けた。「ちょっと一足先にお参りさせてもらっていいですかね？」

「どうぞ、どうぞ」

スリッパを出し、武内が上がるのを見守る……と、名前の札を抜いたままにしてあったのを思い出し、一人きびすを返してキッチンに飛び込んだ。作ったほうはかたわらにあった新聞で隠し、元の札を取ると、手で覆うようにしてリビングから和室へと移った。さっと走り寄って武内の花に差す。振り返ったところに武内が入ってきた。

「本当、きれいなお花で……」尋恵は無理やり微笑んだ。

武内は束の間、満足げに自分の花を眺めたあと、祭壇の前に座って骨壺の横に御仏前の封筒を置き、鈴を鳴らして手を合わせた。

あの封筒、またとんでもない金額が入っていなければいいが……などと思う。

「早いもんですね。もう四十九日とは」武内が姑の遺影を見つめながら言う。

「ええ、まったく」

「奥さんも四十九日が済んだら、ちょっと一息つくでしょう。この際、大いに羽を伸ばされたらいい。私でよろしければどこでもお連れしますよ」

尋恵が愛想笑いで流すと、武内はさらに言葉を継いだ。

「まどかちゃんも一緒に連れていけばいいじゃないですか。日光だとか、近場なら鎌倉とか、結構案内できるところがありますよ」

武内の眼つきが思いがけず真剣だったので、尋恵は返答に困った。

「あの……実は俊郎が来週、知り合いの別荘に連れてってくれるらしいんです。そこで羽を伸ばしてこようかと……」

「ああ、そうなんですか」武内は決まり悪そうに照れ笑いを浮かべた。「それはいいじゃないですか。なるほど、それはよかった」

それから彼は笑みを寂しげに消し、「私もいろいろあったから一人でぶらっとしてこようかな……」と呟くように言った。

尋恵は少し胸が痛んだが、さすがに軽々しく乗れる話ではない。気まずい空気を甘んじて受けるしかなかった。

「棚を移されたんですね。あそこ、花壇を作ってらっしゃったのに」尋恵は適当に話を変えた。

「ええ、奥さんのほうからも見られるようにと思いまして」

確かにそんなことを冗談混じりに話したが、まさか本気に取るとは。嬉しいという感想は持てなかった。

何だか気分が浮かない。

「さて」武内は立ち上がった。尋恵の礼に言葉少なに応じ、玄関へと進む。

「ああ、ところで」靴を履いた彼は尋恵に横顔を向けた。「警察は来ましたか？」

「ええ……三十分ほど前に」

「そうですか。それは私のことで申し訳ありませんでした……で、彼らは何を？」

「そのお顔の痣のこととか……」

口裏合わせの件については尋恵から言うのも何となく嫌だったので、刑事が最初に尋ねてきた話に触れた。

「顔の痣が何と？」

「昨日お会いしたときには何ともなってなかったかって」

「なるほどね」武内は目を伏せるようにして冷笑を洩らした。「関先生の事件と関係があるんじゃないかと疑ったんでしょうな。警察はそんなふうにまったく関係ないことを無理やり結びつけようとするんです。いや、昨日奥さんと会っててよかった。そうでなかったら大変なことになってたかもしれない」

確かに自分が証言しなければ、そういう勘繰りを受けたかもなと尋恵は思った。そう考えてみると、武内は独り身であるがゆえに身の潔白を証明する機会には恵まれないわけで、そのために口裏合わせという手段に走ってしまうのは責められないのかなという気もする。

その口裏合わせの件については、武内のほうからも触れてはこなかった。

「いろいろと助かりました」上目遣いに尋恵をちらりと見る。尋恵が彼の希望通りに証言したかどうかは訊くまでもないと思っているようだ。

「大丈夫です。私を信じて下さい」

彼はそう付け足して、口元に笑みを刻む。

ちょっと余計な一言だなと尋恵は思った。

どういうつもりで言っているのか知らないが、その短い言葉の中に独特のくどさを感じた。


買い物に出かける前に、尋恵は雪見の携帯電話に連絡を取った。

「今どこにいるの？」

訊いてみると、雪見は困ったように言い淀んだ。

「どこって……」

何となく所在なげに一日を過ごしている姿が頭に浮かんできて、無理に答えさせるのはやめておいた。

「いつ帰ってくるつもり？」

「うん……法事には間に合うようにするから」

「そんなこと言わないで。今日のうちに帰ってきなさい」

「でも……」気兼ねしているような声を出す。あれから何日も経っているが、まだ元気がない。

「いろいろ手伝ってほしいこともあるのよ」

「そう……じゃあ、夕方までには帰る」

「うん、そうして。何も気にすることはないんだから……」

二言、三言励まして、尋恵は電話を切った。

思っている以上に雪見と俊郎の間にはしこりが残ってしまっているようだ。この機会にもう一度話し合わせようとは思っているが、簡単ではないなという気もした。

そのあと尋恵は、まどかを連れて大型ショッピングセンターに出向いた。座布団もお墓の花もお茶菓子も、そして食料品も、買い物はすべてそこで済ませた。旅行に必要な物や向こうで遊ぶ花火なども買った。土曜日でもあるし、普段ならカフェテリアかハンバーガーショップあたりで一休みするところだが、今日はそんなゆとりはない。駄々をこねるまどかに食料品売り場で買ったお菓子を渡してごまかし、さっさと帰路についた。

家に帰ってきたのは四時前だった。まどかをリビングで遊ばせ、買い物の整理をする。洗面所に置いてあるバケツに水を汲み、買ってきた花をそこに入れた。

旅行用に車の中で寝るときにも使えるだろうとまどかのために買ったタオルケットは、とりあえず二階に置いておくことにした。ついでに洗濯物を取り込もうと思いながら階段を上がる。

二階の和室に入り、タオルケットを紙袋に入れたままタンスの脇に置いた。

そこで……。

尋恵は身体を凍りつかせた。

人の気配を部屋の中に感じた。

まさか……そう思い、背中を撫でる空気の動きの正体を見極める。

ああ、ベランダ側の窓を半分網戸にしたままだったと気づいた。この前の揉め事があって、武内がこの家に侵入していろいろ探っているだの、いやそれは池本の仕業だのというやり取りを聞かされ、それ以後は出かけるときはもちろん、長く二階を空けるときも窓を閉めて施錠するように気をつけていた。それでも癖というのはこういう忙しいときに気の緩みとなって出るもので、今日はすっかり二階まで気が回っていなかった。

ゆっくり窓のほうに向き直る。やはり網戸になっている。まあ、今は洗濯物を取り込むのだからいいのだが……。

次の瞬間、尋恵はまた動けなくなっていた。

誰かがカーテンの陰に隠れている！

雪見さん？　そう訊こうとして言葉を呑み込んだ。明らかに違う。雪見がそんなところに隠れているわけがないし、カーテンのふくらみの大きさは男の身体のそれだ。

尋恵はただ立ち尽くし、自分の異常な動悸を感じていた。

突然……。

カーテンが音もなく広がり、目の前に迫ってきた。

悲鳴を上げるのと同時に、尋恵は胸に重い衝撃を受けて背中から倒れ込んだ。

＊

この日の午前中、勲は昨日約束した成り行き上、東京地検八王子支部の野見山に電話をかけてみた。

「やっぱり鳥越は日本に帰ってきてましたよ」

「実家にいるのかね？」

「いや、違いますね。あなたラッキーだ。結構近いところにいますよ。神奈川県の秦野《はだの》。最寄り駅で言えば小田急線の東海大学前ですな」

別に秦野は勲の居住地から近くも何ともないが、日本のどこにいてもおかしくないと思えば近いということらしい。

「そこで学生相手に中古楽器の店をやり始めたそうです。名前は〈雑音堂〉。詳しい場所を言うと……」

勲は野見山の説明をメモに書き留めた。

「それで……この鳥越は、もう武内との関係は切れてるのかね？」

「そこまでは知りませんよ。私は母親から連絡先を訊いただけですから」

「ちょっと悪いんだが、ここに電話して本人に訊いてみてくれないか？　私は昨日言ったように武内の隣人だ。その私が彼の過去を探ってるということを武内本人に知られるのはまずい」

「馬鹿馬鹿しい」野見山は憤慨したように声を尖らせた。「そんなこと、あなたが口止めすれば済むことでしょう。何で私がそこまでお膳立てしなきゃいけない」

「あ、いや……」

「あなたはまず、そのお公家《くげ》根性を何とかするべきだ」

勲が言い返そうとしたところ、電話は切れてしまっていた。

そんなに怒ることでもないだろうに……勲はいささか鼻白《はなじろ》んで受話器を置いた。

だいたい、この鳥越勝彦《かつひこ》という男は単に武内と若い頃から付き合いがあるというだけで、その彼に会って何か新しいことが分かる保証は何もない。気分の問題で言えば、あまり食指の伸びる相手ではない。

ただ、検察も当たっていないということが引っかかるのは確かだ。とりあえずでも会っておかなければ、何かこのまま大事なことを聞き逃してしまうのではないかとの軽い強迫観念はある。

尋恵には学法会の用事でと言って車を使わず家を出たが、実際には学法会も昨日で夏休みに入っている。勲はどうしたものかと考えているうちに、なぜか神田の古本屋街に足が向き、昼過ぎまでぶらりとそこで過ごした。こんなところで何をやっているのだろうという自問が湧かないでもなかったが、本に囲まれての散策は気持ちが落ち着き、心底楽しいと思えるものだった。

多少暑気に参った頃合いに、入りやすそうなそば屋を見つけてざるそばを頼んだ。それを食べながら、このあとどうするかとまだ迷っていた。ここから東海大学前はかなり遠い気がした。

どうして自分は裁判官などという仕事を選んだのか……辞めた今になって、そんな身もふたもない疑問が頭を悩ませることがある。大学の教員になってみて、初めからこの道を進んでおくべきだったと感じた。学究の道は自分の頭脳が財産であり、大学という環境はそれを尊重してくれる。研究と指導の日々は変化に富んだものではないが、安定した充実感を得ることができる。

判事の仕事も本来は頭脳を働かせるために精神的な安定を約束された神聖な職だったはずだ。そう信じて法廷に向かっていた。

しかし、現実には例外もあった。勲にとっては死刑判決がそれだった。死刑判決だけは平常心で向かうことのできる仕事ではなかった。こんなに重い決断を迫られる職務がほかの分野であるだろうか。自分の判断一つで人間の命を奪うか救うかはっきりと分かれるのだ。それに対して慎重になることを非難されるいわれはないと言いたい。

今考えると、判事の職を辞す時期が間違っていたと勲は思う。退官は悩みに悩んだ末の決断だった。その思い切った決断は自分自身賛嘆に値すると思ってはいるが、決断までに結局一年近くかかっている。人生を左右することだけに仕方ないとはいえ、的場一家殺害事件の裁判が進む前に辞めるべきだった。

決して無罪判決を後悔しているのではない。あれは法の裁きとして必定《ひつじょう》の判断だった。だが現実には、自分はあの裁判の余波を受けている。まるで嵐が来るような雲行きの怪しさを感じている。いったいどこで何が間違っていたというのだろうか……。

勲はそば屋を出ると、新御茶ノ水の駅に入り、千代田線に乗った。積極的な気持ちはなかったが、ただ何となく乗っているだけでも電車は勝手に走っていく。小田急線に乗り換え、長い時間揺られて頭が呆けた頃に東海大学前の駅に着いた。

〈雑音堂〉は比較的新しいタイル張りマンションの一階にテナントとして入っていた。ウインドウ一面に手書きの値札が付いたギターが並んでいる。中でもけばけばしい色をした妙な形のギターは希少なのか格安なのか、一際大きな値札で値段の下にアンダーラインが引いてある。

裏には貸しスタジオも併設されているらしい。そんな案内も出ている。

ガラスのドアを開けて中に入ると、大音量の音楽が流れていた。メロディがあるのかないのか分からないような曲で、若い男がかったるそうに歌っている。思わず耳をふさぎたくなる、まったく相容れない世界だった。

店内はまた、ギターやトランペットやドラムやヴァイオリンでおもちゃ箱のようになっている。若者数人がそれらを熱心に物色している。

勲は狭い通路を進んだ。

奥のカウンターに煙草をくわえた五十がらみの男が立っていた。ギターの掃除をしているらしい。

五十がらみとは顔の造作をよくよく確かめて分かったことで、身なりは異様だった。髪は眉も含めて金髪だ。鼻にはピアスをつけ、アロハシャツに半ズボンを穿いている。

向こうは向こうで勲のような年代の客は珍しいのか、足元から徐々に目線を上げながら勲を見ている。

「鳥越さんですね？」

目が合ったところで勲は話しかけた。

「どちらさん？」

鳥越は片眼を細めて訊く。垂れ気味の目尻は人がよさそうでもあり、抜け目がなさそうでもある。

勲は自分の名前を名乗って、大学の教授であると付け加えた。

「教授？」鳥越はさらに怪訝そうな顔をした。

「実は、お宅が武内真伍さんの古くからのご友人だと伺ったもので……彼についての話をいくつかお聞かせ願えないかなと思いまして」

「武内？」彼は調子外れの声を出した。「あなた、武内とどういう関係で？」

「私はその……大学で冤罪の問題を研究してましてね、ご存じかどうか武内さんは……」

「ああ、知ってますよ」鳥越は低い声で勲の話をさえぎった。「その言い方からすると、俺が去年までどこに入ってたのかも、あなたは知ってるわけだ。武内がここを？」

「いや、ここに来たのは武内さんの協力を得てのことじゃありませんが」

「ならいいけど……いきなりそんな名前出されるとドキッとするよ」

鳥越は苦笑いしながら、カウンターの奥にあるドアを開けた。中は四畳半ほどの倉庫兼事務室になっていた。

「ちょっと頼む」

鳥越は店にいるアルバイトらしき若者に言い、その部屋のドアを閉めた。音楽がいくぶん耳から遠ざかった。勲は鳥越に促されるままパイプ椅子に腰を下ろした。事務机があるほかは、楽器の山で雑然となっている。二人が座れば、それだけで空間が埋まった。

「武内ねえ……別に怖がってるわけじゃないけどさ、まあ、付き合ってると辟易《へきえき》するやつだよ」

鳥越は気さくな口調で話し始めた。

「俺とやつは本当に長くてね、四十年にはなるかな。気に入られちゃうと、こっちからはなかなか切れないんだよね。フランスのムショに入ったのも怪我の功名ってやつだよ。俺がパクられる前の話、イギリス人の奥さんも本国に帰って何回も引っ越しを繰り返してたね、武内も粘って追いかけ回してたようだけど、どうやらまかれちゃったみたいだな。あの奥さんもレディファーストの国の女だから武内のような男はジェントルマンに見えたんだろうけど、一緒に暮らしてりゃじきにあいつの本性に気づくよな。ああなると逃げ切るか殺されるかのどっちかだからね。向こうも必死だよ」

いきなり落ち着きの悪い話を始めた鳥越は、二本目の煙草に手を伸ばし、狭い部屋を白く煙らせた。

「でも、付き合い方次第じゃ、あれほど便利な男もいないんだけどね。俺がどうしてやつとの腐れ縁をつなげてられたかっていうと、やつを利用しようと割り切ってたからだよ。こっちが義理さえ通せば、やつは犬のように動いてくれるしな。一緒に仕事するにしても楽だよ。俺くらいだろうけどね、そんなふうにあいつをうまく使いこなせるのは」

鳥越は自分で言っておいて、そんなことは何の自慢にもならないと思ったのか、軽く失笑してみせた。

「今のお話からすると、義理を欠いたときには彼の機嫌を損ねるわけですか？」

「そりゃキレるよ」鳥越の眼が一瞬にして据わった。「一家皆殺しの事件。ああなるよ」

「しかし……あの事件では彼は無罪になってる……」

「はん」と鳥越は鼻で笑う。「裁判なんて当てになるかよ。あんなの伝言ゲームなんだよ。最終的には、現場を見たこともない人間が、人づての証拠かどうかも分かんないようなのを参考にして判断するわけだろ。嫌んなっちゃうよね、あんな極悪人を無罪放免にして、俺みたいな小市民を何年も檻の中にぶち込んでさ。まあ、俺の場合、多少身に覚えがあるから仕方ないけど、殺人鬼逃したら駄目だよな。無能過ぎだよ、裁判所」

勲は顔をしかめたくなるのを抑え、軽く咳払いした。

「でもその話、鳥越さんは、帰国してからニュースか風の噂にでも触れただけでしょう。そんなふうに決めつけるのは、いささか現実的でない気がしますがね」

「あんたもそういう疑いを持ってるから、ここに来たんじゃないの？」鳥越は涼しげに勲を見る。「冤罪の研究をしてる人があいつの交友関係をたどるのは、すなわちそういうことでしょ。俺は武内のことをよく知ってるだけに、そのへんの事情は読めるんだよね。冤罪の研究者なんかだと彼には同情的に接してたんだろうな。そうするとやつは図に乗るよ。どんどん懐に入ってこようとするよね。まあ、こちらはそれをかわすか利用するかなんだけど、ずるずる彼に合わせて付き合ってると、あの一家のようになるよな」

鳥越は問いかけるような視線を投げかけてくる。

「だからあんたも彼と接してて、何かおかしいと思い始めたんだろ？　で、彼に内緒でこうやってここに来てる。そう思ったからこそ、俺はあんたにこんな話をしてあげてるわけだしね」

「それはそれとして……」勲は曖昧な言い回しで受けておいた。「私が訊きたいのは、あなたがどうして彼が犯人であると確信してるかということです」

「確信も何も、あいつ、自分でゲロったんだろ？」

「いや、それは捜査側の強要や誘導があってのことだと見られてますけど」

鳥越は笑って首を振る。「そんなことであいつは崩れないよ。まあ、察するところ、刑事が味方のように優しく振る舞ってきたんで、思わずポロリと言っちゃったんだろうな。とにかくあいつはそういうのに弱いからね」

冗談半分のような話ながら、笑って済ますことはできなかった。盲点を突かれたような思いさえ残った。

「それにさ、あの手口自体、武内そのものじゃない」

鳥越はさらに平然と言ってのけた。

「というと？」

「親しくしてた一家を金属バットで襲ったってんだろ？　しかもつまんない理由で」

勲の反応を待たず、鳥越は話を続ける。

「俺たちが大学生の頃の話だよ。俺と武内と成田と後藤っていうやつの四人でバンドを組んでてね。で、アマチュアライブに参加することになってさ、当日武内がこれを着て演奏しようって、おそろいのハッピを買ってきたんだよ。それにみんな呆れちゃってさ。確かにその頃来日したビートルズがハッピ着てたけど、それは彼ら外国人が着るからいいんであって、俺たちがそれを真似したところでただの日本人じゃん。ビートルズじゃなくて、エンヤーコラヤのドリフになっちゃうよ」

愉快そうに表情を崩した鳥越は、その笑みを徐々に強張らせながら言葉を継いだ。

「まあ、だけど俺はやつの性格知ってるから素直に着てやって、ついでにバンド名を〈ハッピーズ〉にしようかなんて盛り上げてもやったんだよね。だけど成田や後藤ってのは、武内のことを、楽器を貸してくれる便利な男くらいにしか思ってなかったんだろうな。なめてたわけ。こんな格好悪いのなんか着れるかって武内に突き返してさ。武内のやつ、せっかく用意したんだからとか言って粘ってたけど、成田たちは相手にしてくれやしない。そのうち、あいつも大人しくなって、やっとあきらめたと思ってたら、いきなりエレキギターを振り回して二人をボコボコだよ。あれ、俺が止めてなきゃ、どうなったか分かんなかったな……この話と一家殺害事件と何か違うか？」

勲が言葉に詰まっていると、鳥越は片頰を歪めて笑った。

「やつと付き合うのは気を遣うんだよ。服をもらって次に会ったときに着てないと、サイズが合わなかったのかって訊かれるしさ。何年も前にくれた物も、あれはどうしたこれはどうしたっていきなり訊いてくるから、やつからもらった物は全部部屋の一番目立つとこに置いとくんだよ。義理を通すってのは、言ってみりゃそういうことなんだよ。

信じられないかもしんないけど、フランスの刑務所に入るまで、俺の誕生日は毎年武内に祝ってもらってたんだぜ。十九、二十歳の頃、誕生日のデートを断ったもんだから、女が不審に思って俺のあとをつけてきたら、武内と二人で誕生パーティやってたっていう顚末《てんまつ》よ。これ、笑い事じゃないって。俺がそれを断ったら、やつは俺と女が別れるように画策するか、手っ取り早くバット担いで押しかけてくるだろうさ。結婚してからも俺の誕生日になると、夫婦で武内が持ってるコテージに行って、あいつの手料理お呼ばれしてたんだから。一カ月前になると招待状が来るんだよ。それをあいつは毎年毎年欠かさないんだよ。いい加減飽きるよって言いたくなるよ。やつと縁を切るのがどんなに大変か分かるだろ。いくら便利なやつだからって、うんざりするよ。子供の頃から変わりゃしねえ。まったくいかれた男だよ」

鳥越は噴飯するように笑ったあと、首を振って笑みを消した。

「そうそう……バットっていやあ、子供の頃からのやつのトレードマークみたいなもんでさ。もちろんその頃は金属じゃなくて木のバットだったけど、持ってるやつはそんなにいやしない。やつんとこは地主の家柄で裕福なほうだったから、ちゃんと買ってもらえたんだな。で、学校から帰ってきて、やつの家で遊ぶのが日課になってたんだけどさ、学校で何か気に食わないことがあったりすると、やつはそのバット持って裏庭に回るんだ。裏庭に一本杉があるんだよ。それに向かって狂ったようにバットを打ちつけるわけ。あれで何本も折ってたよ。
学校で何があったかっていうとさ、給食の当番でうまく盛りつけができなくて、みんなにおかずが回らなくなったとかね。学級会で提案した自分の意見が通らなかったとかね。もうどうでもいいことなんだよ。そんなので勝手にくよくよしてストレスため込んじゃってさ、生真面目通り越して異常だよね。そんなときは目が泳いで表情が乏しいから、そばで見てて分かるけどね。それで家に着いたとたん、バット摑んで裏庭に行って人が変わったように暴れるだろ。それを見たときから俺も、こいつは怒らせられないなと思ったね。飼い猫に引っかかれたときも、バットで殴り殺してたしね。さすがにそういうの見せられると、ちょっと引くよね」

勲は鳥越の話に、遠き日の武内少年の姿を思い浮かべていた。そこにはセピア色など似合わず、何やらどす黒い生々しさがある。ひやりとした寒さを覚える。

「まあ、何ていうか、神経の張り詰め方が尋常じゃなかったやな。いつも自分にプレッシャーかけてる感じでね。親の期待とかも大きかったんだろうね。あんな田舎の小学校で、一人だけ私立校のボンボンみたいな制服着ててね。学級委員にも決まって立候補するんだよね。それもなぜか副級長。だからあだ名も副級長。親に言われてそういうのを買って出てたみたいだけど、自分は人の上に立つタイプじゃないって思ってたんだろうな。だから級長じゃなくて副級長。微妙だよね。歪んでるよ。それで俺を級長に推薦したりしてね。とばっちりもいいとこだよ。

　卒業文集の作文も林間学校の思い出とか学芸会の思い出とか、そんなんじゃないからね。タイトルが『段取り』なんだから。子供が使う言葉じゃないよな。今でも憶えてるよ。クラス行事の段取りが悪くて先生に怒られたっていう反省文なんだよ。お前、もうちょっと楽に生きろよって思ったよ。

　だいたい、段取りか何か知んないけど、そのやり方が根本的に間違ってるよ。クラスを束ねるためになんて言ってさ、偵察って称してクラスメートの家を見て回ってな。物陰から家ん中覗いて、不気味でしょうがないぜっての。あと、担任の机から成績表抜いて校舎の裏でこっそり広げるとかな。そういうことには本当、抵抗のないやつだよね。まあ、それが大人になると、上得意に食い込む商売上手の手腕として発揮されるんだから大したもんだけど、俺の家に来てもちょっと目を離せば手帳とか物色してて、まったく気を許せない男だよ。

　本人は周りに気に入られようとしてるだけなんだろうけどね。それがしつこいし、こすいし、度が過ぎるってことなんだよな。まあ家が複雑だったとはいえ、何とも歪んだ人間ができたもんだぜ。やっぱり、とんでもないことをしでかすやつっていうのは子供の頃から一癖持ってるよ。あいつをつぶさに見てきて、それは感じるよね。何とも感慨深いやな」

鳥越は本心から武内が凶悪殺人犯であることを疑っていないらしい。確かに彼の話す少年期の武内には、そこはかとない薄気味悪さが感じられるわけだが……。

しかし、それをもって即、一家殺人の可能性にまで結びつけるには、まだまだ決め手を欠いているように思う。あの事件はそれほど単純ではなかった。

「その、複雑な家庭っていうのは？」

「ああ。子供の時分じゃあんまり興味なかったけど、親の話なんか聞いてると、あいつの親父は何回も離婚再婚を繰り返してんだよね。確か武内は四番目の奥さんの子供で、親父は五十をとうに超してたときだよ。それからまたその奥さん追い出してね。六十過ぎて五番目の奥さんをもらったわけだよ。まあ、親父は地元の名士だし土地持ちだしね。片や女のほうは戦争未亡人とか多かったから。武内も腹違いの兄貴がいたみたいだけど、戦死したらしいね。だから形としては一人っ子がいて金持ち親父は歳食ってる。その家に入る女なんかは腹に一物抱えてるってのが相場だよ。その五番目の奥さんが武内の生みの親を追い出したって噂もあったくらいでね。そっちはどこに消えたのか分かんないらしいけど、まあとにかく胡散くさい家族だよな」

「とすると、その育てのお母さんと武内さんはうまくいってなかったと？」

「中がどうなってたのかは俺にも分かんないよ。子供ってのは家庭の問題を友達には絶対見せないからな。まあ、水商売風のなりをしたきつそうなおばさんだったな。俺が言えるのはそこまでだね」

勲は野見山が洩らした言葉が気になっていた。母親の死亡は本当に事故だったのか……彼は出任せで言ったようだが、勲の頭からは離れなくなっていた。武内が本当にその内側に狂気を秘めているのなら、もしかしてという思いはある。そのあたり、鳥越はどう思っているのだろうか。

「その、育てのお母さんが亡くなられたときですけど……何か噂めいたものは？」

曖昧に訊き、鳥越の表情を窺う。

「へへへ」鳥越はその質問の意図をすぐに察したようで、苦笑を隠さなかった。「そういう噂はなかったね。むしろ周りじゃ、その母さんを見る目のほうが厳しかったしな。武内の父さんとばあさんが同時に倒れて、何カ月かして死んじゃってさ。財産目当てに結婚した嫁が何か悪いものでも飲ませたんじゃないかって、そんな噂ならあったよ。新しい男も家に出入りするようになってね。事故で死んだときは天罰だろってなもんで、それが実はどうだったかなんて話は出なかったな。まあ、武内のことだし裏があってもおかしかないけど、証拠はないやね」

あるともないとも言えないか……そう思いながらも勲は言葉を継いでみる。

「小学生の頃から武内さん、そのお母さんに虐待を受けてたとか、受けてなかったとか……？」

「ああ……あいつの身体、生傷が絶えなかったから、そう思ったやつもいるかもしれないね。でも、あれは自分で作った傷だよ。あいつは自傷癖《じしょうへき》があるからね」

「自傷癖!?」

勲は衝撃の強さをそのまま口調に乗せて訊き返した。

「そう。だからさあ、やつは変に余分なストレスをため込むたちだって言ったろ。それを吐き出そうとしても、いつでもどこでもバットを振り回せるわけでもないじゃない。人に襲いかかる衝動とかも抑えてたんだろうよ。その代わりにどうするかっていうと、自分で自分の身体を殴ったりとかさ、傷つけたりとかするわけ。鉛筆を手のひらに突き立てて血だらけになってるの何回も見たしね。あと、鉄柱とか壁とか硬いとこ相手にして、一心不乱に頭突き繰り返したりね。ゴン、ゴンって嫌な音するんだよな。あれも見てると背筋が冷えてくるよね」

勲は今初めて、武内の異常性がはっきりと目の前に立ち上ってきたのを感じた。それまでは雪見から話を聞いていても、ここで鳥越から武内の少年時代の話を聞いていても、そこから一人の殺人犯の姿を浮かび上がらせるには何かが足りないという思いが拭えなかった。もし殺人犯武内というものが存在して、あの一家殺人に至った過程をその人間形成から解き明かす必要があるとするなら、自傷癖の事実は欠かせない一片となるのではないか。

なぜそれが欠かせないのか……勲は頭の中を整理しながら質問を重ねる。

「その、じゃあ……彼が怪我を装って周りの同情を引こうとしたことなどは？」

「あるある」鳥越は手を叩いておかしそうに言う。「あいつ運動神経はいいはずなのに、野球とか探検ごっことかして遊んでると、なぜかしょっちゅう怪我するんだよ。そのたびに遊びを中断してあいつのとこに駆け寄ってさ。心配してやると満足するような感じでね。そのうちみんなも、ああまたかってなもんでほっとくわけ。やつもやつで、だんだん怪我が過激になってきてね。どこで切ったんだか、額からだらだら血ぃ流し始めたりさ。子供の遊びであれほど流血するやつもいないよ。

それは高校生になっても大学生になっても変わんなかったね。スポーツなんかやってると、異様に派手な転倒とかするんだよな。ほら、サッカー見てると、ちょっと足引っかかっただけなのに絶叫して転げ回って、そんなに痛がらなくてもいいだろってのあるだろ、あんな感じで。骨が折れたかもなんて言うから、俺が病院までついてってね、結局何でもないんだけど。俺がちょっと距離置こうとすると如実にそんなことやってくるよね。まったく鬱陶しいったらありゃしないよ」

鳥越はしばらく乾いた笑い声を上げていたが、それが引いたところでふと眼をつむり、肩こりをほぐすようにゆっくりと首を回し始めた。何かの記憶をじっと吟味しているようでもあった。

眼を開けて、意味ありげに勲を見る。

「この前終わったあいつの控訴審……背中の傷が焦点の一つになってたでしょ……」低い声で言う。「あれも子供の頃、見たことあるよ」

勲は思わず息を呑んでいた。

「何かで打たれたような、ひどい打ち身だったな……俺も当時はね、ちょっとあの傷は自分では作れないだろうと思ってたよ。父親にやられたのかなとか勝手に想像して、本人にはあえて訊かなかったけどね……」

何と……。

武内は少年時代にも背中に傷を作っていた。

ということは……。

少年時代にやっていた方法で、あの事件のときも負傷してみせたのか……。

それなら、衝動的な凶悪犯罪に及んだあとで、偽装などという冷静な判断が必要になる行為が可能なのかという疑問にも説明がつく。経験が後押ししたわけだから不自然ではない。

だが、どうやって……。

どうやって自分の背中全体に深い打撲痕を作ることができるのだ？

もしかしたら簡単な方法なのかもしれない。子供が思いつくくらいなのだから……逆に言えば、子供の腕力から考えて、やはり力任せにただ自分の手でやったのではないということでもある。

この一点だけはどうしても乗り越えられない。

武内は危険な男だ。鳥越の話を聞いて、その心証ははっきりした。うちの家族からすぐにでも引き離さねばならない。

しかし……。

今それを口に出すことはできないのだ。野見山が言うように、背中の傷の問題をクリアしないことには、自分に武内を疑う資格はないのだと勲は思う。

自分はそういう判決を下してしまったのだ。

〈18〉　襲撃

雪見は義母から帰宅を催促する電話を受けたあとも、しばらく友人の部屋で寝そべりながら、見るとはなく就職情報誌をめくっていた。ここ数日間は強い虚脱感の前に何もしない日々が続いていたが、いつまでもそうしているわけにもいかず、とりあえず来《きた》る日に備えて仕事でも見つけたほうがいいだろうとの思いに至り、気分転換の意味も込めて情報誌だけ買ってみた。

しかし、自分自身の宙ぶらりんな立場が足を引っ張って、情報誌に向ける目にも今一つ気持ちが乗らない。今日見つけたところでどうなるものでもないなと思い、四時前になって梶間の家に帰ることにした。俊郎にまた、このままなし崩し的に居座るのかと言われるのも嫌なので、荷物は最低限のものを小さなバッグ一つにまとめた。

まどかはどうしているだろう。家に帰るのも憂鬱なことばかりではない。楽しいことだって待っているのだ。

気持ちを前向きに盛り上げて靴を履く。と、そこで携帯電話が鳴った。上がりかまちに置いたバッグからそれを取り出した。

「もしもし……？」

「あ、あの……雪見さん……？」

病的な声が雪見の耳に届いた。池本杏子だ。

「私、池本です……先日はどうも」

「いえ」雪見は素っ気なく返した。またどういうつもりで電話してきたのだろう。一瞬のうちにうんざりした気分になった。

「あのね……じ、実は昨日から主人が帰ってこないの」

いつもながらの切迫した口調で彼女は切り出した。

「そうですか」雪見はわざと突き放したように応じた。

杏子は数秒の間を空けて続けた。

「あ、あの、雪見さん。誤解よ。主人があの事件の真犯人だとか、あなたの周りのことを工作したとか。武内にごまかされないで」

「もう、どっちでもいいです」

「よ、よくない、よくないわよ。私も本当言うとね、武内にあんなこと言われて、もしかしたらって思っちゃった。でも主人はそんなことできる人じゃないのよ。私も隣から声や物音が聞こえた時間は嘘なんてついてないし」

「……で、今日は何の用ですか？」

「いや、あのね、一昨日、関孝之助っていう弁護士が殺されたの知ってる？　あの人、武内の弁護士だったの。これ、武内がやったのよ」

　雪見は大きなため息を携帯電話に吐きかけた。

「どうして武内さんがやったって分かるんですか？　何のために？」

「何のためにって雪見さん、彼がどういう男かはあなたも主人から聞いたでしょ。弁護士に親切にされたもんだから近づいていったのよ。そのうち彼の異常性に気づいた弁護士が避け始めたのよ。それでも武内がまとわりついてくるから、警察に通報するとか裁判にかけるとか強気に出ようとしたんだと思うの。それで武内が逆上したのよ。もうあの男は一度一線を越えてるから歯止めが利かないのよ」

「証拠はあるんですか？　また池本さんのほうが怪しいって話になりますよ。私はどちらが怪しいか知りませんけど」

「そ、そんな。どうして主人が弁護士を殺さなきゃいけないの。ちょ、ちょっと、雪見さん、あなただけは信じてくれるでしょ？」

「もう、私を巻き込まないで下さい」

「そ、そんなこと言わないで。ね、聞いて。昨日、主人がその事件を知って出ていったの。『俺が止める』って。『このままほっといたら大変なことになる』って。ねえ、これどういうことだと思う？」

「知りませんよ」

「殺しに行ったのよ、武内を。もうそれしか手がないってこと。とうとうそこに行き着いちゃったの。そういう決意が顔に出てたの。ねえ、雪見さん、私は止められなかった。腹を括るしかなかったの」

「そんな大事《おおごと》があれば義母から何か言ってきますよ」

「だからね、私、失敗したんじゃないかって心配してるの。だって帰ってこないのよ。あの人、見かけはああだけど、喧嘩とかまるで駄目なの」

「じゃあ、逆に殺されたとでも言うんですか？」

雪見がしらけ半分に訊くと、杏子は声を震わせた。

「ああ、もうそれ以上は言わないで。考えるだけでも恐ろしい」

今度は向こうに届かないように、雪見はもう一度ため息をついた。

「もう少し待ってみたらどうですか？　それでも帰ってこないんなら警察に相談して下さい。

私に言われても何もできませんから」

「ああ、そうね。そうよね。ごめんなさいね、どうしていいか分からなくて思わずかけちゃって。じゃあそうする。そうするわ……あぁぁ」

聞き分けのいい返事をしていたかと思うと、最後に絶望するような嘆き声を残して電話は切れた。

もう無茶苦茶だな、この人……距離を置いてみればいかがわしさしか感じ取れず、そんな感想しか浮かばなかった。

しかし、五時近くになって雪見が帰ったのは、大事に巻き込まれたあとの梶間家だった。

家の前にはパトカーを始め数台の車が停まり、警官や刑事が物々しく出入りしていた。

家に上がる雪見の足も自然と速まった。リビングのソファでは、唇を紫色に変色させた義母がエアコンの入っていない暑さの中で寒そうに肩を抱いていた。その隣にはまどかを抱っこした俊郎が座り、険しい表情で刑事と何やら話をしている。俊郎は雪見を認めると、眉間に皺を寄せて睨みつけてきた。

「あの池本とかいうの、とうとうやったよ」雪見を責めるように言う。

「やったって……？」

武内を殺したということか？　杏子から聞いていたこともあって、その可能性しか考えられず、雪見は膝の力が抜けそうだった。

「おふくろを蹴り倒したんだってさ」

「お義母さんを？」

聞いてみると、話は少し違っていた。

義母が買い物から帰ってきて二階に上がったところ、窓の脇に寄せられたカーテンの陰に誰かが隠れていたのだという。その人間は義母を蹴り倒して窓の外に出ていった。支柱を伝ったのか飛び降りたのか、とにかくベランダから逃げていったらしい。

義母は倒れた際、腰をしたたかに打ったようだが、そのほか身体に別状はなかった。犯人が逃げたあと、起き上がった彼女は怖々《こわごわ》窓を閉め、一階に下りてまどかが無事なのを確認してから一一〇番に通報した。そのとき、隣の家からも争うような物音が聞こえたという。それはすぐに止んだが、警察には武内からの通報も加わった。

警察官が到着したとき、両家に侵入した何者かはすでに逃走したあとだった。警察の応対に出た武内は額を血で赤く染めていたらしい。

義母は侵入者の顔を見ていなかったが、武内が見ていた。ストッキングをかぶっていたものの、武内が抵抗した際にそれが破れ、池本であることが分かったそうだ。池本は施錠していなかったテラスの窓から土足で武内の家に侵入し、リビングにいた武内に鉄パイプで襲いかかってきた。武内の頭や肩を数回殴ったあと揉み合いになり、ストッキングが破れて顔がばれるや武内を蹴り倒して玄関から逃げていったということだ。

　武内は今、病院で治療を受けているらしい。警察に応対できたくらいだから、重傷ではないのだろう。最悪の事態ではなかったことにほっとする一方、杏子から〝犯行予告〟を聞かされていただけに、雪見は何となく池本の共犯者にでもなったような据わりの悪さを覚えた。

俊郎の話し方自体も、雪見にそう思わせるような攻撃口調だった。

　しかし、よく分からないのは、武内を襲いに来た池本がまず義母を襲っているということだ。

　俊郎は警察に、先日ここで武内と池本が対峙《たいじ》したときの事情を話し、そこで冷たくあしらわれた恨みをここの家族に対しても抱いていたに違いないとの見方を付け加えた。動機としてはそれしか考えようがないなと雪見も思った。ただ、それにしては義母を襲った犯行は中途半端である。義母には鉄パイプを使わず、蹴り倒しただけだという。しかも最初はカーテンに隠れていた。むしろ状況的には、この家に何かの目的があって侵入したものの、義母が部屋に入ってきたので慌てて逃げた……そんなふうに見える。今から武内を襲おうかというときに何の目的でこの家に侵入したのかは分からないが、以前からこの家や雪見の実家に侵入していたのがやはり池本であったと考えると、手口としては合う。

　武内を襲っておきながら顔を見られたところで退散したというのは、殺意までは持っていなかったということなのだろうか。昨日自分の家を飛び出して、犯行に及んだのは今日。そのことからも、この行為に複雑な心の揺れが絡んでいたことは窺い知れるが、おそらくその論理は池本本人にしか通用しないものであって、誰かがそれを理解するのは不可能なのかもしれない。

　こうしてみれば、武内の話こそが一理あったと認めざるを得ない。池本は神経を病み、心の救いを異常な方法で求めようとしていた。何ともやり切れない。

　雪見は刑事に、杏子からかかってきた電話の話をした。武内の弁護士が殺されたニュースを知って飛び出していったというくだりでは、俊郎が横から「それも池本の仕業だろ。いかれてるよ」と呆れた声を出した。結果的にそう思われるのは仕方ないし、実際そうなのかもなと雪見も思った。義母を襲ったという事実がその疑いを高めている。狂気の矛先は武内だけに向いているのではない。とすれば、武内の弁護士に向いても何らおかしくはない。

　おそらく、池本の家にはすでに刑事が向かっているはずだ。池本にしても戻るところは自分の家しかないだろうから、捕まるのも時間の問題だろう。

　杏子は何もかも知っているのか。それとも、本当に何も知らないのか。何も知らず、ただ夫を信じて支えているだけならば、ちょっと可哀想だなという気がする。あの通りのタイプだ。放っておけば絶望し切って、首でも吊ってしまいかねない。何もかも承知の上で夫に付き合っているのであっても、それはそれで救いようがないのだが……。

一通りの事情聴取が済んだ頃、二階から鑑識係らしき人たちも下りてきて、刑事たちは出ていった。凶悪と言えるほどの事件ではなかったためか、淡々としたものだった。日が暮れても池本が捕まったとか捕まらないとかの連絡はなく、妙に現実感に乏しい静かな夜がやってきた。

「しかし、お前の友達はとんでもないことしてくれるよな」

俊郎は久し振りに雪見が作ったカレーの味については何も言わず、そんな嫌味ばかりを夕食の場に持ち出してきた。

「別に友達じゃないわよ」また逆ギレだと言われないように、小さな声で返す。

「事の重大さが分かってないんじゃないの？　お前が軽はずみにあんなおかしな人間をこの家に連れてきたから、こんな事件が起こってるんだぜ」

「雪見さんを責めたってしょうがないでしょう。せっかく家族がそろったんだから、もうその話はやめなさい」

義母はそう言って雪見を擁護してくれたが、雪見は内心で俊郎の言う通りだと思った。自分が池本をここに連れてこなかったら、こんなことにはならなかった。

　雪見はそのあとも単発的に続いた俊郎の口撃には何も言い返さず、うつむいたまま自分のカレーをスプーンでかき混ぜながらそれをやり過ごした。

　義父は食事の間こそ、物思いにふけるように押し黙っていたが、帰宅直後はいつになく真剣に義母や俊郎から今日の事件の話を聞いていた。自分の妻が被害に遭ったのだから当然と言えば当然なのだが、雪見が大学を訪れたときとは違い、他人事のような態度ではなくなっていた。

　義父は義母に犯人の顔を見なかったのかと繰り返し訊いていた。義母は犯人の顔はおろか身体も見てはおらず、そんな答えを返すと義父は釈然としない様子で唸るのだった。

　食事が終わりかけた頃、玄関のチャイムが鳴った。

　インターフォンに出た義母は、一、二度相槌を打ってからそれを戻し、「武内さん」と誰に言うでもなく声にして玄関へ出ていった。俊郎があとを追い、雪見も気になってキッチンの入口から玄関を覗いた。

「まあ……大丈夫ですか？」ドアを開けた義母がそんな言葉を発した。

　戸口に立つ武内は頭に包帯を巻いていた。

「いやあ、こんなふうになっちゃいまして何だかお恥ずかしい。まあ、骨には異常がないみたいですし、傷も思ったより深くありませんでした」

　武内の声は空元気かと思うほど、妙に明るかった。ちらりと雪見に目を向ける。雪見が会釈すると、彼は何も見なかったように視線を外した。

「奥さんも被害に遭われたそうで」

「ええ。でも尻もち程度だったんで、不幸中の幸いというか」

「痛みはあとから来たりしますからね。検査だけは受けておいたほうがいいですよ」

「警察から何か話は？」俊郎が訊く。

「いやあ、彼らは何も教えてくれませんよ」武内は言葉の端に警察不信をにじませた。「ただ、どうやら池本さんはまだ捕まってないようですね。お互いしばらくは身の安全に気をつけたほうがいいと思います。それだけ、言いたかったもんですから」

　雪見が先日の非礼を詫びたものかどうか逡巡しているうちに武内は帰っていった。

「怪我は軽そうだな」

　ドアの閉まる音がしてから義父が呟いた。廊下にこそ出なかったものの、聞き耳は立てていたらしい。

「でも頭に包帯してた」

　雪見は見たままを教えた。義父は何か気に入らないことでもあるかのように不機嫌な唸り声を洩らしただけだった。

夕ご飯の後片づけをしたあと、風呂に入る支度をしようと二階に上がった。

ふと、バッグに入れておいた携帯電話に目を留める。杏子からの着信履歴がある。何度も入っている。

何の話だろうか。想像がつくようでつかない。聞いてみたくもあり、聞いてみたくなくもある。ちょっと迷ったが、こちらから電話するのはおかしいなと思った。今や彼女を被害者の親族と認めるには抵抗を覚える。加害者の妻と言ったほうが正しい。

しかし、着替えをそろえている間に、向こうからかかってきた。携帯電話が震え、杏子の携帯電話番号をディスプレイに表示している。向こうからかかってくるものは仕方ないだろうと思い、受話ボタンを押して耳に当てた。

「あ……ああ……ああ、雪見さん？」ひどく錯乱している口調だった。「さ、さっきまで延々警察が来ててね、今も表に車が停まってるんだけど……な、何か、主人が武内と尋恵さんを襲って逃げたとか……」

「ええ……私もちょうど夕方家に帰ってきたんで、警察にいろいろ訊かれました。あの……杏子さんから電話があったことも話しました」

「そう……いや、そんなこと嘘ついてもしょうがないからいいけど……で、怪我の具合は？」

義母と武内それぞれの見たままの様子を伝えると、杏子は安堵とも落胆ともつかぬ脱力した声を苦しげに吐いた。

「あの……で、主人まだ戻ってこないんだけれど、どういうことだろう？」

そんなこと訊かれても答えようがない。

「携帯電話はどうですか？」

「昨日からつながらないの。昨日の夕方にね、家の電話に一回かかってきて、私が出たらすぐに切れたの。直感で主人からって思ったんだけど、あれからは何にも」

「もう、なるようにしかならないし、待ってみたらどうですか。それで連絡があったら自首を勧めて下さい。たぶん、どうしていいか分からないでいるんじゃないですか」

「でもねえ、どうして尋恵さんにまで手を出したんだろう。そんな関係ない人に危害を加えるなんて考えられないのに……」

「あの……うちに侵入して何かを探したいとか、そんな話はしてませんでした？」

「分からない。聞いてない」

「じゃあ、ちょっと、私にも見当がつきませんけど」

「本当に主人だったのかしら？　警察から武内が証言してるって聞かされたけど、尋恵さんは？」

「それは……直接には見てないみたいですけど……」

「や、やっぱり。武内が言ってるだけなのね？」

「けど、池本さんじゃないなら誰だって言うんですか？」

「武内よ。だって武内しか見てないんでしょ。どうとでも言えるじゃない。また得意の自作自演よ。それとも付近の目撃情報があるの？」

「知りません……ていうか、杏子さん、もう現実を直視しましょうよ。池本さんは武内さんを襲うようなことを言って家を出たんでしょ。それでこんな事件が起こってるわけですよ」

「でも、どうして昨日出ていったのに今日なの？　どうして主人は電話一つ寄越さないの？　ああ、これって最悪の結果だわ。何も報われてないし、主人はたぶん……」

「帰ってきますよ。そのうち帰ってきますって」

「ありがとう、雪見さん、最後まで味方になってくれて。この恩は忘れないから……それにいろいろつらい立場に立たせちゃってごめんなさいね……」

別れの挨拶のような言葉を送られ、雪見は慌てた。

「ちょっと待って下さい。変なこと考えないで下さいよ。絶対駄目ですよ」

「うん分かってる……まだ大丈夫」

「まだって……」

「大丈夫だから。ありがとう。心配しないでね……あぁ」

最後はまた悲嘆の声で切れ、雪見はこの上なくブルーな気分になった。

やはり杏子は何も知らないようだ。夫を愚直に信じているだけの女だ。週が明けたら一度顔を見に行ったほうがいいかもしれない。


お風呂に入ったところで雪見はようやくまどかと二人になれた。今日はこの家の中でまどかだけが上機嫌だ。自分が帰ってきたからかなと、雪見はいいほうに考えた。

「今日ね、ピンポーンっていっぱい鳴ったよ」まどかが報告してくれる。

「そう。よかったねえ」まどかの身体を洗ってやりながら、一時《いっとき》、頭の中から雑念を追い出して、無邪気な話を楽しむことにした。「宅急便でーすって言ってた？」

「ピンポーン」

まどかが雪見の腕を指で押し、ピンポンごっこを始めた。

「はいはい、どなたですか？」

「お花屋さんでーす」

「わあ、嬉しいな。お花が一杯だ」

雪見が相手をすると、まどかはきゃっきゃと喜んだ。

「ピンポーン」

「はいはい、どなたですか？」

「ええと、ええと……しいたけ屋さんでーす」

「しいたけ屋さんですか。じゃあ、みんなに食べてもらお」

「ピンポーン」

「はいはい、どなたですか？」

「おまわりさんでーす」

「あ、おまわりさん、早く泥棒捕まえて」

まどかは楽しそうにはしゃぎ、どんどん続ける。

「ピンポーン」

「はいはーい。どなた？」

「どろぼうさんでーす」

「泥棒さんはピンポン鳴らさないでしょ」

二人でゲラゲラ笑う。罪がなくていいなと思った。

「ピンポーン」

「はいはーい」

「隣のおじちゃんでーす」

「あ、隣のおじちゃん、ヤクルトください」

まどかにとっての武内は、ヤクルトや菓子をくれる人だ。

「はい、ヤクルトでーす」

「ありがとう。ああ、美味しいなあ」

雪見はヤクルトを飲む真似をして、まどかの遊びに付き合った。

「でもねえ、あのねえ」まどかは少し素に戻り、寂しそうに言った。「隣のおじちゃんねえ、ヤクルトくれなかったの」

「今日はおじちゃん、忙しかったからね」

「昨日もくれなかったの」

「そう。じゃあ、昨日も忙しかったのかな」

まどかがこくりと頷く。

「おじちゃんをお車に乗せてたの」

「……？」雪見は首を傾げてみせた。「誰が？」

「隣のおじちゃん……」

この子、何を見たのだ？

「隣のおじちゃんがどこのおじちゃんをお車に乗せてたの？」

まどかも雪見と同じように首を傾げる。そして妙なことを言った。

「ラップしてたの」

「ラップ？　そのおじちゃんにラップしてたの？」

まどかはそうだと首を振る。

「そう……よく見てたねえ」

「うん……でも、ヤクルトくれなかったの」

「そっか。隣のおじちゃん、まどかに気づかなかったのかな……じゃあね、まどか、この話をママにしたこと隣のおじちゃんに言っちゃ駄目だよ。隣のおじちゃん、怒っちゃうからね」

「どうして怒るの？」

「隣のおじちゃんの秘密だから。内緒内緒のお話よ。パパやおばあちゃんにも言ったら駄目なんだよ。はい指切り」

雪見はまどかと指切りを交わし、この話を終わらせた。

まどかは作り話も好きで、勝手に想像をふくらませてはそれを披露してくれたりするが、この話はそんな感じではない。まどかの作り話は人形やぬいぐるみが主人公で、実在の人間を使ったりはしない。

夜、雪見は、早くに寝ついたまどかを隣にして何度も寝返りを打った。背筋に張りついた冷えがなかなか引かず、その一方で身体の中は熱を帯びてざわついている。

武内に感じていた薄気味悪さは、はっきりと恐怖へ変わった。池本は昨日殺されている。杏子の言う通りだ。

改めて彼女に連絡しようかとも思ったが、さすがに電話で済ませられる話ではないなと思った。彼女の反応も心配だ。慎重に手を考えてからのほうがいい。

どう動くべきだろうか……？

車に乗せたということは、すでに死体をどこかに遺棄してしまったと見るべきか。しかし、昨日の今日でそうそう簡単に死体を捨てられる場所など見つからないのではあるまいか。ラップしていたという言葉で思いつくのは、布団の圧縮袋だ。あれなら身体を折り曲げれば人一人くらい入れられるだろう。ジップして掃除機で空気を抜けば腐敗にも耐える。

とすると、まだ車に乗せられたままだという可能性だって残る。あのベンツのトランクの中だ。

この家のすぐ外に池本の死体があるのか……？

〈19〉　トランク

翌日、雪見は朝食の席で義母に訊いてみた。

「今日、川越の伯母さんとか千葉の叔父さんとか、どうやって来るの？」

「電車でしょ。いつもと一緒よ」

「お墓まではどうするの？」

「うちの車に乗せていけばいいじゃない。子供たちは来ないんだし、二台で間に合うでしょ」

まどかを除いて八人。確かに二台で十分である。しかし、雪見は食い下がってみた。

「でも、ほら、まどかはチャイルドシートに乗せなきゃ」

「うーん、悪いけど今日は雪見さん抱いててよ。駄目？」

駄目とは言えない。

「まあ、もしどうしてもって言うんなら、お父さんの車に乗りなさい。あれなら余裕で後ろに三人乗れるから」

「うん……」雪見は強引に押し切れなくなり、言葉に窮した。

「お前、何を今になって、そんなことにいちゃもんつけてんだよ」

俊郎が不機嫌そうな声を出す。義母も困惑した顔をしている。

「そうじゃないけど……」雪見は自然と声が小さくなった。「武内さんの車、借りてくれないかな」

「はあ!?」俊郎がぽかんと口を開ける。

その反応も無理はないなと思いつつ、雪見は続けた。

「納骨に行くのに足が足りないからって言えば借りられると思うの。理由を訊かれても困るけど、あの車を借りてきてほしいの」

「やだね」俊郎はあっさりと言った。「何でそんなことしなきゃいけないんだよ。お前さあ、人の親切を無意味に使おうとすんなよ」

すげなく断られ、雪見もそれ以上の言葉は引っ込めざるを得なかった。本当の意図を話したところでまともに取り合ってくれないことは先日の一件で骨身に染みている。大人の池本たちが力説して駄目だったのだから、まどかの話だけではなおさら厳しいだろう。

食卓に気まずい沈黙を呼んでしまった。自分の言動が不自然であることは承知の上だが、家族のみんなにはどう取られたか。久し振りに戻ってきた嫁はいったい何を考えているのか。やはりこの家には似つかわしくない……そんなふうに思われてしまった気もする。

しかし、ふと義父と目が合い、そうでもないかなとの思いに傾いた。箸を休めて雪見を見ている彼の視線には、何かの意思がこもっていた。雪見の狙いを察したような……そこまではいかなくとも、理解不能な相手を見る怪訝な眼つきではなかった。アイコンタクトとも言えるこんな視線を義父と交わしたのは初めてだった。

もしかしたら、義父は武内を疑い始めているのではないだろうか。昨日の事件の話に耳を傾けていた様子も含めて考えると、そんな気もする。

朝食を終え、雪見はまどかの世話を俊郎に任せて、義母と一緒に簡単な掃除やお茶の用意など法事に向けた準備をした。

和室には武内の名を記した花が置かれてある。名前は義母が書き直したそうだ。内緒話をするように話してくれた義母には、どこか武内の好意を疎んじているような気配が見え、雪見は少なからず意外に感じたが、理由としては満喜子の機嫌を損ねたくないということらしかった。

いくら名前を小さくしても、その大きな花は雪見の目には異様としか映らない。花には何の罪もないのに、この家に食い込もうとする武内そのもののような毒々しさを感じる。

彼は昨日また五万円を包んできたそうだ。香典より少ないとはいえ、満喜子たちでもそんな金は包んでこないだろう。彼が祖母を殺した可能性は低くない。今はそう思う。そうだとすれば、彼にとってこの花などは弔意を表したものではなく、祝いの意味を持っているのかもしれない。

考えるだけで薄ら寒くなる。

法要が始まる予定の十一時にはまだ時間があるが、義父は早々と礼服に着替え、珍しく庭に出て、何をするでもなくぶらりと花木を眺めていた。その様子に何気なく目を留めていると、ゆっくり顔を巡らせた義父とまた視線がかち合った。いつもの義父ならすぐにそれを外すだろう。しかし、そうはしなかった。雪見はしばし義母の手伝いから抜けることにして、庭先に下りてみた。

隣の庭に武内はいない。蘭鉢の棚がすっかり出来上がって、テラスの真向かいのフェンス沿いに移動してある。あそこには花壇を作りかけていたと思ったが、気が変わったのだろうか。

それはともかく、うちの庭にも同じような小さな棚ができているのには唖然とした。どう見ても武内の作品だ。こんなところにも侵食してきているわけだ。

雪見は義父の隣に立った。

「武内さんの車のトランクに池本さんが入ってるかもしれない」

抑えたのは声だけで、話そのものは単刀直入に切り出した。

義父にも不審めいた思いがあったのだろうが、それでも予想を超えた話だったらしく、ぎょっとした眼で雪見を見返してきた。

「まどかが言ってるの。隣のおじさんがよそのおじさんを車に乗せてたのを見たって」

「いつ？」義父が短く訊く。

「一昨日。武内さんはまどかが見てることに気づかなかったみたい。池本さんが家を出たのは一昨日なのに、犯行が昨日だなんておかしいって彼の奥さんも言ってた。それにお義母さんを狙うのも変だし、やり方も中途半端よ。あれ、武内さんが偽装に真実味を持たせるためにやったんだと思う」

「しかし……」義父は呻くような声を出した。「あの夫婦はいつも一緒に動いてたんだろう。旦那をそんなふうにして、近くに女房が待ってるとは考えなかったのか……？」

その答えには思い当たることがあった。

「家に電話があったらしいの。杏子さんが出たら無言で切れたって。たぶん家にいるかどうか確かめたんだと思う」

義父は深くため息をつくように唸った。それで何かの決断が下されるわけでないことは相変わらずだが、雪見の話をまともに受け止めていることは確かなようだった。

　やはり義父も武内に疑惑の目を向け始めていたのだ。これは大きな変化だと雪見は思う。一人でもこちら側についてくれれば、この家を救う足がかりになる。元はと言えば義父が武内をこの家に接近させた当人なのだ。この際、彼にはちゃんと責任を取ってもらって、自らの手でこの家を守ってほしいところだが……そう簡単にはいかないだろうか。残念ながら彼は自分の下した判決にがんじがらめになっている。本人の中で疑惑が芽生えていたとしても、何もアクションを起こさぬまま、ずるずる行ってしまうことも十分あり得る。

　だからこそ、ここは確証を摑まねばならないし、それを摑めるかもしれないという機会ではあるのだが……。

　十時に近づいて、雪見は二階に上がり、まどかに黒のワンピースを着せた。自分もフォーマルに着替える。洋室の窓から外を覗くと、隣のガレージにベンツが停まっているのが見える。雪見自身は車で買い物に行っても後部座席を使うことが多く、滅多にトランクなど開けないので意識してこなかったが、改めて考えると、こんなに堅牢に遮蔽《しゃへい》された空間が無造作に存在しているのも不思議な気がする。

　もし武内が今も池本の死体をあのトランクに入れたままだとするなら、彼は池本を捜している者たちを嘲笑《あざわら》うような余裕を持って、自分だけが開けられる秘密の箱にそれを入れているつもりになっているのではないだろうか。誰かが開けようとしているなどとは夢にも考えていまい。そこにどうにかして攻めの一手を打ちたい。彼の不意を衝けば、そのまま致命傷になるかもしれないのだ。

一階に下りて間もなく、満喜子夫婦と登夫婦が相次いで到着した。

満喜子は十キロ近く痩せたようで、作り笑顔こそ見せるものの、そこには以前のパワーは宿っていなかった。何か病気をして痩せた人のように見える。義母が心配して体調を訊いていたが、特にどこが悪いというわけではないらしい。

彼女は武内の花に目を留め、しかし何も言わなかった。祭壇の前に座って祖母の遺影をじっと見る。早速涙腺が緩んだらしく、ぐずぐずと洟をすすり始めた。ハンカチで洟を拭って、また遺影を見ている。祖母もこんなに誰かに愛されて死んでいって、幸せな人だなと雪見はしんみり思った。

義母がリビングのテーブルに祖母の形見分けの品を出し、それらの思い出話で時間が潰れていった。昨日の出来事については満喜子らに話すつもりはないらしかった。

十一時過ぎになって住職がやってきた。七日ごとの法要では祭壇を前にしていたが、今日は仏壇を前にしての読経だった。一時間ほどで終わり、祖母は梶間家の仏壇に入った。

「じゃあ、またのちほどお墓のほうで」

住職はそう言い残して、一足先に家を出た。

「さあさあ、ゆっくりしてられないわよ」

義母は骨壺を満喜子に預けると、自らは供花やろうそくなどを手にして、みんなを急かした。

正座で痺れた足を休めるようにあぐらをかいていた義父がゆっくりと立ち上がる。彼は和室の窓を開けて、通りのほうを一瞥し、すぐに窓を閉めた。最初からあぐらを通していたために痺れ一つなくリビングをぶらついていた俊郎を呼び止める。

「おい……ちょっと隣へ行って車を借りてきてくれ」

「……はあ!?」俊郎は、いきなり何を言い出すのかというふうに眼を丸くした。

「いいから」義父は俊郎から目を離して、言いにくそうに続ける。「お前の車の調子が悪いことにして、頼んできなさい」

「何それ……？」

「お父さん……」義母が間に入る。「もうお寺さん先に行ってるし、時間ないわよ」

「お前も一緒に行ってきてくれ」

まったく引こうとしない義父に、義母は困惑するしかないようだった。満喜子たちも訳が分からず戸惑ったように様子を眺めている。

「お義母さん、私、一緒に行こうか」

俊郎のほうは父親の命令だろうと納得できないものは聞かないだろうと考え、雪見は義母を促すことにした。

義母は釈然としないながらも、時間のこともあり、言うことを聞くほかないと判断したようだった。

二人で玄関を出る。

「どういうこと？」

義母が小声で訊いてきたが、雪見は曖昧に首を捻ってごまかしておいた。

ベンツはガレージに入っている。義父は窓からこれを確認していたのだろう。

「出かける用事があるかどうか、先に訊いたほうがいいよ」

いきなり車を貸してくれと頼んでしまうと、出かける用事があるからと断られるかもしれない。武内に逃げられないよう、それとなく義母に言っておいた。

義母がインターフォンで呼び、間もなく武内が姿を見せた。痛々しい頭の包帯は昨晩と同じだが、雪見の目は醒めていた。

「あの……武内さん、午後はどこかへ出かけられる用事はあります？」義母は控えめに愛想を混ぜて訊いた。

「いえ……何か？」

「うち、これから納骨に行かなきゃいけないんですけど、どうも俊郎の車の調子が悪いらしくて……急なお願いであれなんですけど、もしできたらお車を貸して頂けないかと」

ふと、武内が虚を衝かれたような表情をした……雪見にはそう見えた。答えに間が空いたようにも感じられた。彼は一瞬だけ雪見のほうにすっと瞳を動かし、それからおもむろに口元を和らげた。

「構いませんよ。どうぞお使い下さい」

「すいませんね、助かります。あの……食事もあるんで、帰りは三時を過ぎるかもしれませんけど」

「気にしないでゆっくりしてきて下さい」

そう言って武内は車の鍵を取りに家の中へ戻っていった。武内がいなくなると、義母は顔に少し気疲れの色を浮かべて吐息をついた。彼に介護の手伝いまで頼んでいた義母だったのに、なぜか今は頼み事をするのが憂鬱そうに見える。もちろん、訳も分からずやっているからなのだろうが、それ以上に何か心境の変化があるような……そんなふうにも感じられる。

ベンツは俊郎が運転することになり、雪見とまどか、登夫婦が同乗した。武内はガレージの脇に立ち、無表情に見守っていた。

義父が義母や満喜子夫婦を自分の車に乗せて先に出る。俊郎は武内に軽くクラクションを鳴らし、その後ろに続いた。

「やっぱりいいねえ、この車は」

彼は先ほどまでの非協力的な態度が嘘のように、一人悦に入ってハンドルを握っている。

四つ角を曲がり、公園の前に出たところで義父の車がハザードランプを点けて停まった。

「停めて、停めて」

後ろにつける形で停めさせて、雪見は車を降りた。義父も前の車から降りてくる。

「何だ、何だ？」俊郎がウインドウを下ろす。

雪見は義父と視線を交わし、それから俊郎を見た。

「ちょっとトランク開けてくれない？」

「はあ……何で？」

その緊張感のない問いかけには答える気も起きず、雪見はさっさと車の後ろに回った。

「早くしなさい」

義父が俊郎を急かす。

数秒ののち、トランクのロックが低い音を立てて外れた。

義父が指をかけ、ゆっくりと持ち上げる。

雪見は息を呑んで、白日の下にさらされたトランクの中を凝視した。

そこには……。

何もなかった。

ぽっかりとした洞穴のようなそのスペースには、何も入っていなかった。

雪見はしばらく呆然としてそれを見ていた。

遅かったか……。

再びの敗北感が雪見の心になだれ込んできた。残念であり、無念だった。武内を追い詰める機会を逸し、池本を杏子の元へ帰してやる機会も逸してしまった。

「どうしたの？」

気づくと、義母が雪見の隣に立っていた。俊郎もその隣から怪訝な目を向けている。

「何でもない」

義父は感情を抑えた声で言い、トランクを閉めた。

納骨もつつがなく終わり、予約してあった日本料理屋の座敷で食事を済ませたあと、雪見たちは三時少し前に帰宅した。

ベンツを武内の家のガレージに入れたところで、俊郎がポンとクラクションを鳴らした。

雪見が眠りこけたまどかを抱いて車から降りるうちに、武内が外に出てきた。

「また乗せてよ」

俊郎はほとんど友達感覚で武内に話しかけ、彼の手のひらに車の鍵を落とした。

「いつでもどうぞ」武内も笑顔で返す。

雪見は小さな声でお礼を言っておいた。

そのまま、俊郎に続いてガレージを出る。

そのとき……。

ボンという音が背後に聞こえた。

雪見はぎょっとして振り返った。

武内がトランクを開けている。

そして、その目は雪見に向けられていた。

雪見は絡まった自分の視線を慌てて彼から外した。しかし、心の内を読まれるには十分過ぎる時間を与えてしまった気がした。

明らかにこちらの思惑を感じ取っている。

限りなく怪しい……。

しかし、証拠はないのだ。

夕方前には満喜子、登の両夫婦が帰っていき、大きな区切りがついた家の中は気だるい静けさに包まれた。

雪見は義母と段ボールの祭壇を片づけた。遺影を壁にかけ、花を仏壇の脇へ寄せると、祖母が他界する前までの和室にほぼ戻った。それは、四十九日前からの愁傷がやがて忘却の彼方へ消えていくことを約束しているようでもあった。

義父や俊郎は服を着替えて、リビングでくつろいでいる。手が空いた雪見はみんなにコーヒーを淹れ、まどかにはジュースをコップに注いでやった。

「そうだ……雪見さんにもおばあさんの形見を残してあるから」

コーヒーを半分ほど飲んだところで義母が腰を上げ、雪見を自室に手招いた。

「へえ……何だろう」

大して何かを期待する気持ちはなかったが、雪見は素振りだけでも浮かれてみた。

義母は雪見を自室に入れると、ドアを閉めた。

「これ……気に入ったのあったら持ってってていいわよ」

義母は気前よく言ってくれたが、ベッドの上に置かれた箱の中には、扇子とかガマ口とか雪見が絶対使わないようなものばかりが入っていた。残してあるというのは、満喜子たちが持っていかなかったので残ってしまった品々ということらしい。

「ねえ……」

選びあぐねている雪見を、義母が神妙な顔つきで呼ぶ。

「武内さんの車のトランクを開けて見てたの、あれ結局何だったの？」

ああ、本題はこっちだったかと雪見は気づいた。

「何だったって……」

「いいから話して」

こんな密室に連れ込まれては隠し通せないなと雪見は観念した。あれだけ胡散くさい行動に走っては義母が気にするのも当然だし、かといって安易にごまかせる話でもない。

「俊君には話さないでよ」

雪見が言うと、義母は一笑に付す気も起きないというふうに小さく息をついた。あなたたちの関係がこじれるような真似をするわけがないと言いたげな反応だった。

雪見は言葉を選びながら、池本が一昨日彼の家を飛び出して昨日犯行に及んだのはいかにも不自然であり、あれは武内の偽装工作である疑いが強いこと、池本は武内の前に返り討ちに遭ったと思われ、武内が池本の死体を車に乗せているらしきところをまどかが見ていることなどを話した。

「でも、トランクの中には何もなかったから……」

　雪見はそこまで言って、もう死体は捨てられたあとだったと思う……との言葉は呑み込んだ。思い過ごしだったかもしれない……というふうに取ってもらっても構わなかった。武内と親しい義母だけに、この話を理解してもらえるとは毛頭考えていない。また困ったことをやっているなと聞き流してくれればそれでいいし、義母が武内に不信感を抱くきっかけにでもなれば儲けものという思いだった。

　案の定、義母は困り果てたように眉を寄せて雪見を見ていた。

　雪見はいつかのように一喝されないことだけを祈った。

「それでお父さんもあなたと一緒になって武内さんを疑ってるの？」

「お義父さんがどういうつもりでいるのかは知らないけど……でも、何かおかしいくらいには思ってるんじゃないかな……」

　義母が何も言わなくなってしまったので、雪見もどう話を収めようか頭を悩ませた。

「車って……」遠い目をして、義母がようやく口を開いた。「武内さんの車とは限らないんじゃないかしら」

「え……？」義母がそんなことを言い出すとは思ってもいなかったので、雪見は思考が回るまでに時間がかかった。

「あ、いや……」一転、義母は口ごもる。自分の中に芽生え始めた疑念に、彼女自身戸惑っているようだった。

「お義母さん、私が使ってた車の鍵、どうしてる？」

「どうしてるって、乗ったあとは二階のたんすの引き出しに戻してるけど」

雪見は義母の部屋を飛び出した。二階に駆け上がり、和室のたんすの引き出しを開けた。

鍵はある。

いや、あっても別におかしくはない……戻しておけばいいだけだから……いろんな可能性が頭の中で錯綜する。

鍵を手にして一階に駆け下りた。義母がすでに玄関で待っていた。一緒に外へ出る。念のため隣を見たが、武内の姿はなかった。

まさかとは思う。うちの車のトランクだなんて。しかし、俊郎も義母もそして雪見自身も、普段の買い物ではまずトランクを使う習慣はない。これほど武内にとって安全で意外性のある隠し場所もないだろう。そして、まどかが見ていた〝お車〟がうちの車であってもまったくおかしくない。

雪見はカローラの後ろに回った。鍵を持つ手がはっきりと震えていた。両手で鍵穴に差し込み、トランクのロックを外した。

開けてみる。

中を見て絶句した。

ないのだ。

やはりとは思えなかった。あるという予感が強かった。ないと分かってそう気づいた。

雪見は義母を置いて家の中に引き返し、義父母の部屋から義父の車の鍵を勝手に持ち出した。池本夫妻の奇行ぶりなどとても笑えない。もはや開き直っていた。

外に出て、セドリックのトランクを開ける。

ない……。

当たり前か……。

現実はこんなものだ。ここに死体が入っているほうが異常なのだから……雪見は追い求めていたものがまったくの幻であったような気がしてきて、気持ちが急速に冷めていった。

義母も、安堵でも落胆でもない複雑な顔をしている。

雪見は少々悄然として家の中に戻り、服を着替えようとまどかを連れて二階に上がった。

まどかのワンピースを脱がせながら訊いてみる。

「ねえ……隣のおじちゃんがどっかのおじちゃんをお車に乗せてたって言ったでしょ……あれ、どこのお車に乗せてたのかな？　隣のおじちゃんの白いお車？」

「お庭のお車なの」

パンツ一丁のまどかが真面目な顔をして答える。

「お庭のお車ぁ!?」

何それ……？　雪見は呆れ返って力が抜けた。

まどかは「うん」と大きく頷き、その勢いのまま飛び跳ねる。

「お庭のお車におじちゃんが乗ってぇ、あ、ラップして、ジップして、フリージングしてチーンよっ！」

雪見が料理のときに口ずさむちょっと前のＣＭソングを、変てこな踊りをつけて元気に歌い始めた。

「ママ、ママも一緒に歌って！」

もう何なの、この子……雪見は心の中でトホホと泣いた。子供だからたまにまったく意味不明の話をすることがあるのは確かだが、ここでそれが出るとは……子供を当てにした自分が悪いか……。

雪見の失望をよそに、まどかは何度も歌を繰り返す。何だか滑稽に思えてきて、雪見も結局は服を着せながら歌に付き合った。

法事の食事がまだ腹に残っていたので、夕食はあっさりと素麺《そうめん》で済ませた。片づけを終えると、雪見は荷物をバッグにまとめた。

「じゃあ、まどかをよろしくね」

俊郎に声をかけたが、あっさり無視された。義父とも目が合ったが、朝のようなアイコンタクトではなかった。

義母とまどかが玄関まで見送りに出てくれる。

「俊郎と話していきなさいよ」義母が声を抑えて言う。

「うん……でも私、まだやることあるし、今は帰れないの。だからもう少しまどかをお願い」

雪見は心配しないでという意味で笑ってみせ、その笑顔をまどかにも向けた。

「じゃあ、またすぐに帰ってくるから。いい子にしてて」

「ママ、ママはべっそうに行かないの？」

「別荘？」

「明日から俊郎の知り合いの別荘に泊まりに行くのよ」

「花火やるの。いっぱい買ったの」とまどか。

「へえ、よかったねえ」雪見自身はとても呑気に旅行していられる気分ではないので、どちらにしろ答えは一緒だ。「ママはちょっと行けないからね。お写真撮ってきてママに見せてね」

まどかはちょっと寂しげな顔をしながらも、健気に頷いてくれた。

「お義母さんもリフレッシュできて、ちょうどいいじゃない。俊君も珍しく気が利いてるね」

雪見は義母と目で笑い合った。

「さあ、お外は暗いから、まどかはパパのところへ行ってなさい」

義母はそう言ってまどかを残し、雪見に付き添って夜道に出てきた。

「お義母さんも、もういいよ」

気を遣って言ったが、義母は雪見と肩を並べて歩き続けた。生暖かい風の中に身体が溶けていくような夜だった。

「武内さんね……」しばらく歩いたところで、義母が思い切ったように話し始めた。「昨日の事件の前から眼の下を青く腫らしてたの」

「え……？」雪見は驚いて立ち止まった。

義母は誰かの目を気にするように後ろを見る。つられて雪見も振り返ったが、静かな住宅街に人影はない。

義母は一つ息をついて言葉を継いだ。

「一昨日の夕方に隣から変な物音や声が聞こえてきてね……すぐに止んだけど」

「そう……」

街灯に照らされる義母の顔には、ほかにも何か言いたいことがあるようなためらいの色が浮かんで見えたが、待っていてもそれ以上の話は出なかった。

しかし、これだけでも疑いを深めるには十分過ぎる。やはり池本は殺されている。そして、まどかは死体をベンツに乗せるのを見ていたのだろう。お庭のお車とか、話だけ聞けば意味不明だが、そもそもその場面を見ていなければ発想自体が浮かんでこないはずだ。

今まで揺らぎ続けてきた武内への疑念が、ここにきて確固たるものになった。もう惑わされはしない。

ただ、それに伴って、強い警戒心も湧き上がってきた。

「でもお義母さん、まだあの人が何かをやったと決まったわけじゃないから……だから、あの人を急に避けたりなんかは絶対しないで。これまでと同じように付き合ってて」

義母は強張った顎を引き、ぎこちなく頷いた。

こうやって家族が武内の異常性に気づきつつあるのは好転に違いないが、同時に危機でもある。池本と武内が梶間家で互いを糾弾し合ったときから事態はさらに進んでしまっている。

義母や俊郎が武内の言い分を信じたことで、彼は一層この家に対して親近感を募らせている。

そして、新たな被害者も出ている。武内の中にある一線を踏み越えることへの歯止めは、予想以上に弱い。

この時期、家族旅行に行ってくれるのは好都合だ。別荘でも何でもいい、みんなにはしばらく家から離れていてほしい。その間は武内とも離れるわけだから、それが何よりの安心だ。

そして、みんなが旅行に行っている間に何とかしたい。

しかし……。

何をどうすればいい……？

〈20〉 阻止

月曜日の朝、雪見は気にかかっていた池本の家を訪ねてみた。応対に出た杏子は表情の虚ろぶりに一段と拍車がかかり、雪見も顔を合わせただけで気分が沈んだ。

「池本さんは戻ってきてません？」

リビングに通された雪見はまず一応それを訊いてみたが、杏子は首を振るだけだった。

「連絡も……？」

ないらしい。

雪見はしばらく彼女と沈黙を共有し、それから重い口を開いた。

「杏子さん、私、謝らないといけないかも……今まで心のどこかであなたや池本さんの言うことを素直に聞いてなかったところがあるから」

「い、いいの、そんなこと」杏子は恐縮したように目を伏せる。

「杏子さん、今から私が言うこと、落ち着いて聞いてくれる？」

杏子ははっとしたように顔を上げた。不安げな色をにわか作りの気丈さで覆い隠し、一つ小さく頷いた。

雪見は、池本が家を出た金曜日の夕方に義母が隣から物音や人の声を聞いたことや、まどかが見知らぬおじさんを車に乗せる武内の姿を見ているらしいことなどを訥々と杏子に話した。

彼女が強いショックを受けたのは明らかだった。唇は開いたまま硬直し、眼を盛んにしばたたかせて、喜怒哀楽のどれにも属さない表情を見せた。

「そうでしょ……そうでしょ……」

自分の思った通りだと、杏子は感想を口にした。しかしそれは、本当の感情を無理に断ち切った末の強がりであるように思え、雪見は居たたまれない気分になった。

杏子は全身でため息をつき、何もない壁を見る。

「もう駄目ね。残念だけど、お父さんがいなきゃどうにもならない……」

そのさばさばした口調はいつもの杏子にないものだった。

「でも、これ、何の証拠もないことだし……」無責任とは思いつつ、雪見は言わずにはいられなかった。

「そ、そうよね。分かってる。まだ決まったわけじゃないもんね」

彼女も嘘っぽさを隠すことなく雪見に合わせた。

お互いを勇気づけるように頷き合う。

しかし、彼女のその姿を痛々しいと思ったとき、雪見は自分の心をごまかし切れなくなった。

「何か……私って本当に馬鹿……全然力になれなくて」

嗚咽を抑えた口から、そんな言葉がこぼれ出た。

「とんでもない」杏子が慰め役に回ってくれた。「あなたは一緒に闘ってくれた人じゃない。お父さんもあなたには感謝してたのよ」

雪見が込み上げてきた感情をどうにか落ち着かせたところで、杏子は思案顔になった。しばらくそうしていて、不意に口元を引き締めて雪見を見た。

「お父さん……まだ武内のところじゃないかな」

「え……？」

「まだ捨てられてないと思う。武内一人じゃ、すぐその晩に捨てに行くって難しいことよ。場所を考えないとベンツじゃ目立つしね。山のほうへ行ったら車も汚れるはずでしょ。そういう形跡は？」

「いや、汚れてはなかったような……」

「でしょ。それに車を返したあと、武内はトランクを開けてみせたのよね？　それで雪見さんが振り返って、トランクをチェックしたことがばれたっていうのは確かだと思うの。だとしたら武内、今度こそトランクは安全だと思うんじゃないかな」

「でも、その間はどこに隠してたって言うんですか？　車はいきなり借りに行ったから移してる暇なんかなかったし、家の中は土曜日に警察が入ってるし……」

「押し入れの中なんかは必要なければ見ないでしょ」

「うん……だけど、まどかは何を見たんだろう？　ヤクルトくれなかったって言ってるんだから、外で見てるはずなんですよ」

「ああ」杏子は池本が乗り移ったかのように髪をかきむしった。「じゃあ、じゃあ、庭よ。まどかちゃんはたいてい庭のほうでヤクルトをもらってたんでしょ。〝お車〟じゃなくて〝お庭〟のほうがキーワードなのよ」

「ああ……」

それはあり得るなと雪見は思った。言われてみればそのほうが自然だ。

しかし、武内の家の庭は特に物置などがあるわけでもない。

とりあえず、もう一度帰ってみて、隣の庭を見てみるか。

「私、家に帰ってみます。何かあったら連絡するから」

雪見はじっとしていられない気分になり、杏子にそう言ってすぐさま彼女の家を出た。

外はすでに真夏の太陽が高く昇り、アスファルトを熱し始めている。

駅のほうへ歩を向けると、前に見える四つ角からふと人影が消えた。きびすを返したような怪しげな動きだったので、雪見の目にも留まった。

四つ角に出てみる。と、すぐ目の前のバス停のベンチにワイシャツを着た男が手ぶらで座っていた。おそらく池本の家を張っていた刑事なのだろうと雪見は察した。刑事らしき男はやがて、後ろを通り過ぎた雪見のあとをつけ始めた。しかし、まだ若くて頼りなさそうなその姿に、あえてまこうという気も起こらず、雪見はそのまま放っておいた。

多摩野台に着いたのは十時少し前だった。公園の前を通り、四つ角を曲がって新興住宅街に入る。梶間の家を見ると、義父の車も俊郎の車もガレージに並んでいた。

「ママ！」

後ろから声がかかって、雪見は振り向いた。義母とまどかが脇道の石段から上がってきたところだった。雪見のあとをつけてきていた若い刑事がびっくりしたように後ずさりしている。

雪見はまどかを待ち構えて抱き抱えた。

「まだ出かけないの？」

コンビニのポリ袋を提げた義母に訊く。

「うん、途中で昼を済ませるくらいの時間でいいって俊郎がのんびりしてるし、お父さんもちょっと用があるって出てっちゃったから……虫除けとか買ってきたとこ」

昨日法要が終わったばかりということもあるし、あまり慌しい予定は組んでいないのだろう。

汗ばんだまどかの首筋をハンカチで拭いてやりながら、義母と並んで家の前まで歩いた。門扉を開けようとしたところで、ふと隣のガレージに目が移った。まどかを降ろし、ベンツに近寄る。しゃがみ込んで、バンパーあたりを観察してみた。

やはり山道を走ったような汚れや虫の付着はない。埃はついているので、ここ二、三日の間に洗車したようにも見えない。

「お庭のお車」

まどかが指を差す。

「え……？」

雪見は立ち上がって、武内の家の門扉のほうへ回っていたまどかの元へ寄った。

「ああ……」

玄関の脇に、建設現場などで見るような一輪の手押し車が置いてあった。

「本当だね」

雪見は声を落とし、まどかが「ラップして、ジップして」の歌を歌い出さないうちに、彼女を家の中に入れた。雪見自身は庭に回ってみた。

あの手押し車に池本を乗せて庭に運び……。

それをどうした？

隣の庭を眺めるものの、やはり人間を隠すような場所はない。

埋めた……？

その可能性が頭に浮かんだ瞬間、雪見はあり得ると思った。

とすると……。

あの蘭鉢の棚を移したあたりは花壇を作りかけていた。そこの土は柔らかいはずだ。適当な穴を作って手早く池本を運び、埋めたあとに蘭鉢の棚を移動して隠した……あり得る。もともと棚はウッドフェンスに寄せてあったから、義母がテラスあたりから見たとしても、その寒冷紗がさえぎって隣が何をやっているかまでは分からなかっただろう。二階のベランダからなら見えるだろうが、もちろん武内も注意していたに違いない。その分、ウッドフェンスの隙間から観察していたまどかには気づかなかった。

そういうことなのか？

雪見は息をひそめて、ウッドフェンスを乗り越えた。

武内の家のテラスの窓は遮光カーテンが引かれている。もし武内に見つかったとしても、もう引き返すつもりはなかった。

雪見は蘭鉢の棚にかかっている寒冷紗をめくった。

地面が掘り起こされたように荒れている。

何か大きな物をそこから出したように。

不意に武内の声が玄関側から聞こえた。

雪見は慌てて梶間家の庭に戻った。

そして玄関のほうに近づいてみる。義母と話をしているらしい。

「……天気になってよかったですね。お気をつけて行ってきて下さい」

和やかに話す武内に対し、義母は曖昧な表情で相槌を打っている。

「私もあんなことがあって、家にいても何となく心細いものですから、今から気分転換にぶらりと出かけようと思ってたところなんですよ」

まだ頭に包帯をしている人間が小旅行か。

「どこへ行くんですか？」

雪見は唐突なのも構わず、話に割って入った。

武内がぎょっとして雪見を見る。そしてすぐに目を逸らした。明らかに虚を衝かれたような狼狽がそこにはあった。

「じゃあ……」

武内は義母との話を中途半端に切り上げた。

怪しい……雪見の直感はざわめき立った。

「トランクを見せて下さい……武内さん！」

武内は雪見の声を無視して車に乗り込んだ。

雪見は制止しようと通りに飛び出した。同時に、少し離れたところからこちらを見ていた刑事と目が合った。

「刑事さん！」

雪見は若い刑事の元に駆け寄り、有無を言わさずその腕を引っ張った。それから身を翻し、ガレージを出ようと動き出したベンツの前に手を広げて立ちはだかった。

「雪見さん！」

武内は腹に据えかねたような声を出して、車から降りてきた。

「刑事さん、この車のトランクを調べて下さい！」

「えっ……」若い刑事は面食らったようにまごついている。

「人が入ってるかもしれないんです！」

「人!?」

「池本さんです。行方不明の池本亨さんがここに入ってるかもしれないんです」

「馬鹿馬鹿しい！」

武内は激しく首を振ると、握りこぶしを自分の太腿に打ちつけた。これほど動揺した武内を見るのは初めてだった。

「どうしてトランクを開けるくらいのことができないんですっ？」雪見は彼を追い詰めた。

「私は被害者ですよ！　こんな言われようはまったく心外です。奥さん、俊郎さんを呼んで下さい」

「呼ばなくていい！」雪見は義母を制した。

義母が当惑しているのを見て、武内は自分で梶間家のインターフォンを押す手に出た。雪見は雪見で勝手に運転席からトランクを開けようと、ベンツのドアに手をかける……が、そこは抜かりなくロックされてしまっていた。

「武内です。俊郎さん、ちょっと来て下さい」

雪見は内心で舌打ちした。俊郎は家族の中でもただ一人、武内に対して何の疑いも抱いてない人間だ。形勢が怪しくなってきた。

「どうしたの？」

玄関から出てきた俊郎は妙な空気を察してか、訝しげに眉を寄せていた。

「俊郎さん、助けて下さい」武内は涙混じりの声を出してみせた。「雪見さんが刑事を連れてきて、私の車のトランクを開けろって言ってるんです。私を襲った池本さんがここに入ってるなんて言うんですよ。私はこんな理不尽な言いがかりに従わなきゃいけないんですか？」

こういう場に出てくる俊郎は妙に落ち着いている。彼は武内の話に頷くと、状況を完全に把握するように周りを見渡した。そして最後に、雪見をきっと睨みつけた。

「いや、そんな必要はまったくありませんよ」

はっきりとした声で武内に答え、今度は若い刑事に目を移した。

「失礼ですが、あなたはどちらの署に所属の何とおっしゃる方で？」

「いえ、これは別に私のほうから……」

「いや、今、私はあなたの身分をお訊きしたんです」

根はこんな嫌味な口を利く男ではないのだが、弁護士を目指しているだけに、だんだんとそんな色がついてきている。

刑事は仕方なさそうに身分証を提示した。俊郎はそれを凝視してから、冷ややかに「どうも」と礼を言った。

「私は司法試験の受験生でしてね、日々多くの現役弁護士と情報を交わしてます」

俊郎はあまり大したことがない自分の身分を、何やら偉そうに明かした。

「奥野さん」彼は刑事の名を呼ぶ。「あなたももちろんご存じでしょう。この方がかつて見込み違いの捜査で、どれだけ人間としての尊厳を傷つけられてるか。もし今、あなたがまた不当にこの人に向かって公権力を振りかざそうとするなら、これは大変な問題になりますよ。こんな横暴は絶対許されないことです」

「いや、だから、私はたまたまこちらに居合わせたら、この人に呼ばれただけのことで……」

若い刑事はすっかり逃げ腰になっていた。

「なるほど、そういうことなら申し訳ありませんでした。彼女は僕の妻なんです。最近ちょっと言動が普通じゃないもので。昨日も武内さんからその車を借りて、勝手にトランクを開けてるんです。中に何も入ってないのを見てるのに、またこんなことを言ってる。もう相手にしないで結構ですから。大変お騒がせしました」

刑事はその話に相槌を打ち、雪見を胡散くさそうに見た。

「あの、今は入ってるんです。庭に埋めてあったやつを、これから捨てに行こうとしてるんです」

精一杯訴えてはみたが、こうなってしまえば反応は実に乏しいものだった。刑事の勘とやらは持ち合わせていないらしい。現実の警察官とはこんなものか。まったく頼りにならない。しょせんは池本の家を張ることを任務にしていただけであり、こんな予想外の展開には対応できないようだ。

しかし、なおも粘ってみる。

「あなたで判断できないなら、上司の人に連絡してみて下さい」

「お前はもう黙れ！」

結局、俊郎に一喝されただけだった。

「じゃあ私、そろそろ出かけないと……」武内が遠慮がちに言う。

「ああ、どうぞ、どうぞ。気をつけて」俊郎は手の振りをつけて促した。

「ちょっと待って下さい。何をそんなに急ぐことがあるんですか？　ちょっと！　ちょっと！」

武内が乗り込んだベンツはエンジンがかかると、あっという間にガレージを出た。制止するか、あとを追うか……逡巡した雪見の身体を俊郎が引っ張った。

ベンツが雪見の目の前を悠然と走り去っていく。

ああ……。

行ってしまった……。

雪見は全身から力が抜けた。

考えるにつけ、あの車のトランクには池本が入っていたのだとの思いが強まるばかりだ。武内の反応を見れば、それはもう疑う余地がないとさえ言っていい。しかし……それが分かっていながら、それを目の前にしておきながら、結局取り逃がしてしまった。

何とか最後まで食らいついてはみたものの、一介の主婦が孤立無援の中でできることには限界があった。気づけば、池本夫妻の滑稽なまでの胡散くささを自分が演じてしまっている。必死になればなるほど周りとの温度差が広がるだけ……無念だなと思った。

「さあ、あとはうちの家族の問題ですから」

俊郎はそう言って、刑事に引き取りを願った。

「あの、奥さん、一つお訊きしますが、池本さんのお宅には何をしに？」

刑事も変な騒動に巻き込まれて格好がつかないと思ったのか、そんなことをどさくさ紛れに訊いてきた。

「様子を見に行っただけです」雪見はつっけんどんに言い、さっさと刑事に背を向けた。

義母は何とも慰めようがないというような顔で雪見を見ていた。

「お前、何しに来たの？ 言っとくけど連れてかないよ」

家の中に入る雪見を、俊郎のとげとげしい声が追ってくる。雪見は応えなかった。

義母が自室に呼ぶ。

「雪見さん、あなた一人だけ残っても危険だから、一緒についてきなさい。向こうでこれからどうしたらいいか、みんなで考えましょう」

言われる通り、自分と武内とは、もはや抜き差しならぬ関係になってしまったと雪見は思う。今度彼と対峙したとき、必ず何かが起きる。今以上の衝突は避けられない。一人だけでここに残るのが危険なのは自明だ。

しかし、家族と同行したところで、このままでは事態が打開できるとは思えない。一枚岩ではないだけに、武内に付け込まれてしまう。

「何か証拠を摑まないと……俊君は頑《かたく》なだし、また武内さんの言い分を聞くべきだとか言い出しかねないから」

「お父さんに説得してもらえばいいわよ」

確かに、義父は武内に無罪判決を下した当人なのだから、彼が武内の危険性をはっきりと口にすれば、雪見が必死になって訴えるより遥かに効果があるのは間違いない。しかし、義父もどの程度気持ちが傾いているのか今一つよく分からないところがある。

「お義父さん、どこ行ったの？」

「それは分からないけど……」義母が声を落とす。「昨日、雪見さんに言ったこと、お父さんにも話したの」

金曜日の夕方、隣から物音や人の声が聞こえて、武内の顔に痣ができていたという話だ。

「それからね……」一段と言いにくそうに義母が続ける。「この前、弁護士さんが殺された事件があったでしょ。その日の夕方に武内さんと庭で会ってるんだけど、その会った時間、一時間くらい早かったことにしてくれないかって、あとからあの人に言われて……そうするとアリバイができちゃうんだけど……警察が来たときに、私、その通りに言っちゃったの」

「そんなことがあったの……」

「さっきもあんなことになって、刑事さんに言おうかどうしようか迷ったんだけど……」

「駄目よ。それだって言い逃れようはあるだろうし、とにかくお義母さんはあの人と近づき過ぎちゃってるから、下手なことでできないのよ」

「うん……お父さんも、とりあえずそれは誰にも言うなって……」

義父には話したわけか……やはり義母は義父のことを一番信頼しているのだなと雪見は思

う。日頃の雑事においては頼りないように見えても、ここ一番で分別が利く大黒柱は彼なのだ。武内を追い詰める機会を逸した以上、あとは家族でまとまることが何より先決となる。その号令をかけられるのは彼しかいないのだ。

　それなのに、いったいどこに行ったのか？

　義母からそんな話を聞かされれば、義父も相当危機感が高まっているだろう。だが、警察に駆け込んでいるとは思えない。自分の下した判決にがんじがらめになっているのだから、それを振り解かない限り、彼は家族がどうなろうと何もできないだろう。

　しかし、それを振り解こうとする気があるのなら……。

　そうか、あそこに行っているのかもしれない。

　雪見はバッグから携帯電話を出した。義父は携帯電話を持ち歩かない人なので、杏子にかけてみる。

「ああ、雪見さん。あのね、お宅のお義父さん、裁判長……」

「来てます？」

「うん。今、隣の家に」

　やはり……。

「代わって下さい」

バタバタと慌ただしげな物音が続いてから、義父の淡々とした声が聞こえてきた。

「雪見さん……悪いけどね、ちょっと一緒には行けそうにないから、俊郎に先に行ってもらうように伝えてもらえないか」

「うん……じゃあ、そう言っとく」

短いやり取りだけで済ませ、雪見は携帯電話を仕舞った。

「ちょっと取り込んでるから、先に行っててくれって」

「それはいいけど……」

「私がお義父さんのとこに行ってくるから、こっちは心配しないで。お義母さんはまどかのことお願い」

勢いで義母を頷かせて、雪見は家を出た。

義父に懸けてみようと思った。

自分がまいた種は自分で刈り取ってもらわねば。

〈21〉 別荘

「あの……じゃあ、また何かあったら呼んで下さいね」

勲から携帯電話を受け取った池本杏子はおずおずと言い、隣の自宅に戻っていった。

勲は彼女に一礼を返して見送ると、再び訪れた静寂の中に身をゆだねた。

長年、いくつもの凄惨な事件を相手に仕事を続けてきながら、当の現場に足を踏み入れたのはこれが初めてだった。池本杏子にわだかまりなく受け入れてもらえるかという不安はあったが、彼女は勲が恐縮するほど丁重に応じてくれた。疲労の色が濃い彼女にこれ以上気を遣わせるのも気が引けたので、勲は的場邸で一人にしてもらった。

一通り部屋を見て回ったが、一歩一歩の歩みもはばかられるほどに静かな家だった。この家には三つの魂が休んでいる……そう考えると、魂というのは何とも静かな存在なのだなということを思ったりする。彼らは何を問おうとも答えてはくれない。勲が自力で答えを見つけ出すのをじっと待っているのだ。

最初は何かの機械を探してみた。どのような機械で、それが武内の背中の負傷にどう結びつくかという見当はまったくついていない。何となく想像できるのは、瞬発的な動きをするもので、使い方を間違えると怪我をしかねないようなもの……それを武内は自分の背中に向けて使ったのではとの読みだった。バットは打撲痕を作る上では補助的なものに過ぎず、何かの機械が大きな役割を果たしたのではないか……。

しかし、押し入れまで首を突っ込んで探し回ってみたものの、それらしいものは見当たらなかった。目につくのは扇風機や掃除機、ドライヤー、シェーバー、ジューサーなどでしかなく、それらをどう使おうと証拠写真で見たような負傷を作ることなどできそうにない。

とすると、やはりバットだけで……ということになる。問題はその使い方なのか？

L字型のリビングをゆっくりと歩きながら、勲は考える。テーブルや応接セットがあって、思う存分動き回れるような空間ではない。だが、事件の現場だ。家の中で一番長細い空間……ここで何ができる？

勲は和室のふすまを開けて、そこに足を踏み入れる。ここの広さは六畳ほどだ。ほかの部屋よりすっきりとはしているものの、中央にはこたつが置いてあり、隅には大きなたんすもある。ここで何かをするというのも無理がある。

この和室はリビングのL字に接する二辺がふすまで開け閉めできるようになっている。警察が駆けつけたとき、ふすまは両方とも閉まっていた。そこに何かこの和室を事件の舞台から消したような手つきを感じなくもない。現場に立つとそう思えてくる。だが、血痕その他、犯行の場が和室まで及んだ形跡はない。

　犯行はリビングで行ったが、偽装工作は和室で行った……それはあり得なくない。しかし、なぜ和室で？　ここで何を？　そこまで考えると、袋小路に行き当たってしまうのだ。

　不意に玄関のほうでドアの開く音がした。静かに入ってきたのは雪見だった。

「何だ。一緒に行かなかったのか？」

「それどころじゃないでしょ」

　雪見は笑いたくて笑っているんじゃないというような苦い笑みを唇に乗せて、応接セットのソファに力なく座った。

「武内さんに逃げられちゃった。あの慌てた感じ、たぶんトランクに池本さんが入ってたと思う。今、杏子さんにも話してきたけど……何かもう痛々しくて……」

　話しているうちに雪見の表情はすっかり硬くなり、最後は物思いに沈むような顔でため息をついた。

「そうか……」としか勲は言えなかった。

　まさに野見山の言った通りだなと勲は思った。的場家を焼き尽くした炎は、池本と関と梶間の家にも飛び火し、その勢いは止《とど》まるところを知らない。鎮火する機会はあった。誰あろう自分がそれを逃した。あげくに自分がやっていることと言えば、あるかないかも分からないような足かせを外そうと、もがき苦しんでいるだけだ。

「どう？」雪見が訊く。勲がここで何をしているのか分かっているようだ。

「あの人は子供の頃にもたびたび背中を怪我してたそうだ」

「え……？」

「自傷癖らしい。自分で自分の身体を傷つけたがるんだ。そしてバットも持ってた……」

「じゃあ、子供の頃にやってたやり方でここでも……？」

「そういう可能性がある」

「だったら、そんな難しいことじゃないのかもね」

「そう……たぶん、分かってみれば何だと思うようなものかもしれない」

「例えばさあ、背中に打ち身を作るだけのことなら、金属バットを床に置いて、そこに背中から倒れ込むっていうのもなくはないと思うけど……」

思いつきで言ったのか、雪見の口調は自信がなさそうだった。

「それはどうかな。腰のあたりなんか、一つ間違えれば打ち身では済まなくなるんじゃないか」

「そうよね……」

「それに、自傷癖の人間がたびたびやってた方法としては、いかにもぱっとしない。もっと何というか、本当に癖になるようなやり方なんだと思うんだが……」

「そうか……そう考えるとやっぱり難しいね」

勲も、人の意見に異議を唱えることはできても、自分で考えるとなると何も浮かんでこない。お互い無口になり、時間だけが空しく過ぎ去っていった。

＊

中央自動車道の談合坂サービスエリアで早めの昼食を済ませた尋恵らは、まどかに引っ張られるままに売店をぶらついたあと、十二時半頃に車へ戻った。

「こりゃ予定より早く着くね。下を通ってきてもよかったな」俊郎が運転席でロードマップを広げて言う。

「早く着いたら駄目なの？」尋恵は後部座席でまどかをチャイルドシートに乗せながら訊いた。

「いや、駄目ってことはないけど、一応向こうの準備もあるだろうし」

別荘ではその持ち主でもある俊郎の友人が待っていて、夕食をもてなしてくれるらしい。

「ちょっと電話してみるよ」

俊郎が携帯電話で相手に連絡を取り、早く着きそうだというようなことを伝えた。特に問題はないようだった。

「よし、オッケー。行こ、行こ」

俊郎は鼻歌混じりに車を発進させ、本線へと乗り入れた。さしたる渋滞もないまま、快適に自動車道を飛ばしていく。すぐにまどかが眠りこけた。

我が家が遠ざかるにつれ、確実に日常からも離れていく。このところ神経がざわつくような妙な出来事が続いていただけに、そうした日々から距離を置くことで何とはなしに安堵感が込み上げてくる思いはやはりあった。

ただ、向こうに残した雪見や勲がどうしているかと考えると、すっきり気が晴れるわけではない。特に雪見は追われるようにして家を離れながら、家族の身を案じて動いてくれている。突拍子もないことばかり口にするので面食らっていたが、事実はどうやら彼女が指していた付近にあるようなのだ。

せめて自分は、雪見がどう突っ走ろうと、いつでも家に帰ってこられるようにしておきたいし、しておかなければならないと思う。

「あのねえ、雪見さんのことだけど……」

家を出てから、俊郎には何度かそんなふうに話を向けてみたものの、まったく取りつく島がなかった。

「ああ、もうその話はいいよ。やめて、やめて」あからさまに不快そうな声で言い、「雪見を不憫《ふびん》に思うのは分かるけど、今あいつのこと持ち出されても、俺は冷静に聞けないから」と、ろくに話もさせずに、一方的にさえぎってしまう。

俊郎はもはや母親より自分のほうが社会的な分別をわきまえていると信じ込んでいる節があって、尋恵が何かを諭そうとしても素直には耳を傾けなくなっている。まどかが生まれて自立心が芽生え、司法試験に真剣に取り組むようになってからは特にそうだ。

一方で、父親への敬意は増しているように感じる。法曹の道の大変さが実感できるようになってきたからだろう。

だから、やはりここは勲に一肌脱いでもらいたいところだ。父子で力を合わせてくれれば、家族は強くまとまるし、武内にどんな対応をすればいいかもはっきり打ち出せると思う……。

このところ漠然とした不安から睡眠不足が続いていたために、尋恵はいつしか単調な走行音を聞きながら眠りに落ちていた。夢心地の中で料金所のやり取りを聞き、ふと目を覚ましたときには、右手にきらびやかな湖面が広がっていた。

「あらあ」

一瞬にして心が浮き立つ眺めだった。富士山を探したが、すぐには見当たらない。気持ち後ろを振り返ると、リアウインドウ越しにその佇まいを見つけた。

「ほら、まどか、富士山よ」

まどかも目を覚ましていたので教えてやった。しかし、チャイルドシートに括りつけられている彼女に見ろといっても無理な話だった。

「どれどれ」

俊郎が湖岸に面した観光客用の駐車場に車を乗り入れた。まどかを抱いて降りてみる。

「ほら大きいでしょう」

まどかは眼をぱちぱちとさせている。びっくりしたのか寝ぼけているのかはよく分からない。

湖の奥には森があり、そのさらに奥には裾野が白い帯状になって広がっている。そしてその上に、のっぺりとした藍色の富士山が浮かんでいる。空の色より青みが深いが、どうかすると何かの幻のようにも見える。

尋恵はしばらくその景色に見とれていた。

「あ、アヒルさん」まどかが湖上を指差した。

「アヒルじゃないよ。白鳥だよ」俊郎が笑う。

白鳥の形をした遊覧船が湖上をのどかに走っている。

平和だなと思った。こんな景色を見ているだけで、ますます日常が遠のいていく気がする。記念写真を一枚撮って、車に戻った。フロントガラスに木漏れ陽が明滅する湖岸道路を抜け、ホテルや旅館が立ち並ぶ通りに出る。そこから進路を変えて湖から離れ、山道へと分け入った。緑が次第に深くなる。ところどころ木々の合間に別荘らしき建物が姿を覗かせる。

「ええと、この道かな……」

俊郎がメモを片手に車を減速させる。そして未舗装の林道にハンドルを切った。

鬱蒼《うっそう》とした緑のトンネルをくぐり、沢にかかった脆そうな小橋を渡る。右へ左へと道は不規則なカーブを描き、車は砂利を撥ね上げる音を立てながらゆっくりと走る。別荘はこの林道にも点在しているが、草木に覆い尽くされて、まったく人が寄りついている気配のない建物も多い。こんな別荘だったらちょっと嫌だなと尋恵は思う。

と、さらに奥へと進んだところで木立が途切れ、高原のように視界が開けた。

「ああ、これだな」

俊郎が声で指した先には、大きなログハウスが建っていた。裏には小さな沢があり、林道のほうに伸びている。その奥はもう森でしかない。手前側はかなりのゆとりを持って整地された立派な別荘だ。

なだらかな丘をS字に上がり、ログハウスの目の前で俊郎が車を停めた。クラクションを派手に二回鳴らした。

ログハウスは平屋建てではあるが、普通の住宅にも負けないほどの大きさがあった。キッチンのものか風呂場のものか、奥の煙突から煙が上がっている。外観は木の色にくすみがあり、多少の年季は隠せないものの、その周りに植えられているツバキの木は、ほどよく手入れされていて清潔感がある。

ログハウスの隣には、二台は余裕で停められる大きなガレージがあり……。

白いベンツがそこに入っていた。

俊郎がもう一度クラクションを鳴らした。

ログハウスから男が出てきた。

武内だった。

呆然とする尋恵を俊郎はちらりと振り返り、愉快そうに手を叩いた。

「ははは、狐につままれてら」

武内が近づいてくる。俊郎がウインドウを下ろした。

「奥さーん！　まさか私の別荘とは思わなかったでしょう！」

彼はいたずらが成功した子供のような満面の笑みを見せ、手を広げて尋恵を歓迎した。

〈22〉 工作

昼を過ぎ、座っていても汗が滴り落ちるような蒸し暑さが的場邸のリビングにこもってきた。雪見は風を通そうと、二、三の窓を開け放った。路上の雑音や鳥の鳴き声などが家の中にも入り込み、それまでの侵しがたいような静寂さは霧散していった。

義父は相変わらずの黙考状態が続いている。歩き回ったり、カーペットの上にあぐらをかいたり、ソファに座ったりと動きだけは落ち着かないが、その口からは小さな唸り声しか出てこなくなってしまった。

「あの……」玄関から杏子の声がする。「おにぎり作りましたから……暑いし、うちで休んで下さい」

雪見は慌てて玄関に出た。

「杏子さん、そんなに気を遣わないで」

「うん、いいの、いいの」

気丈に振る舞う彼女は、一段と悲壮感が漂って見える。

「妹が来て助けてくれてるから。ね、休んで」

「そう？　じゃあ……」

雪見はリビングに取って返して義父を誘った。彼はしばらく唸り声だけの鈍い返事を繰り返していたが、何度か呼びかけるうちにようやく重そうに腰を上げた。

陽射しをくぐるようにして池本邸に移る。家に上がった雪見らを杏子の妹が待ち受けていた。

「いつも姉がお世話になりまして」

「いえ、こちらこそ」

三十代半ばで、眼つきに落ち着きのある女性だった。杏子より背が高く、ずっとしっかりして見える。

「こんにちはー」

リビングから飛んできた声は和人君だった。持参のおもちゃをカーペットの上に広げて遊んでいる。

「こんにちは。今日も元気だねぇ」

笑顔で挨拶を返しながら……何かが雪見の心に引っかかった。まどかと一緒に遊んでくれたときにも見たその光景が、ざらりと砂を嚙んだような違和感をもたらした。

「まどかちゃんは？」和人君が訊く。

「ごめんね。今日はね、まどかいないの。また今度連れてくるね」

和人君はちょっとがっかりしたようにでんでん太鼓をいじっている。

「何か、和人もすっかりお世話になってるようで」杏子の妹が微苦笑している。

「いえいえ、こちらこそお礼を言わないと。本当にいいお子さんで羨ましいくらいです」

雪見は和人君を見ながら軽く応えたが、ふと杏子の妹に目を移すと、彼女は神妙な面持ちになっていた。

「あの……姉はちょっと変わってるとこありますけど、根は優しい人なんです。だから、どうか力になってあげて下さい」

「ちょっと、もう」杏子が慌てる。「これから食事っていうときに変なこと言わなくていいの」早口になって妹をたしなめ、雪見には気まずさをごまかすような笑みを作った。「さあさあ、雪見さん座って」

雪見はダイニングテーブルに着いた。

「私も近頃は家族に変人扱いされてるくらいで……どちらかっていうと、杏子さんに助けてもらってるほうなんです」

杏子の妹には、愛想を交えてそう返しておいた。

目の前の現実は重苦しいが、この妹がいれば杏子も何とか持ちこたえてくれるだろうという気がした。

義父も彼女らに促されて、雪見の向かいに座った。テーブルの上の大皿には大きなのりを巻いたおにぎりが山と積まれている。

「これが梅でこれが昆布。これが鮭ね。たくさん食べて」

義父の手が動かないので、自分が遠慮していてはと思い、雪見は昆布のおにぎりを手に取った。

「いただき……」

腕をトントンと後ろからつつかれた。振り向くと和人君が立っている。

「ん？」雪見は首を傾げてみせた。

「まどかちゃんにでんでんであげる」

そう言って、彼はでんでん太鼓を差し出してきた。

「ええっ、いいよ、そんな。和人君の大事なおもちゃなのに」

まどかが気に入っていたのを憶えているのだ。雪見は嬉しく思いながらも、気持ちだけもらっておくことにした。

「ありがと。またまどかに貸してあげてね」言って、彼の頭を撫でた。「さあ、和人君もおにぎり食べよ」

そんなやり取りをする一方で、雪見の思考にはまた何かが引っかかっていた。

「まどかちゃんはそんなの喜ばないでしょ」杏子の妹が雪見に笑いかける。「主人が出張帰りの土産物屋で買ってくるようなおもちゃばっかりで、全然気が利いたものじゃないから」

「いえ、まどかもこういうの大好きなんですよ。振り回したり音が鳴ったりっていうのが楽しいらしくて……」

話を合わせながら、この引っかかりは何だと考える。

「振り回す……」

不意に呟いたのは義父だった。和人君の手にあるでんでん太鼓に見入っている。

義父も何かを感じている。何だ？

雪見は記憶を引っかき回した。何かが確実に引っかかっている。これでもない。あれでもない……。

そして、とうとう引きずり出した。

まどかがやってみせてくれたでんでん太鼓の真似。手をぶらぶらと回して、でんでんでんでん……。

想像の世界でその手が伸びる。背中まで届く。

そして、その動きに雪見のインスピレーションがかけ合わされる。

金属バットのグリップに紐を……ネクタイだ……グリップにネクタイを縛り……。

ネクタイを持って、でんでんでん……。

いや、これだけではうまく当たらないか。

「お義父さん、あの人の背中、どっちから打たれたのかは分かってるの？」

「左手側だ。鑑定でそう出てる」

とすると、右手をフォアハンドで振ったか、左手をバックハンドで振ったかだ。右手で振ると、しかし、背中にしっかり当てるにはバットが長過ぎるように思う。グリップが左腕付近に来るから、背中にはバットの根元しか当たらないだろう。左手のバックハンドはそれだけグリップが身体から離れるから、背中にはちゃんと当たる。ただ、その威力は疑問だ。

「利き腕は？」

「右だ」

雪見は左手をバックハンドに振ってみる。杏子たちがぽかんとそれを見ている。

弱いな。一振りしてそう思った。振り幅が小さい。それに下手をすると、振った腕自体にまず当たってしまう。

そうするとやはりフォアハンドか。答えはすぐそこにある気がするのだが、何かが足りない。

場所の問題もある。リビングといってもバットを思い切り振ろうとするなら危なっかしい広さだ。それにネクタイの何十センチかが加わるとなると、力一杯振っているうちに何かを壊さないほうがおかしい。

それもクリアするとなると……。

いきなり義父が立ち上がった。何も言わず、外へ出ていく。

雪見もあとを追った。

的場邸に戻る。

「あ、あの、鍵、鍵」杏子も追ってきて、ドアを解錠してくれた。

家に上がる。足音だけが響く。

リビングの入口で、義父は一瞬立ち止まった。そしてゆっくりと入っていく。和室の前に立つ。

L字型のリビングに二辺が接している和室。その間を仕切る二対のふすま……。

義父は、キッチン側のふすまを一対ごとキッチン側へ引いた。

さらに、テラス側のふすまもテラス側へ引いた。

角に立つ柱だけが残った。

義父は力が抜けたようにひざまずき、その柱にそっと手を沿わせた。

「一本杉だ……」そう呟いた。

それが何を意味しているのかは分からなかったが、武内の偽装工作のからくりは雪見にも解けた。

和室のふすまをすべて取り外せば、リビングと和室を合わせた空間ができ、思う存分バットが振り回せる。邪魔なのはこの柱だけだ。しかし、武内はこの柱を支点に使った。金属バットのグリップにネクタイをしっかり縛りつけ、そのネクタイを握ってフォアハンドで振り回す。ネクタイが柱に当たるところで、今度はそこを基点にした円運動が起こり、バットは振った者の背中に命中する。

何のことはない。あっと驚くことは何もない。ただ、日常的な動作に比べれば、ほんのちょっと回りくどい。それが自傷癖を持った少年には一風変わっていて性に合ったのだ。そして、独特の性癖に根ざしたやり方だっただけに、その少しの回りくどさが誰にも読めなかった。

「ああ……」

義父が放心したような声を洩らした。実際、その身体からは生気が抜けて見えた。

彼が今日この家に来て必死に頭を働かせていたのは、すべて自分の敗北を認めるためのことだった。

そして今、それを認めたのだ。

裁判長という重責を担うまでに積んだ研鑽《けんさん》は、雪見ら並みの人間ならすぐにでも投げ出したくなるようなものだったろう。地道な努力を重ねて自身の見識を磨き上げてきたはずだ。しかしそれは、一人の男の奇妙な性癖から生じた綾《あや》にあっけなく幻惑され、結果、取り返しのつかないミスジャッジを犯してしまった。

自分の人生の大半が虚無に帰してしまうような事実を、彼は今認めたのだ。

義父は座り込んだまま、緩慢に振り返った。雪見を見て、杏子を見た。今まで見たこともない虚ろな顔で杏子を見ていた。

「私は……私は……」

唇を震わせて声を絞り出すと、彼は静かに首を垂れた。

＊

「どうして隣のおじちゃんがいるの？」

まどかが尋恵を見上げて訊く。尋恵はそれに答えず、ただ彼女の手を引いて俊郎のあとに続いた。

玄関に入って靴を脱ぐ。厚みのある木の引き戸を開けると、二十畳は楽にある大きなＬＤＫが広がっていた。小さなキッチンがあり、その手前にシックなクロスがかかったダイニングテーブルが場所を取っている。ガレージとは反対側となる奥には革張りのソファ。そのさらに奥には暖炉もある。床はフローリングで壁も板張りになっている。飾りか実際に使うのか、ランタンがいくつか壁にかかっている。

武内は上機嫌だった。

「奥さんを元気づけようと、俊郎さんと計画しましてね。飲んだときの話だったんで、ちょっといたずらが入ってしまったんです」

確か二、三日前、武内にどこへでも連れていくと言われて、旅行の予定があるからと断ったことがあった。あのときもわざとそんな話をして反応を楽しんでいたのか。ショックの度合いで言えばいたずらを超えている。罠に嵌められたようなもので、言葉が出ない。

「親父はちょっと急用ができたってさ」俊郎はソファに勢いよく座り込んで足を投げ出した。

「来るか来ないか分かんないよ」

「そうですか」武内は淡々と応える。「雪見さんは？」

「あんなの連れてこないよ」

　武内がどんな表情でそれを聞いたのかは、尋恵には見えなかった。俊郎の背後を暖炉のほうへと歩いていく。よく見ると、暖炉には薪がくべられ、燃え盛っている。外で見た煙はこれだったようだ。

「何？　火ぃ入れてるの？」

　俊郎も武内の行く先を目で追って、それに気づいた。

「今、エアコンつけましたから」と武内。「ちょっと今日は趣向を凝らしましてね、バウムクーヘンを作ってみようと思ってるんですよ」

「へえ、そこで焼くの？」

「そうです」

　武内は真鍮《しんちゅう》の火かき棒を手にして、暖炉の中をかき回す。何かの燃え残りを火の中央へ寄せる。

　一瞬のことだったが、尋恵にはそれが布切れのように見えた。

　服……？

　直感的にそんなふうに思った。

「まどか、バウムクーヘン作ってくれるんだってさ。美味しいお菓子だぞ」

　俊郎は何も目に留まらなかったようにくつろいでいる。

「ただ、下ごしらえもこれからでしてね。もうちょっと待って下さいね」

武内も平然としている。淡々と薪をくべ足す。

「早く来ちゃって悪かったね。何かやることあったら手伝うよ」

「いえいえ。ワインでも飲んで休んでて下さい。夜はデッキでバーベキューしますから、俊郎さんはそのときに活躍してもらいますよ」

「いいねえ、バーベキュー」俊郎が嬉しそうに武内を指差す。「やっぱこういうとこ来たらバーベキューだよね」

「奥さんも荷物は適当に置いて、座ってて下さい。まどかちゃんも今、ジュース出すからね」

武内は生き生きとした足取りでフロアを動き回り、俊郎と尋恵にワインを、まどかにはオレンジジュースを用意した。グラスに注ぐ様子など、心からホスト役を楽しんでいるように見えた。

高そうなワインではあったが、尋恵にとっては重い喉ごしだった。

「何、車酔いでもしたの？」

俊郎が尋恵の顔を覗いて余計なことを訊いてくる。

「え……？」適当にごまかそうとして、尋恵は無意識のうちに暖炉へ視線を向けかけた。武内の横目が突き刺さるのを感じ、すんでのところでそれを止めた。

「昼間からワインなんて飲み慣れなくて」そう言って無理に笑顔を作る。

「じゃあ、コーヒーを淹れましょう」武内はまた、軽やかに動いた。

飲み物を出し終わると、彼はダイニングテーブルでバウムクーヘンの生地を作り始めた。

三パックほどの卵を次々にボウルへ割っていく。

「白身は別にして泡立てておくのがみそなんです」武内が得意気に解説する。

暖炉で溶かしたバターを卵と混ぜ、砂糖も加える。

「まあ、あとから作り足せばいいから最初はこれくらいで」

武内はボウルの一つに小分けしたそれに薄力粉を混ぜ、暖炉の前に運んだ。

マントルピースの上に一尋《ひとひろ》近い長さの丸竹が置いてある。彼はそれを取り、暖炉の火に炙《あぶ》った。

「ああ、それに巻くの？　へえ、面白いね」俊郎がグラス片手に興味深そうに見ている。

暖炉の中には、はっきりそれと分かるような異物はもうなかった。

あれは何だったのだろうか……尋恵は考える。

雪見は、武内が池本の死体をトランクに乗せて出ていったと見ている。

その武内がここにいる。

暖炉で衣服のようなものが燃えていた。

それが池本の服だとするならば……。

池本はどこに？

一緒に燃やされているのでないことは見れば分かる。

まだ、トランクの中だろうか。

しかし、雪見を呼ばなかったのは俊郎が武内に気を遣ったからで、武内には雪見が絶対ここに来ないという確証はなかったはずだ。そうすると、とりあえずトランクからは出しておこうと思ったのではないか。

ただ、尋恵たちも予定より早く着いてしまった。武内にそれを山中まで埋めに行くような時間があったとは思えない。

俊郎からの電話を受けて、焦って……。

どこにある？

考えているだけで気分が悪くなってきた。

武内の様子には、死体を運んだり隠したりしたあとのような後ろ暗さなどは微塵《みじん》も窺えない。

彼は火入れした竹に浮いた油を布巾で拭き取り、そこにバウムクーヘンの生地を塗った。

それをまた火で炙る。竹をぐるぐる回しながら、まんべんなく焼いていく。

三分以上じっくりと炙ったところで竹を引いた。焼き色のついた生地に新たな生地を上塗りする。

「ああ、そうやって輪ができてくんだ。へえ。何回くらいやんの？」

「二十回はやらないと、いい厚みは出ないですよ」

「ひゃあ、一時間以上かかるじゃない。大変だなあ」

俊郎は呆れ半分の笑いとともに感心している。

「まあ、任せて下さい」

武内は早くも滴り始めた首筋の汗をタオルで拭いながら、職人の仕事のように竹を回し続ける。

俊郎は見物をやめ、ソファに寝転んでガイドブックを広げ始めた。

「夕方になったら湖のほうに出ようか」

「そうですね……これを食べてから」武内がぼそりと応える。

「やっぱ遊覧船がいいかな」

「富士山も見えますしね……私がカメラマンになりますよ」

「あと、まどかの好きそうなとこも行かないとな。明日でいいけど……テディベアミュージアムとか、サンタクロースミュージアムとか」

「そのへんは……お好きなように」

「俺は忍野《おしの》八海《はっかい》も回ってみたいんだよね」

「いいですね……」

俊郎がガイドブックを眺めては思いつくままを口にしていくが、武内の反応はいたって淡白だ。

バウムクーヘン作りに没頭している。

汗だくで竹を回している。

丹念に生地を塗り重ねる。

尋恵はそれを見ていて、無性に背筋が寒くなってきた。

異常なほどの情熱が汗とともに彼の身体からにじみ出ている。

尋恵は気詰まりになって、俊郎に声をかけた。

「ちょっと携帯貸してくれる？　お父さん帰ってきてるかもしれないから」

しかし、彼は寝転んだまま顔をしかめただけだった。

「今日くらい、そんなふうに気を遣うのやめろよ。母さん、いっつもそうなんだから。ちゃんと道順のメモ置いてきたから大丈夫だよ。来たきゃ来るし、来たくなきゃ来ない。それでいいって」

にべもなく言われ、尋恵は所在がなくなった。何となくまどかと目が合う。

「お外行きたいな……」

尋恵の心中を察したわけではないだろうが、まどかがタイミングよく尋恵の顔色を窺うようにして言ってくれた。

「じゃあ、ちょっと散歩してこようか」

武内が尋恵の声に反応して首を動かしたが、振り返るまでにはいたらなかった。黙々と竹を回している。

尋恵は了承を得たと取り、改めて断りを入れることはしなかった。まどかに麦わら帽子をかぶせ、虫除けのスプレーをかけて、彼女の手を引いた。

外に出る。陽射しは強いが、汗ばむような暑気はない。沢を伝う風がコテージの前にも爽やかにこぼれてくる。

「ああ、惜しい眺めだね」

俊郎もワイングラスを手にして出てきた。

玄関付近からだと、東に見える富士山は手前の林が邪魔をして部分的にしか見えない。

「このへんだな。このへんからあとで一枚」

俊郎はガレージの前に行ってしゃがみ込み、両手で枠を作ってアングルを決めてみせた。

「あんまり遠くへ行っちゃ駄目よ」

まどかの手を離し、尋恵は自分の足をガレージの向かって右手に向けてみた。

ツバキの木が五、六本植わっている。ログハウスの向かって左手と同じような感じだ。しかし、枝がやけにばっさりと切り落とされていて、貧弱な姿になってしまっている。

さっき切り落としたばかりなのか……どうやらそうらしい。ガレージの壁に寄せる形で、切り落とされた枝が山となって積み上げられている。ふさふさとした緑葉がまだ瑞々しい。

そう言えばガレージの中に高枝切りばさみが置いてあったな……そんなことを思い出しながらも、尋恵は枝葉の山から視線が外せなくなった。

一見して、ログハウスの周りは草むしりにしろ木の剪定《せんてい》にしろ、手入れが行き届いている。恐らく武内は、俊郎との話が決まったあとに一度やってきて、中の掃除がてら外もきれいにしておいたのだろう。

にもかかわらず、今日またこんなふうに枝を切っているのはなぜか。ここだけ残っていたのか。それにしては切り過ぎというものだ。花芽も関係なく切ってしまっている。

まさかな、と思う。

ある意味で見え見え過ぎる。露ほどでも疑念を持っていれば、嫌でも目についてしまう。

しかし、この山の大きさは、ちょうど人一人を隠せるほどのものだ。
尋恵は吸い込まれるようにして、それに近づいた。
まさかな……。
屈み込み、絡み合った枝葉に手をかける。
まさか……。
ふたを開けるようにして、山の半分ほどをすくい上げた。
「……！」
ない。
全部、木の枝だ。
じゃあ、どうしてこんな不自然なことを……。
罠？
誰が自分を疑っているかを調べるための、武内の罠なのか？
尋恵は横からの視線を感じて、はっと顔を上げた。
「何やってんの？」
俊郎が白い目で見ている。
「ううん……」

尋恵は首を振って立ち上がる。話がこじれるだけだと思い、下手なことは言わずにおいた。

「しっかし、見事に何もないとこだね」

俊郎は束の間、沢の細々とした流れを見ていたが、それもすぐに飽きてしまったようで、あっさりとその眺めに背を向けた。

「何にもない、何にもない、まったく何にもない、か」

変な歌を歌いながら、ログハウスのほうへ戻っていく。

確かに何もない……尋恵はいくぶん張り詰めていたものが緩むのを感じた。この枝葉の山は自分を嘲笑っているかのようだ。何もかもお前の思い過ごしだと……。

本当にそういうことなのだろうか。

しかし、そうでないとするなら……。

最初はここに隠そうと思っていたのではないだろうか。それが、枝を切って集めているうちに、ここでは見つかってしまうような気がしてきたのでは。あるいはほかの場所を思いついたからかもしれないが、とにかくそんな経緯があって、ここに隠すのをやめたのでは。

じゃあ、いったいどこに？

ログハウスの裏手はただの草むらだ。何かを引きずった跡もなければ、踏み倒した跡もない。

沢べりも同じ。

ガレージの中も、目立つのは薪や園芸用具の類で、不審なものは何も見当たらない。

とすると、あとはログハウスの中ということになる。武内の寝室にでも入れてあるのか。

それとも、屋根裏部屋のような隠し部屋があるのだろうか。

「おばあちゃん！」

まどかが泣きそうな声で呼ぶ。見ると、草むらの際あたりで地面の何かをよけようとして、
こまねずみのように回っている。

「そんなほうまで行くから」

寄ってみる。どうやら相手はバッタらしい。

「大丈夫よ。ほら捕まえた」

尋恵は両手で小さなバッタを押さえると、草むらの中に投げ入れてやった。

「蚊に刺されちゃうから、もっとこっちにいらっしゃい」

そう言ってまどかの肩に手を添えたとき……。

近くで木の枝の軋《きし》む音が聞こえた。

尋恵は草むらとその奥に広がる林を前にして、意味も分からず佇んだ。

風に吹かれて、木々の小枝が揺れている。

そんな景色でしかない。

枝が軋む音も一瞬だけで、今は鳥の鳴き声しか聞こえない。

しかし、視線を徐々に引き寄せ、やがて自分の足元まで持ってきたとき、尋恵はまた別のものに気を取られた。

この付近、何となく雑草が寝ているように見える。

それに、明らかに踏み倒されているところもある。草むらの際の一部分……一カ所……二カ所。

車……？

尋恵はそう気づいた。完全に踏み倒されているところは、タイヤがそこまで入ったということだろう。草むらに突っ込む形で車がここまで来たのだ。

このあたり、ガレージからはツバキの木を挿んで十五メートルは離れている。こんなところに車をつける理由はないはずだが……。

ああ……。

草むらの中をよく見ると、ところどころ穂先の乱れがある。誰かが入っている。

その先にあるのは杉の木だ。雑木林から一本前に出る格好で立っている。日光を思う存分浴びているその杉は、尋恵の眼の高さあたりから濃密に深緑の葉を繁らせ、十数メートル上方に向かって細長いシルエットを作っている。

尋恵は草むらに踏み入った。雑草の穂がざわざわと足元を撫でる。

七歩目で杉の木の傘の下に入った。

顔を上げてまず目にしたのは、手が届くほどの高さの枝に引っかけられていたロープの束だった。先はどうやら上へと伸びている。

ああ……尋恵は一つの光景を想像した。

ロープを上のほうの枝に引っかけておいて、下に垂らした一方を車に結んで引っ張る……。

もしそれが現実なら、もう一方の端に結ばれた何かが木の上に引き上げられていることになるが……。

怖々と少しずつ視線を上げる。

折れて節立った枝が二、三本、目についた。

そしてその上に……。

尋恵は見た。

ハンモックだろうか、粗く編んだ網目状のものに包まれた透明な袋……まるでボンレスハムのようななりをした大きな物体が頭上にぶら下がっていた。

袋の中が何であるかは凝視するまでもなかった。剝き出しの歯が、尋恵以外の何かを見ている濁った眼が、粗い網目から覗いていた。

尋恵は身を屈めて杉の傘から出た。

足をもつれさせながら、草むらからも出た。

まどかの背中を押して、そこから離れる。

悪心《おしん》が喉元をせり上がり、沢べりに寄ってしゃがみ込んだ。草むらに胃の中のものを戻した。息を整えているうちに、また次の悪心が容赦なく込み上げてきた。それに任せて尋恵は吐いた。

そのうちに誰かが……。

後ろから尋恵の背中をさすり始めた。

まどかではない。大きくて異様に熱い手だ。

尋恵は口を拭って振り返る。

武内だった。

薪を小脇に抱え、片膝をついている。

感情を消した眼で尋恵を見ている。

「どうしたんですか?」

優しげに訊いてくる。

尋恵は息苦しさから過呼吸に陥り、口元を手で覆った。

「どうしたんです？」

言いながら、武内は尋恵の顔を覗き込む。尋恵の心まで見透かすような目を向けてくる。

「何か見たんですか？」

尋恵の背中をゆっくりとさすり、語りかけるように訊く。

「いいから言って下さい、奥さん。何を見たんです？　ん？　ん？」

尋恵は首を振った。

背中をさすられるほど、逆に悪寒を覚える。それを何とかして耐える。

風が吹いて、尋恵の髪を巻き上げた。

杉の木がみしりと軋んだ。

尋恵の肩が小さく反応したのと、背中をさする武内の手が止まったのはほとんど同時だった。

武内がじっと見ている。その視線を尋恵は横顔に痛いほど感じる。

「奥さん……大丈夫ですよ」

背中をさする手が再び動き始めた。

「私を信じて下さい」

ささやくような声でありながら、その口調には異常な熱がこもっていた。

「あなたは何も心配しなくていい。大丈夫です。すべてうまくいきますから。私は奥さんを信じてます。だから、奥さんも私を信じて下さい。ね？」

何を信じろというのか。

武内は尋恵の肩を摑んだ。尋恵は彼に促されるまま立ち上がった。

「大丈夫です。今までと一緒、私を信じて下さい。ね？」

武内は元気づけるように、尋恵の肩を揺すった。

「さあ、まどかちゃんもおうちに入ろう」

心配そうに尋恵を見ているまどかにも声をかけ、武内は狂的な穏やかさで尋恵たちをログハウスに追い入れた。

リビングでは俊郎が武内の代役を務め、バウムクーヘンを暖炉の火に炙っていた。

「武内さん、もういいよ、交代、交代。形が崩れちゃうし焦げちゃうし、やっぱ下手に手を出すと駄目だ。いやあ大変だね、これは。暑くてまいったよ」

武内はにこやかに生地のついた丸竹を受け取った。

「奥さんはちょっと気分がすぐれないそうなんで、ベッドで休んでもらいます」

「あ、そう。やっぱ車酔いだな。横になってたほうがいいよ」俊郎は何の疑問もないようにあっさりと言った。

奥にあるドアの一つを武内が開ける。ベッドを二つ置いた八畳ほどの部屋だった。

「少し休めば楽になりますよ。何も心配いりません」

武内はそうささやいて目配せしてみせ、乾いた微笑みをドアの向こうに消した。

「いや、こうしてはいられないな」

池本邸に戻った義父は、杏子に再び勧められたおにぎりを一口かじったところで呟いた。しかし、どんな手を打てばいいかの名案はなかなか思い浮かばないらしく、考えあぐねるように唸っている。

「とりあえず俊君にお義父さんから話してほしいんだけど」雪見はそう押してみた。「彼だけは武内さんのこと、まるっきり疑ってないのよ。それをまず何とかしないと、あの人にいくらでも付け込まれると思う」

「そうだな」義父は重々しく頷いた。「しばらくみんなには別荘とやらにいてもらって、家は空けたほうがいいかもしれないな。それから警察関係のつてを探して……」

「あ、あ、ああ、ああ」

突然、杏子が手をそわそわと動かし、挙動不審状態となった。それからはっと我に返った顔つきになって、「思い出した、別荘で思い出した」興奮した口調で言い、雪見を見た。

「武内、別荘持ってるのよ。あの事件の一年くらい前に的場さんたちと行ったことあるの。山ん中だったから、お父さん、そこに運ばれてるかも」

それは十分あり得るなと思った。場所を憶えているかと訊くと、たぶん行けば分かるという。

「じゃあ、私、杏子さんについていくから、そっちはお義父さん、お願い」

「二人で大丈夫か？」

義父はそう案じてくれたが、そこはもう大丈夫と答えるしかなかった。

雪見たちは食事もそこそこに、杏子の妹と和人君を留守番に残して出発した。まず杏子の運転する車で義父を家に送った。別荘への道順のメモがテーブルに残っていたということなので、あとは義父に任せ、雪見は再び杏子の車に乗り込んだ。

さて、問題はこれからだ。武内が彼の別荘にいるかどうかは何とも言えないが、もしいた場合どうするか。様子を見るだけと思っていても、何がどうなるか分からない。池本も返り討ちに遭った相手だけに、真面目な話、どこかで武器でも調達する必要があるのではないか。

「雪見さん、車ついてきてるけどいい？」

「え？」雪見は振り返って、その車を確認した。

「うちからずっと」

「ああ、じゃあ警察だ」

杏子が池本の潜伏先に行くとでも思っているのだろうか。もっけの幸いだ。ついてきてもらうことにする。いざとなったら、今度こそは活躍してもらわねばならない。

杏子は車を国立府中インターから中央自動車道に乗り入れ、追い越し車線をひた走った。武内の別荘は山中湖のほうにあるらしい。富士吉田インターで一般道に降り、山中湖方面に進路を向ける。

山中湖の湖畔を通り、ホテル街を抜けたところまでは快調に飛ばした。しかし、湖から離れ、山あいの雰囲気が色濃くなってくると、車はにわかに失速した。

「あれ……おかしいな……」

あたりをきょろきょろと見渡しながら、杏子が言う。

「どうしたんですか？」

「このあたりには違いないと思うんだけど……細い道に入っていくのよね」

「いくつかありましたよね」

「うん……でも景色に見憶えがなくて」

ああ、冷静に考えれば、こうなることは予想できたのだ……雪見は頭を抱えたくなる思いだった。何しろ四年も前に一度来ただけの道だ。杏子を当てにし過ぎた。しかし、そう気づいたところで、ここまで来てしまってはいかんともしがたい。

杏子はハザードランプをつけてノロノロ運転を始めた。後続車が追い抜いていく。

「ごめん、戻る」

しばらく行ったところで、彼女は車をUターンさせた。

戻ったはいいが、目ぼしい道はまだ判別しかねているようだ。脇道を見やっては首を捻っている。

何の加勢にもならないが、雪見も一緒に脇道を凝視してみる。

と、そこへ、対向車線を白のセドリックが通っていくのが目に入った。反射的に運転席を見る。義父だった。

「杏子さん、Uターンして！　今、お義父さんが通った！」

「え、え？」

杏子は戸惑いながらも強引に車を切り返した。警察の車も行きつ戻りつ振り回されている。

「クラクション鳴らして！」

追いかけてしつこくクラクションを鳴らすと、セドリックは路側帯に入った。杏子がその後ろに停める。

雪見は外に出て、義父の車に駆け寄った。

「どうした？」義父は少し呆気に取られた顔をしていた。

「こっちも訊きたいわよ。みんなが行ってる別荘ってこのへんなの？」

義父はメモを一瞥して頷いた。

「そうだ」

これは偶然なのか。とてもそうとは思えない。

「私たちもついてくから」

頭の整理はつかないが、胸騒ぎだけは本物だ。雪見は杏子の車に飛び乗った。

*

尋恵がまどかを連れて寝室から出ると、武内が暖炉の前から汗まみれの顔で笑いかけてきた。

「もうすぐできますから」

あれから一時間ほどが経ち、バウムクーヘンはかなりの厚みになっている。

しかし、焼き菓子が放つ甘い香りも、尋恵にとっては吐き気を催すもとにしかならなかった。

俊郎は呑気にソファで惰眠をむさぼっている。

尋恵は勝手にトイレを探し当てて、まどかのおしっこに付き合った。用が済むと、そそくさと寝室に戻った。行動を制限されているわけではないのに、心理的には幽閉されているも同然だった。

ベッドに座り、ため息をつく。もう限界だなと思った。このままここにいても神経が保《も》たない。何も見なかったような顔をしてバーベキューをやり、花火をやり、そしてここに寝泊まりすることなどできるわけがない。

いくらか躊躇したものの、それも時間を無駄にしただけのことだった。

「ちょっとパパのとこへ行って起こしてきて」

そう言って、尋恵はまどかをリビングへ送り出した。

しばらくしてドアが開いた。まどかが先に入ってくる。その後ろから、俊郎が眼をしょぼつかせながら顔を覗かせた。

「何か用？」

尋恵は彼の手を引き、自分でドアを閉めた。一呼吸置いてから切り出す。

「帰りましょう。あの人に黙って」

「はあ？」

抜けた声を出す俊郎に、尋恵はただ首を振る。

「とにかくここを出るの。話はそれからよ」

「ちょっと待ってよ。黙って出るってどういうこと？　どうしたんだよ？」

尋恵は逡巡したあと、もう一つ声をひそめた。

「死体を見たのよ」

俊郎は首を突き出して片頬を上げ、顔全体で「え？」という表情をしてみせた。

「池本さんの死体。ここにあるのよ」

「母さんまでそんな話かよ」俊郎はそう言いながらも眉間に皺を寄せた。「どこに？」

「ガレージの向こうにある杉の木に吊り下がってたの。一本前に出てる木よ」

俊郎は尋恵が正気かどうか確かめるような視線を向けていたが、「見てくるよ」と小さな声で言って部屋を出ていった。

「おうち帰るの？」

まどかが尋恵を見上げる。尋恵は彼女を抱き上げた。

「ごめんね。今日は大人しく言うこと聞いて」

まどかは何か言いたそうに口をもごもごさせた。駄々をこねようかどうしようか迷っているふうであった。

「花火やりたいな」

結局、それだけを消え入るような声で言った。

「おうちでママが待ってるから。ママと一緒にやろ。ね？」

「本当？」

「うん。ママは今日から帰ってくるからね。もう出ていかないって。まどかのそばにいるって」

出任せを言っているつもりはなかった。雪見が家を出なければならない理由など、もうどこにもないのだ。

いつでも出られる態勢で待っていると、俊郎が戻ってきた。ドアを閉め、尋恵を睨みつけて大きく息をつく。

「いい加減にしろよ。雪見の話を真に受けるなって」

尋恵は耳を疑った。「あったでしょ？」

「ないよ。何もないよ。何を見てそんなこと言ってんだよ」

俊郎の表情は、どう見ても常識人のそれだった。

私の頭がどうにかなってしまったんだろうか……尋恵は混乱した。

寝室を出る。武内と目が合ったが、無視してリビングを抜けた。まどかを離すのも無用心に思え、そのまま抱いてログハウスを出た。

ガレージの前を通り、雑草を蹴散らして杉の木にたどり着く。

見上げる。

ない。本当にない。

じゃあ、いったいあれは何だったのか？

尋恵は呆然とそこに佇んだ。

そしてすぐに気づいた。

折れて節立った枝はそのままになっている。

ということは……別の場所に隠したのだ。

尋恵は草むらを飛び出した。すぐに隠せる場所はあそこしかない。

ガレージの脇に積み上げられた枝葉の山に近づく。

山の大きさは先ほどと変わりないように見えるが……。

尋恵は片手で枝葉の上のほうをすくい上げてみた。

あった。

凝視し、絶句し、慌ててまどかの目をさえぎった。泣きそうな声を出すので、背中をさすってやった。

「大丈夫、大丈夫。何でもないから」

声をかけながら、尋恵自身も震えが止まらなくなっていた。

あまりにも異常だ。

こんなところに移し替えて、また何食わぬ顔でバウムクーヘンを焼いていたのだ。

もう我慢できない。

尋恵は俊郎を呼ぼうとしてガレージの角を曲がった。

そこに……。

武内が立っていた。

彼は尋恵の肩を押し返すようにして枝葉の山を一瞥した。そしてぎょろりと血走った眼を尋恵に向けた。

「奥さん、言ったはずですよ。あなたは何も心配しなくていいんです。すべて私に任せて下さい」

張り詰めた笑顔で尋恵の肩を揺する。

「奥さん、あなたは私の味方じゃないですか。関先生のときも助けてくれたじゃないですか。

分かりました。もう動かしません。あなたを信じてます。だからね、奥さん、私を裏切らないで下さい。信じて下さい。大丈夫です。私のやることはすべてうまくいくんです。任せて下さい」

輝きのない瞳に射すくめられて、尋恵は身体に力が入らなくなった。狂気がまさに目の前にあった。

武内は一人納得したように頷くと、枝葉の山を手早く整え、「さあ、お菓子が出来上がりましたから、みんなで食べましょう」それこそが現実だとでもいうように、がらりと口調を変えた。

尋恵は自分の意思を見失い、言われるままにログハウスへ戻った。玄関付近で俊郎が様子を窺っていたが、武内が肩をすくめてみせると、問題は解決したと取ったのか、あっさりと部屋に退がっていった。

「さあ、出来立てですよ。ほっかほかのバウムクーヘンなんて初めてでしょう」武内は不自然なほど明るい声を作った。

「待ってました」俊郎がそれに応じて手を叩く。

尋恵はまどかを下ろして、俊郎と同じソファに座った。

「あったわよ。移してたの」

尋恵は俊郎の耳元にささやいてみたが、彼は露骨に顔をしかめ、「もうやめろよ」とそれ以上の話を拒んだ。

「いやいや、お口に合いますかどうか」

武内が丸竹から抜いたバウムクーヘンをそれぞれの皿に切り分けて運んだ。

「うわあ、でかいねえ」

俊郎が言う通り、尋恵にとっては見ているだけで気分が悪くなる大きさだった。

「よかったらお代わりもありますよ」

武内がおどけて言い、俊郎が屈託なく笑う。

「どうぞどうぞ。遠慮なさらず召し上がって下さい」

武内はみんなの前にジュースや紅茶などの飲み物を置き、向かいのソファに腰かけた。

「うん、美味《うま》い！」大きなかたまりを口に放り込んだ俊郎が唸った。「これは絶品だねえ。全部食べられるよ」

武内は嬉しそうに眼を細め、自らも一口食した。口元に満足げな笑みが浮かぶ。

「さあさあ、どうしました？　遠慮なさらずに。自分で言うのも何ですが、なかなかのもんですよ」

彼は手を広げて尋恵を促した。

「まどか、美味しいぞ」

俊郎が二切れ三切れと口へ運び、本当に美味しそうに食べながら言う。まどかも尋恵と同じく、じっとして動こうとしない。

「さあ奥さん、食べて下さい」武内の笑顔が徐々に強張ってきた。

尋恵はバウムクーヘンに目を落とす。とたんに喉の奥がぎゅっと詰まり、またもや悪心が込み上げてきた。池本の服を焼いた火で作っているのだ。それを思うと、とてもではないが手をつける気にはなれない。

「奥さん」武内がかすれた声で尋恵に迫る。「食べて下さいよ。一生懸命作ったんですから」

「ああ……まだ気分が悪いんだよ」

俊郎も武内の異様な物腰に少し気《け》圧《お》されたようだった。苦笑混じりに取り繕い、まどかへ話の矛先を変えた。

「はい、まどか。小さくしてやったから、これ食べな」

尋恵の膝越しに一口サイズのバウムクーヘンを渡そうとする。

まどかは首を振って拒んだ。

「何だよ。いいから食べてごらん」

まどかはブルブルブルと激しく首を振った。

「何でいらないの？」

「帰りたい」小さな声で言う。

俊郎は尋恵をちらりと見て鼻から息を抜いた。

「来たばっかりなのに、まだ帰らないよ」

「帰るの」今度ははっきりと言った。

「何で帰りたいの？　帰っても何もないよ」

「ママがいるもん」

俊郎は困り果てたように武内へ苦笑を向けた。だが、武内の顔からはすっかり笑みが消えていた。

彼はなおも尋恵を見ていた。

「奥さん。食べられるはずですよ。お願いですから食べて下さい」執拗に迫ってくる。

「武内さん、勘弁してやってよ。残ったら俺が食べるから」

「帰る！」まどかが叫ぶ。

「帰りましょ」尋恵も耐えられなくなって言った。

「やめろよ」俊郎がうんざりしてみせる。

「奥さん、私をがっかりさせないで下さい」武内が訴えかけるように切実な声を出す。

「だって……食べられない」悪心を堪えて眼に涙がにじんできた。「もう、何も言わないから帰して」

「私は食べてほしいんです！」

「ちょっと武内さん……」

「帰る！　帰る！」

「一生懸命作ったんですよ！」

「武内さん！」

「奥さん！」

「帰る！　帰る！　帰る！」

そう叫んだまどかに、次の瞬間、武内が手元のバウムクーヘンを鷲摑みにして思い切り投げつけた。

まどかがけたたましく泣き出した。

「何すんだっ⁉」

俊郎が立ち上がった。尋恵もとっさにまどかを抱き寄せた。

「はっ！　私が悪いんですか⁉」

武内は興奮したように視線を左右にさまよわせ、鼻息を荒らげた。

「子供に向かってすることじゃないでしょ！」

「私は一生懸命やってるんです！　分かって下さい！」

武内は眼を剝いて俊郎に迫った。その様子は明らかに、たがの外れた人間のものだった。

「何言ってんだよ……」俊郎が顔を強張らせる。

「帰りましょ」

尋恵は身の危険を感じ、まどかを抱き上げてソファから離れた。

「何なんだよ、まったく」

俊郎は誰に言うでもなくそう吐き捨て、ソファの後ろに置いてあったバッグを取り上げた。

武内も立ち上がった。

「分かって下さいよ」

泣き落とすような言い方とは裏腹に、こぶしで自分の太腿を激しく打ちつけている。尋恵は気味が悪くなった。

「とにかく、今日は帰らせてもらいますから」俊郎が冷ややかに断りを入れた。

「もう、いいから早く」尋恵は先に入口近くまで進み、俊郎を急かした。

「そうですか……」

武内は残念そうに首を振り、尋恵たちとは逆に暖炉のほうへ歩いていく。

「早く」

尋恵が繰り返し、俊郎はようやく武内に背を向けた。

武内も尋恵たちを相手にするのはあきらめたように、暖炉の前に屈んでしまった。

それを見て、尋恵は張り詰めていた緊張感が一瞬緩んだ。

しかし、武内はすぐに立ち上がった。暖炉にあった真鍮の火かき棒を握り、振り向いたときには夜叉《やしゃ》のような顔をしていた。

殺気を担ぎ、大股で向かってくる。

「ふんんんっ！」

尋恵の悲鳴で後ろを振り返った俊郎の頭に、武内が火かき棒を振り下ろした。

「あっ！」俊郎は短く呻いて後ろによろめき、腰から床に崩れた。そこへ武内が追い込むように間合いを詰め、二度三度と棒を打ちつけた。

「ふんんんっ！　ふんんんんっ！」

力を込める武内の喉の奥で異様な声がくぐもる。

「ああああぁ！」

俊郎が頭を押さえてのた打ち回ったところで武内は手を止めた。

焦点の定まらない眼を尋恵に向ける。

「奥さん、待って下さい」

　尋恵が身構える間もなく武内が歩き出す。その武内の足を俊郎が手を伸ばしてすくった。武内はバランスを崩し、前のめりに倒れ込んだ。

「逃げろぉ……早くっ」

　俊郎が苦悶の合間に声を絞り出す。ポケットから出した鍵束を尋恵の足元に投げて寄越した。

「奥さん、奥さん」

　武内が首をもたげて尋恵を呼ぶ。口から血が糸を引いている。

「逃げろって！」

　俊郎の声に押され、尋恵は泣き喚くまどかをぎゅっと抱き締めて外に飛び出した。足がもつれて危うく転びそうになった。鍵束を落とし、慌てて拾う。無我夢中でガレージに回った。カローラの後部ドアを開け、チャイルドシートにまどかを乗せた。

「奥さーん！」武内の声が聞こえる。

　チャイルドシートのベルトまでは手が回らなかった。後部ドアを閉め、運転席のドアを開ける。

「奥さーん！」

武内がガレージの前に現れた。

尋恵はシートに腰から飛び込んだ。武内が猛然と駆け寄ってくる。その手がドアにかかった。尋恵は構わずにドアを閉めた。

武内がひしゃげたような叫び声を上げた。ドアを押すと、彼はもんどりうたんばかりの勢いで倒れ込んだ。改めてドアを閉め、すかさずロックした。

武内がドアにすがりつくようにして起き上がる。

「奥さん、開けて下さい！　奥さん、お願いですから！」

顔をくしゃくしゃに歪ませ、ウインドウをこぶしで叩く。ガラス一枚隔てただけの狂態を前にして、尋恵は身がすくんだ。

俊郎はどうしたのだ。彼を置いてこのままどこかへ逃げることはできない。

そのうち、武内がウインドウに頭突きを始めた。凄まじい形相で包帯を赤く染めながらぶつかってくる。怖気立つような音が車内に響く。呼応するようにまどかの泣き声もトーンを上げた。

駄目だ。やはり逃げるしかない。そう思って尋恵はエンジンをかけようとしたが、車のキーをなくしていることに気づいた。

また落としたのだろうか？　いったいどこへ？

尋恵は半狂乱になって周りを探した。武内がこちらの様子に気づいて、しかも鍵が外に落ちていたら……そんな不安もよぎったが、それでも探さないではいられなかった。

武内がふと頭突きをやめた。車の左側へ回り込む。園芸用具や日曜大工用具などが詰まった箱の中をあさっている。

今のうちにドアを開けて外を探すか……そう考えた矢先、延々と泣き続けているまどかの横に鍵束を見つけた。自分を罵りたい気持ちを抑え、シートを倒して後ろに身を乗り出す。尋恵が鍵束を掴んだのと同時に、武内が後部座席のウインドウを金槌のようなもので打ちつけてきた。あっという間にウインドウの中央に亀裂が走った。

尋恵は後部座席の中央に置いてあったタオルケットを広げ、まどかにかぶせた。頭を押さえて無理やり屈ませる。

「隠れてて！　出ちゃ駄目よ！」

そこへガラスが砕ける音とともに破片が降り注いだ。さらに金槌が投げつけられ、尋恵の手をかすめてタオルケットをえぐった。

まどかの泣き声が止んだ。

「まどかっ!?」

エンジンをかける余裕などなくなっていた。休む間もなく、今度は薪がものすごい勢いで飛び込んできた。次から次へとシートを跳ね、尋恵の手や頭に当たり、あるいはタオルケットに命中した。

「やめてっ！　出ていくから、もうやめてっ！」

たまらず尋恵は叫んでいた。運転席を出て、車を挟んで武内と向かい合い、両手を上げた。

「もうやめて下さい！」声を震わせて訴えた。

武内は攻撃の手を止めた。しかし、理性が飛んだような眼つきに変化はなかった。

「あなたはっ……」

むしろ尋恵が降参したことで、彼の狂気はさらに歪みを増したようだった。

「あなたはここまでやらないと分からないのかっ⁉」

武内は手に持った薪でカローラのルーフを力任せに叩いた。

「あなたって人はっ！　あなたって人はっ！　あなたって人はっ！」

ひとしきり狂乱したあと、武内は薪で尋恵を指した。

「私の気持ちを踏みにじったんだっ！　裏切ったんだっ！」

受け止めようのない怒りを前にして、尋恵はただただ怯えた。

「ごめんなさい」恐怖にむせびながら謝った。

「許さない」武内は呟いた。

「ごめんなさい。本当にごめんなさい」

いくら繰り返しても、武内の興奮を煽るだけだった。

「なぜ最初から分からないんだっ！　もう遅いんだっ！　この裏切り者があああっ！」

突如として彼は走り出し、尋恵のほうへ回り込んできた。

殺される……尋恵ははっきりとそう感じた。リアサイドから回ってカローラの左側、武内のいたほうへ逃げた。

しかし、武内はそれを見透かしていたように、きびすを返して戻ってきていた。

行く手を阻まれ、尋恵はとうとうしゃがみ込んでしまった。

武内が投げ散らかした薪が落ちていた。しかし、尋恵はそれを盾にすることすらあきらめた。もうあとは眼を閉じることしかできなかった。

眼を閉じる寸前、視界は薪を振りかぶる武内のシルエットに覆われていた。

*

義父の車を追って大きなログハウスの前に着いたとき、雪見は何やら物々しい男の怒号を耳にした。

車が停まらないうちに外へ飛び出していた。だから誰よりも早かった。

声はガレージにこもっていた。カローラの前を、運転席側から助手席側に回るように、頭に包帯を巻いた男が走っていた。武内だ。手には薪のような木の棒を持っている。奥に義母の顔が一瞬見えた。しゃがみ込んだのか転んだのか、車の陰に隠れてしまった。何がどうなっているのかは分からなかったが、その場の異常性だけはすぐに察した。

「お義母さん！」

雪見が駆けつけながら大きな声で呼ぶと、武内が振り返った。かっと眼を見開いて、薪を投げ飛ばしてきた。薪は雪見の耳元を唸りを上げてかすめていった。

畳みかけるように、武内は壁に立てかけてあった高枝切りばさみを持ち出してきた。

「ふんんんんっ！」

何の躊躇もなく雪見の胸元を突く。いきなりのことで驚く暇もない。鎖骨を直撃したが痛みは麻痺していた。はさみが開いていなかったのが幸いだった。夢中でそれを摑み、奪い合いの形となった。

武内の後ろで義母が立ち上がる。武内の後頭部に薪を叩きつけた。武内が怯《ひる》み、雪見は高枝切りばさみをもぎ取った。

「裏切り者おおっ!!」

武内の怒りが義母に向いた。義母の薪を奪い、それで彼女を殴りつける。義母が悲鳴を上げてくずおれる。

雪見はその間に高枝切りばさみを持ち替えた。グリップの安全レバーを外すと先端のはさみが開いた。

それを武内の膝の裏に当てる。

そしてグリップを握る。

武内は絶叫してガレージの奥に転げ回った。

「お義母さん、早く出て！」

「まどかが、まどかが」義母が後部座席を指差す。

まどかがいるのか？　どこに？　ウインドウが粉々に砕かれていて、泣き声もない。

雪見は後部ドアを開けた。

「まどか!?」

呼ぶと呻き声のような小さな声が聞こえた。

チャイルドシートにタオルケットがかかっている。手を伸ばしてめくる。

いない。どこだ？

タオルケットを全部引き剥がそうとして、下のほうで引っかかった。

まどかだ。シートの足元で丸くなっている。前のシートも後ろに倒されているので、狭いところに嵌まり込んだ形だ。

まどかは雪見を見て、ぎゅっと口にくわえていたタオルケットを吐き出した。

「ママーッ！」

一瞬のうちに泣き顔になって、手を伸ばしてくる。

雪見はしっかり抱き抱えた。

ああ、生きててくれてる。

可哀想に、身体が汗でびっしょりだ。

怖かっただろうな。

もう離さない。

この子は私が守る。

雪見はまどかを抱いてガレージを出た。

義父がまだ事態を把握できないような顔をして、車の前に突っ立っている。その後ろには、雪見たちのあとを追ってきた刑事もいる。何が起きているのかと窺うようにして車から出てきている。

「刑事さん、捕まえて！」

「お父さん、俊郎が！」

言われて、色めき立った刑事がガレージに、義父がログハウスに入っていく。

義母は空き地の真ん中で力尽きたようにしゃがみ込んだ。

「お義母さん、大丈夫？」

雪見が気遣っても義母は放心したままだった。しかし、残った杏子に気づいたところで、おもむろに腰を浮かせた。

「あの……ご主人がガレージの横に」

義母は口を手で覆い、眼を潤ませて頭を下げた。

杏子は顔を強張らせ、それでも覚悟を決めたように、「はい」と頷いた。

「お父さん！」

呼びながら、彼女は駆けていく。

雪見はその後ろを見ながら切なくなった。

杏子がガレージの向こうに消えるのとほとんど同時に……。

武内がベンツと壁の間からガレージの外に出てきた。

足を引きずって、ログハウスに入っていく。

刑事が遅れて出てきたが、間に合わなかった。

ログハウスのドアが閉まった。

＊

俊郎はリビングのほぼ中央、ソファの手前で突っ伏すようにして倒れていた。

動いていない。

頭の周囲に小さな血だまりができているのを見て、勲は冷水をかぶったような寒々とした気分になった。

「俊郎……おい、おい」

かたわらで呼びかけても反応しない。

祈る思いで手首を取る。

脈はある。はっきりとある。勲は無意識のうちに止めていた息を大きくついて安堵した。

そのとき……。

背後でドアを施錠する音が鳴った。

頭に包帯を巻いた男が入口に立っていた。武内だ。しかし、勲の知る紳士然とした彼ではなかった。眼元の腫れや口元の血糊を抜きにしても、常人としては破綻した顔をしていた。

「警察だ！　開けなさい！」

外からはそんな声が聞こえてくる。

武内は虚を衝かれたように勲を見たあと、右足をひどく引きずりながらリビングに入ってきた。

「わ、私もやられたんです。足がほらこんなふうに」

彼は泣きそうな声で言い、膝から下が血に染まった右足を見せた。

彼が何を言いたいのかはよく分からなかった。しかし、詳しく訊いている暇もない。今は俊郎のほうを何とかせねばならない。

尋恵らに言って救急車を手配してもらおうと考え、勲は玄関のほうに戻りかけた。

そこへ、思いがけず武内が動いた。床に落ちていた真鍮の棒を拾い上げ、飛びかかるようにして俊郎の首筋にそれを打ち込んだ。

「何をするんだっ⁉」勲は武内の腕を押さえて棒をもぎ取った。

武内はその反動であっけなく床を転がった。這いずるように身体を起こし、勲を哀しそうに見る。

「彼が悪いんです。分かって下さい」

「離れろ！」

「足が……足がもう痛くて」

湿った声で言い、足をさする。

何だこの男は？　勲は憤然として握りこぶしに力を込めた。

玄関に行くふりをすると、武内は近くのローテーブルに置いてある大理石の灰皿に手を伸ばそうとした。勲は真鍮の棒を振り上げて威嚇した。

「動くな！」

武内は弱々しく首を振り、手を引いた。

「分かって下さい。被害者は私なんです。先生だけは分かって下さい」

何を勝手なことを……勲はきっと彼を睨みつけた。

今この男に手を出したら正当防衛になるのか……そんな思いが一瞬頭をよぎったが、元より彼を殴打するつもりで棒を振り上げたわけではなく、勲は憤怒の息だけを吐いて、衝動を押し止めた。

「早くここを開けなさい！」外で刑事がドアを叩く。

勲はテーブルから大理石の灰皿を取り上げ、武内を目で制した。じりじりと後ずさりして、武内が動かないのを確かめてから、さっと身を翻して玄関のドアを解錠した。

リビングを振り返ると、武内が俊郎の頭に食器皿を打ちつけていた。

勲はくらくらとした怒りに震えた。そしてそれを吐き出す一つの言葉が頭に浮かんだ。

勲は真鍮の棒を捨て、大理石の灰皿を両手に握った。

勲と目が合い、武内の手が止まった。彼はさらにもう一回俊郎の頭に食器皿を落としてから、それを手離した。

「分かって下さい……」両手を上げて彼は哀願する。

「警察だ！」勲の背後で、中に入ってきた刑事が声を張り上げた。

構わず勲は武内に迫り、灰皿を振り上げた。

「死ねえええええっ！」

腹の底から叫んだ。

叫んだ瞬間、何かが勲の身体から剝がれ落ちていった。

「……被告人は『死ね』との言葉を発しながら被害者の身体にのしかかり、手にしていた大理石の灰皿を両手で頭上に振り上げた上、それを被害者の頭部に打ちつけた。さらに被告人は警察官の制止を振り切り、『死ね、死ね』と連呼して、同様の行為を都合十回程度繰り返した。これにより、被害者は頭蓋骨骨折などの致命傷を受け、死亡に至った……」

約半年後、勲は小さな法廷で自分が起こした事件の判決を受けていた。

無罪を言い渡した男に家族を狙われ、結局自分の手でその男を殺害することになった元裁判官の事件……おそらく世の中の多くの人が呆れ返ったと思われるその事件の被告人が自分だった。

目線を上げたところに三人の裁判官が座っている。誰も勲とは面識がなかった。

判決文を読み上げる裁判長は判決書に目を落としたきり、勲のほうは見もしない。

それにしても淡々としたもんだな……勲はそんなことを思いながら静かに聞いている。

「……被告人が暴行に及ぶ直前、被害者が両手を上げて無抵抗の意思を示していたという警察官の証言は被告人の供述とも一致し、信用に足るものである。このことからも、被害者の命までも奪うに至った被告人の行為は正当防衛を大きく逸脱するものであり、報復的意味合いの強い犯行であったと認められる……」

確かに防衛からは逸脱していた……というより、防衛としては遅過ぎたのだ。野見山が言っていた、いざというときの決断が決定的に遅れてしまっていた。それは今でも後悔する限りである。しかし、報復と言われると違和感が残る。

あえて言うなら責任を取ったということなのだが……それもずいぶん間抜けな話で、人に分かってもらおうとは思わない。

「……被告人は三十五年にわたって裁判官の職に就き、それを辞したのちも法学者として司法制度の充実を研究課題に活動してきた。いわば率先して法を尊重するべき立場にいた被告人の犯行は、法及びそれを拠《よ》りどころとして成り立っている社会への背反行為であり、その責任は重大である。法に携わる人間の風上にも置けるものではない……」

ここのところだけは裁判長の声も少し大きくなった。毅然とした態度を示したつもりか、風上にも置けないとはまた思い切った言葉を挿んだものだ。

もっともだなと思う。だが、不変の風上などはどこにもない。

「……しかしながら、被告人の家族は被告人が駆けつけるまで被害者による暴行を受け、極めて深刻な危機的立場に置かれていた。また、被告人が犯行に及ぶ時点まで被害者は警察官の拘束を受けておらず、被告人の家族がさらなる暴行を受けるおそれは皆無ではなかった。よって被告人の犯行は執拗かつ過度の暴力を伴っているが、そもそもの動機としては家族の生命を守る防衛的な一面を含んでいたと推察され、明白な殺意を持っての犯行であるとは認めがたい。犯行時に被告人が発したとされる『死ね、死ね』との言葉についても、殺意の発露というよりは、怒りの表現としてたまたま口を衝いた罵声の一種と考えるのが適当で、これをもって被告人に殺意があったと類推できるものではない……」

死ねと言って殺しているのに殺意がないとは……勲は心の中で苦笑を禁じ得なかった。判決を軽くしたところで、身内に甘いだの揶揄されるのがオチなのに。人を殺した人間を甘やかしてどうなるというのか。

確かに「死ね」と叫んだのは殺意があったからではない。かといって、たまたま口を衝いたわけでもない。あのとき、ああ叫ばなければ、自分は一撃たりとも繰り出すことができなかっただろう。息子が倒れているのを前にしてなお正当防衛になるのかなどと考えていたほど、性根まで遵法精神が染みついてしまっている男だ。そんな男が理屈を超えて行動を起こすには、殺意を持ってくる以外になかった。殺意があって叫んだのではなく、殺意を呼び起こすために叫んだのだ。

これも人に言ったところで分かってはもらえないだろうなと思う。

「……長年にわたり被告人が法曹人として社会に寄与した貢献度は小さくなく、周囲からは温厚な人柄も認められている。今一度法の精神の原点に立ち返ることで更生の道は開けるものであり、本件の特殊性を考慮すると再犯の可能性は考えにくい……」

長々と判決文の朗読が続いたが、つまるところは過剰防衛による傷害致死で、大幅な情状酌量が認められるようであった。

「それでは判決を言いますので、被告人は前に出てきて下さい」

裁判長の言葉に従い、勲は立ち上がって前に進んだ。

「主文。被告人を一年六カ月の懲役に処す」

裁判長は淡々と言い、未決勾留期間をそれに参入すると続けた。

主文を聞くときだけはやはり緊張した。ただ、言い渡されての感慨は特になかった。

不服がある場合は二週間以内に控訴の手続きを取るようにとのお決まりの台詞があり、素っ気なく閉廷が告げられた。

勲は何となくそうするのが自然なような気がして、裁判長に一礼した。しかし裁判長は何も目に入らなかったかのようにくるりと背を向け、冷ややかに退廷していった。

ずいぶんと遠い世界の人間に感じられた。自分も少し前まではあちら側にいたのだと思うと妙な気がした。

あの世界で積み上げてきたものは、みな失ってしまった。据わりの悪い身軽さに戸惑うことしきりである。

けれど、不思議に喪失感はない。

代わりに、かろうじて掌中からこぼさずに済んだものもあるからだ。

手錠と腰縄をかけられる合間、勲は傍聴席を振り返った。

最前列に並んでいる。

俊郎は勲と目が合うと、まあこんなもんだろうねとでも言いたげに肩をすくめてみせた。

まだ時折ひどいめまいに襲われるようで、杖をかたわらに置いている。彼のことは勲も申し訳ない気持ちで一杯だった。家族の中で彼を守ってやれるのは自分しかいなかった。あのとき、武内の追い討ちを許さなかったら、俊郎の後遺症ももっと軽くて済んだかもしれない。ろれつがうまく回らないのも心配だ。今年に繰り越した口述試験までにもう少し快復することを願っている。救いは本人が持ち前の明るさを失っていないことだ。勲のいない家ではすっかり家長を気取っているらしい。

俊郎の横には雪見が座っている。膝に乗せたまどかの手を取って、勲に振ってみせる。その笑顔は彼女が自分で摑み取ったものだ。逞《たくま》しいなと思う。

その隣に尋恵がいる。ずいぶん迷惑をかけてしまったが、そんな気配はおくびにも出さない。

かろうじて失わずに済んだ。

愚か者にはなってしまったけれど……。

自己嫌悪はない。

尋恵は勲と目が合うと、両こぶしを胸の前に出した。

がんばれ。

そう口を動かして、にこりと微笑む。

勲は頷いた。

気持ちが一杯になり、みんなに背中を向けた。

退廷する。

顔を上げて。

〈参考文献〉

『日本の裁判官』　野村二郎　講談社
『裁判官の仕事がわかる本』　受験新報編集部編　法学書院
『司法修習生が見た裁判のウラ側』　司法の現実に驚いた53期修習生の会編　現代人文社
『裁判官を信じるな！』　柳原三佳・松永憲生・寺西和史他　宝島社
『えん罪入門』　小田中聰樹・佐野洋・竹澤哲夫・庭山英雄・山田善二郎＝再審・えん罪事件全国連絡会編　日本評論社
『冤罪はこうして作られる』　小田中聰樹　講談社
『現代の裁判』　市川正人・酒巻匡・山本和彦　有斐閣
『女の子を育てる』　野間和子監修　大泉書店
『ハチャメチャ2歳児』　プチタンファン編集部編　婦人生活社
『ジコチューな3歳児』　プチタンファン編集部編　婦人生活社
『叱ってばかりの私』　プチタンファン編集部編　婦人生活社
『続「読んでくれてありがとう」』　プチタンファン編集部編　婦人生活社
『みんなの介護入門』　生島ヒロシ　幻冬舎

『母に「襁褓」をあてるとき』　舛添要一　中央公論社
『窯焼きピザは薪をくべて』　バウムクーヘン・ピザ普及連盟　創森社
なお、取材に快くご協力いただきましたK氏に心より御礼申し上げます。

解説

藤田香織

小学一年生のとき、我が家に一匹の犬がやってきた。父が、転勤になった同僚から譲り受けてきた4歳になる真っ黒なその犬は前の飼い主に「タロー」と名づけられていて、私と弟は早く馴《な》染《じ》みたい一心で「タローお座り！」「タローお手！」などと大騒ぎしていた。その翌日、今度は隣の家に住む同級生のU子ちゃんが、相変わらず盛り上がっている私たちのところにトコトコやってきた。「あ！　U子ちゃん！　みてみて〜犬が来たの！　タローって言うんだよ！」とはしゃぐ私たちに、彼女は微妙な表情でひとことこう言った。「うちのお父さんと同じ名前だ……」。その日から、タローはジローになった。

それから五年後。我が家は引越し、コーポ形式の社宅に住んでいた。社宅とはいえ四世帯しかなかったので、付き合い濃度は濃く、大人も子供も年中気軽にそれぞれの家を行き来していた。特に隣家には私も弟も同じ年の姉妹が住んでいたので、それこそ毎日のようにあがりこみ一緒に遊んでいた。彼女たちのお母さんは肝っ玉母さん的な人で、お父さんは小柄で穏やかな人で、私たちにもとても優しかった。二年後、その家《うち》のお父さんはW不倫の末、妻子を捨て、駆け落ちしたと知らされた。

今から四年ほど前、私は都内のテラスハウスに住んでいた。一棟に三軒連なる建物の真ん中の部屋で、右隣の家は中年男性の一人暮らしで、昼間からセーラー服を着た女の子が「またよろしくね〜」と出て行くのを二度ほど見かけた。一方の左隣の家は、小学生と幼稚園に通う子供が三人と、母親の四人家族。お母さんはふっくらとした優しそうな人で、会えば必ずはにかんだように会釈をしてくれたが、毎日子供たちを尋常ではない言葉で罵倒する声が聞こえてきて、私は内心びくびくしてそれを聞いていた。ある日、公園でその家の兄妹に会ったとき、三兄妹の真ん中のまなちゃん（仮名）が、「まなの家ねぇ、お父さんがいないの」と話をしてくれた。知ってはいたけど顔には出さずにいたら「まなが幼稚園のときね、酔っ払って帰ってきて、ママと大喧嘩して、次の日起きたら死んでたの」と事情を説明してくれた。まなちゃんのママは、看護師だと聞いたのはそれから数ヶ月後のことだった——。

以上、私が『火の粉』を読んで思い出した、個人的な「隣人」話。失礼しました。

幼い子供を含む一家殺害事件の法廷場面から幕を開ける本書は、知られざる「隣人」の姿を描いたサスペンスである。被告人の武内真伍は、検察側の主張によると、家族ぐるみの付き合いをしていた友人宅を訪問中〈贈ったプレゼントのネクタイを被害者がまったく使っていなかったから〉という動機から衝動的にその夫婦と子供を殺し、自らも暴漢による暴行を受けた被害者のように装ったとされていた。しかし、武内は一度自供した犯行を公判が始まった後、自供は警察の執拗な取り調べによる誘導的なものだったと全面否認。検察側の主張どおりであれば死刑判決が妥当。しかし武内の主張が正しければそれは冤罪《えんざい》となってしまう。死刑か無罪か。注目が集まるなか、裁判長の梶間勲は武内の背中に残された金属バットによる打撲痕の偽装が不可能に思えること、動機がいかにも希薄であることなどを理由に無罪判決を下した。

物語は二年後、前出の事件を最後に退官し、大学教授となった梶間勲が行った公開講座に、武内が姿を現したことから次第に動き出していく。感謝の言葉を繰り返す武内に感慨を覚えた勲は、訊《たず》ねられるままに退官後住まいを多摩野の高台にできた新興住宅地に移したと応え、冤罪について語って欲しいと自らのゼミに武内を招いた。そのしばらく後、空家だった勲の隣家に、武内が越してくる。偶然だ、と思いながらも戸惑いを覚える勲をよそに、武内は驚きながらも再会を喜び、そつのない笑顔を見せていた。

だが、その日から、梶間家はゆっくりと、けれど確実に何かが狂いはじめ、やがてとてつもない事件へと巻き込まれていく——。


雫井脩介はドーピング問題を扱った『栄光一途』で第四回新潮ミステリー倶楽部賞を受賞し、二〇〇〇年にデビュー。世界選手権金メダルという輝かしい経歴を持ちながらも怪我でオリンピック出場を果たせず引退し、若くして全日本柔道連盟の女子コーチに就任したヒロイン望月篠子が、友人でスポーツ科学に詳しい剣豪・佐々木深紅らに協力をあおぎながら、二人の男子選手にかけられた薬物使用疑惑の調査を進めていく、という内容で、曖昧《あいまい》な闇の中にあったスポーツとドーピングの問題に真正面から光をあてた作品として注目を集めた。

望月篠子と佐々木深紅は、第三作『白銀を踏み荒らせ』でも名コンビぶりを発揮し、事故死したアルペンスキー選手に関する真相を追っていくのだが、この二人の女性キャラクターが実に個性的かつ魅力的で、個人的には雫井氏＝女性を描くのが巧《うま》い男性作家、という認識があった。

これは、おそらくサスペンス・ミステリーとしての読み解き方としてはやや横道に逸《そ》れることではあると思うが、最初に本書を読み終えたときに私が真っ先に感嘆したのもまた、その類稀《たぐいまれ》な女性心理の描き方である。

梶間家はいわゆる四世代同居で、勲と妻の尋恵、息子で司法浪人中の俊郎と妻の雪見の間に生まれた三歳のまどか、そして脳卒中で寝たきりの勲の母がひとつ屋根の下に暮らしている。ゆとりある高級感漂う新興住宅地の中でも一番大きな五LDKの一戸建てを購入し、母親と息子夫婦も呼び寄せた勲は、それで自分の役目は果たしたといわんばかりに家のことには一切手を出さない。司法試験を目指す息子の俊郎も同様で、家事と育児、勲の母親の介護はすべて尋恵と雪見の手に委《ゆだ》ねられている。

本書は書き出しの法廷部分からしばらくは勲の視点で綴《つづ》られているのだが、武内が越してきて以来、主にこの尋恵と雪見の視点で描かれ、後にこれが重要な鍵となってくる。

勲の妻・尋恵は極めてよくできた日本の嫁であり、元気な頃から冷淡で実母の介護どころか看取《みと》ることも許さなかった姑《しゅうとめ》にさんざん尽くしてきた。寝たきりになった今も、食事の世話はもちろん、体位替えから下の世話まで過酷な介護をほとんど一手に引き受けている。同居を始めてからは息子の嫁・雪見も手伝ってくれてはいるが、それも任せられることとそうでないことがある。尋恵は便秘に苦しむ姑に浣腸し、指でかき出すことまでしているのだ。

そこまで献身的に尽くしてしても、姑から一度も礼のひと言を聞いたことがなかった。お嬢様育ちで介護経験のない姑は、介護がどれほど大変なのか分かっていない。それでも尋恵は叶《かな》わなかった実母の分までも、と思い、懸命に介護を続けている。完璧に、何の文句も出ないくらいに介護と家事をこなし、何の借りも負い目もない形で姑を送りたい、そして最後は嫌々でも「ありがとう」のひと言を聞かせて欲しい、というただその一心だけで。

　けれど、物語の前半で、そんな尋恵の思いを打ち砕くとてつもないエピソードを作者はこともなげに用意する。月に二、三回都合のいいときだけ介護にやってくる勲の姉・満喜子を前に、勲と俊郎、尋恵を呼び集め、年金をコツコツ貯めた五百万円を遺言のように分配する場面だ。「満喜ちゃんに百万円……」「俊ちゃんに五十万円……」通帳を見ながらゆっくりと姑は読み上げていく。勲の弟や俊郎の従兄弟《いとこ》たちにも百万、三十万という金額が告げられ、合計金額は三百七十万。残りは勲に、ということになるのだろうと尋恵は微笑《ほほえ》ましくすら思いながら、姑が彼女なりに家族への感謝を示すその姿を見守っていた。ところが姑はこう続けたのである。「尋恵さんに三万円……」。

　この嫌らしさはもう尋常ではない。〈三万円って何だ？　自分が姑にしてあげた何を対価に直すと三万円という数字が出てくるのだ？　それが実の子より数十倍尽くしている人間に対して出す数字なのか。／ゼロならゼロでいいのだ。自分への分があるとすれば、それは勲に渡る分に入っている。ゼロなら常識としてそう察することができる。／なぜ三万などという剝《む》き出しの数字を出して、大変な思いをしてきた数々の努力を踏みにじろうとするのだ？

なぜそんなに安く買い叩こうとするのだ？〉当然、尋恵はそう感じずにはいられない。報われない努力。届かない思いを胸に尋恵は思わず「おばあさん……私、お金なんていらないの……いらないから」と言いかける。だが、そんな気持ちも姑にはもちろん、誰にも理解されることなく、満喜子からは「金額が少ないからって、人の好意を拒否するなんて血の通った人間のすることじゃないわよ」となじられてしまう。

そしてこの尋恵の心の隙間に、作者はするりと武内を滑り込ませるのだ。

家族の誰にも分かって貰えない尋恵の深い苦しみと、肉体的・精神的な辛《つら》さに武内はあくまでも隣人としての節度を保った態度で理解を示し、受け止め、手を差し伸べていく。当然、尋恵は武内を汚名を着せられた過去を持ちながらも、できた良い人だと思いこむ。

その一方で、実の親から虐待を受けて育ち、自分の子供にだけはそんなことはやるまいと愛情をもってまどかを育てようとしている雪見の日常も、作者は実に丁寧に描いていく。夫が収入のないことから同居を余儀なくされた不自由さと、これまたいずれ手が離れる日がくることは分かってはいても、とてつもなく遠く感じる、聞き分けのない娘の育児に追われる日々。雪見はママ友達との付き合いに悩み、体罰を加えることのジレンマに悩み、夫にも明かせずにいる過去に悩み、それらを一人で抱え込んでいる。

だが、人のいい義母と異なり、当初から武内に得体の知れない薄気味悪さを感じていた雪見は、次第に梶間家との距離を詰めてくる男に心を許すことはできなかった。

結果的に雪見は唯一、梶間家の中で武内の人間性に疑問を抱《いだ》き続ける存在となり、やがて尋恵や俊郎との仲さえこじらせてしまう。

この梶間家の女たち、特に尋恵と雪見の心理描写の深さは、女心を描かせたら現代女性作家の中でも随一と呼ばれる桐野夏生や乃南アサに劣らぬ秀逸さで、本書にたまらないリアリティーをもたらしている。特に今、一番の読書層だと言われている20代〜50代の女性読者にとっては、決して他人事《ひとごと》とは思えぬ「惹きポイント」だろう。

果たして武内は本当に善意の隣人なのか。それとも何か深いたくらみがあるのか。

読者を迷わせつつも物語は進み、やがて勲の母が食事を喉に詰まらせて死に、雪見は誤解が長じて家を出され、一家殺人事件の被害者遺族・池本夫妻が雪見と共に忠告に訪れ、武内の元弁護士が殺されて尋恵は武内のアリバイを偽証するなど、梶間家は次第に不穏な空気に包まれていく。

それらの出来事に一定の距離を置き傍観者として見ていた勲は、その段になってようやく腰を上げ、旧知の検事・野見山に面会を求めるのだが、三十年以上も昔の武内の過去に起きた事実を知らされ、不愉快に思いながらも、やはり早急な手をうつことはできなかった。

その結果、梶間家がどんな事態に陥るのか——。それはここでは書かずにおくが、最後にもうひとつ、私が本書に関して抱いた感慨を記しておきたい。

それは疑惑の隣人・武内に関してのことだ。

ここからはネタバレになるので未読の方は注意して欲しいのだが、私は武内は確かに「異常」な人間だと思いつつも、心のどこかでその気持ちを理解できなくもないのである。人に親切にしている自分を受け入れて欲しい。努力をしているのだから、応えて欲しい。愛していると態度に示しているのだから、愛を返して欲しい。そんな思いはきっと多くの人が心に持っている。仕事で、誰よりも努力し結果を出したなら評価して欲しいと願わない会社員はいないだろうし、家事や育児を文句も言わずこなすことは専業主婦の当然の役割と、ねぎらいの言葉ひとつもかけられることなくがなくても満足感を得られるという女性もいないだろう。神や仏じゃあるまいし、見返りのない善行を続けられる人間なんて、ほとんどいないはずだ。

この武内を、単なる二面性のある人格破綻者として描いていないところが、本書の一番の読みどころであり、作家・雫井脩介の凄《すご》みだと私は思う。

毎日のように顔を合わせていた隣人のことを、私は何も知らなかった。と、同時に今尚、自分自身のことすらよく分かっていない。けれど、最後の最後に書評家としての意地をかけて断言させて頂きたいのだが、雫井脩介は二〇〇四年六月の現在において受けている世間的な認知より、ずっとずっと評価されていい作家である。

その評価を得るに値する彼の仕事ぶりを、ぜひとも本書で確認して欲しい。

――書評家

この作品は二〇〇三年二月小社より単行本として、二〇〇三年六月幻冬舎ノベルスとして刊行されたものです。
JASRAC　出0407567―426

火《ひ》の粉《こ》

雫井《しずくい》脩介《しゅうすけ》

平成16年8月5日　初版発行
平成25年7月30日　26版発行

発行人――石原正康
編集人――菊地朱雅子
発行所――株式会社幻冬舎
〒151-0051東京都渋谷区千駄ヶ谷4-9-7
電話　03(5411)6222(営業)
　　　03(5411)6211(編集)
　　　振替00120-8-767643
印刷・製本―株式会社　光邦
装丁者――高橋雅之

幻冬舎文庫

ISBN4-344-40551-X　C0193　　し-11-4

幻冬舎ホームページアドレス　http://www.gentosha.co.jp/
この本に関するご意見・ご感想をメールでお寄せいただく場合は、
comment@gentosha.co.jpまで。